Diogenes Taschenbuch 24200

MEIR SHALEV, geboren 1948 in Nahalal in der Jesreel-Ebene, studierte Psychologie und arbeitete viele Jahre als Journalist, Radio- und Fernsehmoderator. Er ist einer der bekanntesten und beliebtesten israelischen Romanciers. 2006 erhielt er für sein Gesamtwerk den Brenner Prize, die höchste literarische Auszeichnung in Israel. Meir Shalev schreibt regelmäßig Kolumnen für die Tageszeitung *Yedioth Ahronoth*. Er lebt in Nord-Israel.

Meir Shalev

Meine russische Großmutter und ihr amerikanischer Staubsauger

Aus dem Hebräischen von
Ruth Achlama

Diogenes

Titel der 2009 bei
Am Oved Publishers Ltd., Tel Aviv,
erschienenen Originalausgabe:
›Ha-davar haja kacha‹

Die deutsche Erstausgabe
erschien 2011 im Diogenes Verlag
Covermotiv: Illustration von David Polonsky

Für meine Onkel und Tanten

Veröffentlicht als Diogenes Taschenbuch, 2012

www.diogenes.ch
20/17/852/4
ISBN 978 3 257 24200 3

1

Die Sache war so: Vor einigen Jahren, an einem heißen Sommertag, erhob ich mich von einem angenehmen Mittagsschlaf, machte mir eine Tasse Kaffee und merkte beim Trinken, dass mich alle komisch anschauten und sich das Lachen verkniffen. Als ich mich bückte, um mir die Sandalen zuzuschnallen, entdeckte ich den Grund: Meine Zehennägel, alle zehn, waren glänzend rot lackiert.

»Was ist das?«, rief ich. »Wer hat mir denn die Zehennägel angemalt?«

Durch die halboffene Verandatür hörte man kichernde Stimmen, die ich von früheren Vorfällen nur zu gut kannte.

»Ich weiß, wer's war«, rief ich laut, »ich werde euch finden, ihr Gören, werde euch schnappen und euch Nasen und Ohren mit demselben Lack anmalen, den ihr mir auf die Füße geschmiert habt, und ich schaff das alles, ehe mein Kaffee kalt wird.«

Das Kichern ging in Gelächter über und bestätigte meinen Verdacht. Während ich schlief, hatten Ronny und Naomi, die kleinen Töchter meines Bruders, sich angeschlichen und mir die Zehennägel lackiert. Die jüngere, erklärten mir die beiden später, hatte vier Nägel angemalt, die ältere sechs. Sie hatten gehofft, ich würde es nicht merken, würde so unter die Leute gehen und mich Hohn und Spott aussetzen.

Aber jetzt, da ihr Streich aufgeflogen war, stürmten sie ins Zimmer und riefen: »Mach den Lack nicht ab, nicht abmachen, das ist furchtbar schön.«

Ich sagte, ich fände es ja auch furchtbar schön, aber es gebe da ein Problem: Ich müsse zu einer »wichtigen Veranstaltung« und dort sogar eine Rede halten, könne so aber nicht vors Publikum treten, denn wir hätten jetzt Sommer, und im Sommer trüge ich Sandalen.

Über beides – die Veranstaltung wie auch meine Gewohnheit, Sandalen zu tragen – seien sie im Bilde, erwiderten die Mädchen, und gerade deswegen hätten sie es getan.

Ich erklärte, dass ich zu jeder anderen wichtigen Veranstaltung durchaus so gehen würde, nicht aber zu dieser wichtigen Veranstaltung. Und zwar wegen des Publikums dort, einem Publikum, vor dem kein zurechnungsfähiger Mann mit lackierten Zehennägeln erscheinen würde, und schon gar nicht mit roten.

Die wichtige Veranstaltung, von der wir redeten, war die Einweihung des frisch renovierten Waffenverstecks der Hagana in einem der Bauernhöfe in Nahalal. Das Versteck war in der britischen Mandatszeit gebaut worden, und zwar zur Tarnung in der umfunktionierten Jauchegrube eines Kuhstalls. In meinem Buch *Ein russischer Roman* habe ich ein fiktives Waffenversteck in einem gleichfalls fiktiven Dorf in der Jesreelebene, die im Hebräischen Emek Israel oder kurz Emek genannt wird, beschrieben, und auch das war nach diesem Muster gebaut und getarnt. Nach Erscheinen des Romans tauchten immer mehr Leser auf dem echten Grundstück in dem echten Dorf auf und wollten das echte Waffenversteck besichtigen.

Das Gerücht verbreitete sich von Mund zu Mund, die wachsende Besucherzahl wurde zur Plage, doch die Eigentümer des Hofes wussten das Beste aus der Sache zu machen: Sie renovierten das Waffenversteck, errichteten ein kleines Besucherzentrum darüber, und schon hatten sie eine weitere Erwerbsquelle aufgetan. An dem Tag, an dem die beiden Töchter meines Bruders mir die Zehennägel rot lackierten, sollte die feierliche Eröffnung des renovierten Waffenverstecks stattfinden, und ich gehörte zu den Festrednern.

»Jetzt holt mal Nagellackentferner und befreit mich von dieser schönen Farbe«, bat ich Ronny und Naomi. »Und beeilt euch bitte, denn ich muss bald los!«

Die beiden weigerten sich. »Geh so!«, sagten sie.

Ich erklärte ihnen erneut, dass es sich um eine ausgesprochen männliche Veranstaltung handle, an der mehrere Generationen von Kämpfern aus dem Emek teilnehmen würden: Veteranen der Hagana, der israelischen Streitkräfte und der Palmach, Männer, die unter dem Zeichen des Schwertes und der zwei Ähren kämpften, die Lanzen zu Winzermessern schmiedeten und umgekehrt. »Kurzum, Mädels, es geht um Leute, die Männer mit roten Zehennägeln nicht gerade mit offenen Armen empfangen.«

Aber Naomi und Ronny blieben ungerührt von meinen Argumenten. »Das kann dir doch egal sein!«, riefen sie. »Du hast selbst gesagt, dass es schön aussieht.«

»Wenn ihr das nicht abmacht, zieh ich Schuhe an!«, drohte ich. »Dann sieht kein Mensch euren roten Lack und fertig!«

»Du hast Angst!«, schleuderten sie mir entgegen. »Du hast Angst vor dem, was man im Dorf über dich sagen wird.«

Diese Worte wirkten sofort. Die beiden hatten mich unwissentlich an einer empfindlichen Stelle getroffen. Wer die alte Arbeitersiedlungsbewegung mit ihren Genossenschaftsdörfern, den Kibbuzim und Moschawim, kennt und die Kritik ihrer Bewohner am eigenen Leib erfahren hat, der weiß: In kleinen Ortschaften gibt es stets prüfende Augen, häufig unverblümte Kommentare, und Gerüchte fliegen auf und landen wie Kraniche auf einem Saatfeld – besonders in Orten, deren Geschichte so bekannt und ruhmreich ist wie die Nahalals. Hier werden strengere Maßstäbe angelegt, und wenn jemand aus der Reihe tanzt und vom geraden Weg abweicht, sei es nach rechts oder links, nach oben oder unten, ja auch nur einen einzigen Kindheitsfehler begangen hat – es wird nicht vergessen. Erst recht bei einem, der als »Sonderling« gilt, als »komischer Vogel«, als *»Zudrejter«*, das heißt als »Durchgeknallter«, und somit auch als »Ungeratener« – das krasse Gegenteil des »Wohlgeratenen«, einem der höchsten Titel, die das Dorf an seine tüchtigen Leute vergibt.

Doch nach vielen Jahren in der Stadt hatten die Worte »was« und »wird man« und »im Dorf« und »sagen«, einzeln und zusammengenommen, etwas von ihrer Kraft und Bedrohlichkeit verloren. Deshalb beschloss ich nach kurzer Überlegung, den Fehdehandschuh – oder genauer gesagt, die Sandalen – aufzuheben. Ich schnallte sie zu, steckte mein Redemanuskript in die Hemdtasche und machte mich mit bloßen, rotlackierten Zehen auf zur Einweihung des Waffenverstecks. Die Blicke meiner Angehörigen begleiteten mich, manche belustigt oder bekümmert, andere schadenfroh oder sorgenvoll – würde der, der nun aufbrach, seine Familie und sein Haus wiedersehen? Und in welchem Zustand?

Ich muss gestehen: Trotz meines kühnen Abgangs wuchs meine Besorgnis, je näher Zeit und Ort der Veranstaltung rückten. Bei der Ankunft war mir schon flau im Magen. Ich hoffte insgeheim, dass man meine Zehen gar nicht beachten würde, und mein Wunsch schien in Erfüllung zu gehen. Kein Mensch machte eine Bemerkung, keiner sagte etwas. Ganz im Gegenteil begegneten mir alle äußerst herzlich. Meine rechte Hand wurde von markigem Händedruck zerquetscht. Meine Schulter wankte unter mannhaftem Schulterklopfen. Und auch meine kurze Ansprache ging glatt und zur allgemeinen Zufriedenheit über die Bühne, oder das meinte ich wenigstens.

Ich nutzte das Waffenversteck natürlich metaphorisch – als Sinnbild der Erinnerung und dessen, was sich allgemein in den Tiefen der menschlichen Seele verbirgt. Nach Schriftstellerart verlor ich auch einige Worte über das, was auf und was unter der Oberfläche geschieht, was sichtbar ist und was nicht, und von dort war es nicht mehr weit zu erprobten Waren wie »Dichtung und Wahrheit«, »das Verhältnis von Fiktion und Wirklichkeit in der Literatur« und das übrige Gemüse, das Schriftsteller feilbieten und mit geschlossenen Augen anpreisen können.

Doch als ich geendet hatte, von der kleinen Bühne trat und erleichtert aufatmete, sagte mir eine Frau aus der Familie, auf deren Hof das Waffenversteck lag, sie würde gern kurz unter vier Augen mit mir sprechen. Sie dankte mir für meine Rede, sagte sogar, sie sei völlig in Ordnung gewesen, fügte dann aber, fast beiläufig, hinzu, sie würde gern wissen, welchen Nagellack ich benützte. Zwei ihrer Freundinnen, die im Publikum saßen, hätten sie gebeten, das herauszufinden, und auch ihr gefalle dieses Rot ausnehmend gut.

Und als ebendieses Rot nun auf meine Wangen trat, hob meine Gesprächspartnerin hastig hervor, dass sie gar nichts dagegen habe, ganz im Gegenteil. So etwas habe ihr im Dorf immer schon gefehlt und könne sogar ein hoffnungsvolles Vorzeichen künftiger Entwicklungen sein. Aber unter den anderen Teilnehmern des Festakts habe es Bedenken erregt.

»Ich dachte, man hätte es gar nicht beachtet«, sagte ich.

»Nicht beachtet? Man spricht von nichts anderem«, erwiderte sie. »Aber du kannst dich damit trösten, dass es keinen überrascht hat. Ich habe sogar eine Frau sagen hören: Was wollt ihr denn? Das hat er von Tonia. Die war genauso verrückt wie er. So ist das bei denen in der Familie.«

2

Tonia war meine Großmutter mütterlicherseits, und ich fand sie kein bisschen verrückt. Sie war anders. Sie war eigenartig. Sie war das, was wir ein »Original« nennen. Sie war, gelinde gesagt, ein schwieriger Mensch. Aber verrückt? Das nicht. Doch wie in anderen Fragen stimmen mir auch darin nicht alle zu. Manche sind anderer Meinung, im Dorf und in der Familie.

Die Geschichte, die ich hier erzählen möchte, handelt von meiner Großmutter und ihrem *»Sweeper«*. So nennen wir den Staubsauger, den Onkel Jeschajahu, der ältere Bruder von Großvater Aaron, ihrem Ehemann, ihr geschickt hatte. Ich möchte betonen, dass ich sehr wohl weiß, dass »Sweeper« und »Staubsauger« zwei verschiedene Geräte sind, aber Großmutter Tonia nannte ihren Staubsauger »Sweeper«, und so bezeichnen wir bis heute jeden Staubsauger, mit diesem Namen und demselben Akzent, mit rollendem russischen R und tiefem russischen l-Laut.

Was Onkel Jeschajahu angeht: Ihm bin ich nie begegnet, aber die Geschichten, die ich seit meiner Kindheit über ihn hörte, zeichnen das Bild einer problematischen, um nicht zu sagen, negativen und schädlichen Persönlichkeit. Mitten in der Zeit der zweiten Einwanderungswelle, der »hebräischen Arbeit« und der Trockenlegung der Sümpfe, entschied sich

Onkel Jeschajahu, nach Amerika auszuwandern und gewissermaßen die Wüsten von Los Angeles zum Blühen zu bringen. Ja, damit nicht genug, änderte er seinen hebräischen Namen in das englische »Sam« und gründete ein *business*, mit dem er sein Geld unter Ausbeutung der Arbeiterklasse verdiente.

Beide Brüder entstammten einer chassidischen Familie, und beide kehrten der Religion den Rücken. Aber Großvater Aaron tauschte seine Religion gegen einen anderen glühenden Glauben, den an Sozialismus und Zionismus, während sein älterer Bruder sich bestens mit dem amerikanischen Kapitalismus arrangierte. Großvater Aaron verzieh ihm das nicht. Er nannte ihn sogar »den doppelten Verräter« – weil er weder Zionist noch Sozialist war.

Der »Sweeper« wiederum war ein großer und starker Staubsauger der Marke General Electric, desgleichen man im Dorf, in der Jesreelebene, ja in ganz Palästina noch nie gesehen hatte und auch künftig nicht sehen würde. So erzählte es mir meine Mutter, die ihn auch wunderbar beschreiben konnte. Er hatte ein riesiges, chromglitzerndes Gehäuse, sagte sie, und große, leise Gummiräder, und einen starken Elektromotor und ein langes, biegsames Saugrohr. Aber trotz aller Hochachtung und Sympathie, die ich für ihn empfinde, und trotz der Tatsache, dass der Staubsauger der Held dieses Buches ist, muss ich gleich jetzt einräumen, dass seine Geschichte nicht zu den wichtigen Geschichten meiner Familie zählt. Es ist keine Liebesgeschichte, obwohl es darin Liebe gibt. Es ist keine Geschichte vom Tod, auch wenn so einige ihrer Helden längst gestorben sind. Es ist keine Geschichte über Rache und Verrat, obwohl beides darin vorkommt. Und sie birgt nicht den Schmerz, den andere Geschichten unserer Familie enthalten, kennt jedoch Leiden, die damit verwandt sind.

Kurzum, es ist keine jener Geschichten, die mit uns aufstehen, uns auf unseren Wegen begleiten und mit uns schlafen gehen, sondern eine Geschichte, die wir einander gelegentlich erzählen, eine Geschichte, die wir von den ersten Generationen an jene weitergeben, die Großvater Aaron nicht gekannt haben, auch nicht den Sweeper, den sein Bruder Großmutter Tonia schickte, ja nicht einmal Tonia selbst.

Die große Geschichte meiner großen Familie schreibe ich vielleicht ein andermal in einem anderen Buch. Darin werde ich von meinen Eltern und deren Eltern erzählen, von den Jabbok-Furten, die sie durchquerten, und von den Kämpfen, die sie ausfochten. Ich werde die körperliche Schwerarbeit schildern und die lebenslängliche Einkerkerung ihrer Herzen. Werde meinen Kugelschreiber zücken für die Scharmützel der Liebe, für die Kriege der Ideenhirten, die Leidenswettbewerbe, die Vormachtskämpfe um die Brunnen der Erinnerung. Ich werde die bekannten und unbekannten, die versteckten und die offensichtlichen Verrückten benennen, werde über die entführte Tochter und die verstoßenen Söhne schreiben – und all das, meine Herrschaften, im Rahmen der zionistischen Revolution.

Falls ich dieses Buch schreibe, dann nicht heute oder morgen und auch nicht in den nächsten Jahren. Ich werde es schreiben, wenn ich älter und gemäßigter und mutiger und versöhnlicher geworden bin – und ich bin keineswegs sicher, ob ich dieses Versprechen je einlösen werde. Vorerst, in diesem kleinen Buch, möchte ich nur eine einzige Geschichte erzählen: die von Großmutter Tonia und ihrem Sweeper, den Onkel Jeschajahu ihr aus den Vereinigten Staaten schickte.

Diese Geschichte ist eine wahre Geschichte, ihre Helden sind real und ihre Namen echt. Aber wie alle Geschichten in unserer Familie hat auch sie einige Versionen, jede mit ihren Übertreibungen und Zusätzen und Auslassungen und Verbesserungen. Und noch etwas muss ich vorausschicken: Hie und da werde ich eine kleine Nebengeschichte einfügen, die dem Verständnis und der Orientierung dient, werde eine vergessene Tat aus dem Schlaf kitzeln und versunkene Bilder heraufbeschwören. Hier und da wird Kichern in einen Schrei umschlagen und ein Weinen in Gelächter.

3

Mein Großvater mütterlicherseits, Aaron Ben-Barak, wurde 1889 geboren und wuchs in dem Schtetl Makarow in der Ukraine auf. Mit neunzehn Jahren übersiedelte er nach Palästina, und wie viele seiner Genossen unter den Pionieren der Zweiten Alija, der zweiten Einwanderungswelle, zog er im ganzen Land umher und arbeitete überall: in Sichron Jaakov und in Hulda, in Ben Schemen und in Kfar Urija, in Beer Jaakov, das er und Großmutter Tonia »Berjakov« aussprachen, und noch in anderen Farmbetrieben und Dörfern. Da er von Ort zu Ort wanderte und wache Augen, ein warmes Herz, Humor und Schreibtalent hatte, verfasste er gelegentlich Aufsätze und Reportagen für die Zeitung *Hapoel Hazair* – »Der junge Arbeiter«.

Seine erste Frau, Schoschana, geborene Pecker, aus dem ukrainischen Dorf Rokitno, gebar ihm Itamar, meinen älteren Onkel, und Binjamin, den alle Binja nannten. Im Jahr 1920 erkrankte Schoschana an Malaria und starb jung. Drei Jahre später trafen weitere Verwandte der Peckers aus Rokitno ein: Schoschanas Halbgeschwister, Jaakov und Tonia, und deren Mutter, Großmutter Batja. Der Vater der Familie, Mordechai Zvi, war schon eher eingewandert und bereits gestorben, und auch Tonias große Brüder, Mosche und Jizchak, lebten schon im Land.

Nahalal, 1925. Obere Reihe (von links): Onkel Jizchak, Vetter Matitjahu, Großvater Aaron, Onkel Jaakov, Onkel Mosche. Sitzend: Binja, Großmutter Tonia mit Micha, Mosches Frau Chaja mit Sohn Oded, Itamar.

Aaron Ben-Barak, Witwer und Vater zweier kleiner Kinder, und Tonia Pecker, eine ledige junge Frau von achtzehn Jahren, beschlossen zu heiraten. Viele Jahre später, als auch ich in die Familie gekommen und herangewachsen und zu einem derer geworden war, denen Großmutter Tonia ihr bitteres Herz ausschüttete, erzählte sie mir immer wieder ihre Version der Hochzeitsgeschichte: »Die Sache war so: Ich war ein junges Mädchen, das nichts vom Leben wusste, und er war ein erfahrener Mann, vierzehn Jahre älter als ich, und er hat mir Versprechungen gemacht und Geschichten erzählt, und so ist es passiert…«

»Die Sache war so« war die Eingangsformel für jede Geschichte, die sie erzählte. Sie sprach diese Worte unweigerlich in ihrem starken russischen Akzent, mit dem R, bei dem die Zungenspitze nur so am Gaumen ratterte. Auch ihre Kinder – meine Mutter und deren Geschwister – sagten »die Sache war so« mit demselben Akzent und demselben R, wenn sie eine Geschichte begannen, und nicht nur sie. Bis heute benutzen wir diese Eröffnung und diesen Akzent, um zu sagen: Das ist die Wahrheit. Was ich gleich erzähle, entspricht den genauen Tatsachen.

Manche sagen, Großvater Aaron habe sich tatsächlich haargenau in dem Augenblick in Großmutter Tonia verliebt, als er sie von Bord des Schiffes gehen sah. Manche raunen, er habe sogar, wie in russischen Romanen gang und gäbe, mit Selbstmord gedroht, falls sie sein Werben nicht erhöre. Das behauptete auch Großmutter Tonia selbst, sie fügte sogar an, Großvater Aaron habe angekündigt, »sich in den Jordan zu werfen«. Warum gerade in den Jordan? Nun, Erhängen passt nicht für diese Sorte Selbstmord. Schlaftabletten und hohe Gebäude waren damals Mangelware. An Pistolen kam man schwer heran, Munition war rar und teuer, und wer damals eine Kugel vergeudete, um sich das eigene Leben zu nehmen, wurde des »Egoismus« beschuldigt und von der Gesellschaft gebrandmarkt. Dagegen nun der Jordan – poetisch, romantisch, nicht so groß wie die altvertrauten Flüsse in Russland, aber mit einer Aura, die jenen fehlte. Außerdem war er nah und gut erreichbar – »in Erez Israel ist alles nah«, erklärte mir Großvater Aaron Jahre später persönlich bei einem Gespräch, in dem er alles ableugnete, was Großmutter sagte.

Andere erzählten, Großvater Aaron habe Großmutter Tonia aus einem einfacheren und praktischeren Grund begehrt: Er hoffte, sie würde die Söhne großziehen, die ihre Schwester ihm geboren hatte, und ihnen eine gute Mutter sein. Daraus wurde nichts, und Großmutter Tonias Beziehung zu Schoschanas Söhnen ist eine schwärende Wunde in der Familienchronik. Auch Schoschana und Tonia waren ihrem Vater von einer ersten und einer zweiten Frau geboren worden, und manche behaupten, nach zwei Generationen von Zweitehen und Kindern zweier Mütter sei die Sache noch viel komplizierter, als ich sie gemeinhin schildere.

Wie gesagt, gehörte Großvater Aaron zu den Pionieren der Zweiten Alija, während Großmutter Tonia mit der dritten Einwanderungswelle ins Land gekommen war. Er zählte zu den »Gründern von Nahalal« und sie zu den »Ersten von Nahalal«. Trotz dieser Unterschiede, denen in den ersten Moschawim und Kibbuzim große Bedeutung beigemessen wird, setzten sie fünf Kinder in die Welt: Micha, Batja, die meine Mutter ist, die Zwillinge Menachem und Batscheva und den Nachzügler Jair. Alle fünf waren geborene Geschichtenerzähler, und viele ihrer Geschichten handelten von ihrer Mutter.

»Kommt ein junges Mädchen aus Russland, ein Mädchen mit zwei Zöpfen, im Gymnasiastinnenkleid, trinkt ihren Tee so, den kleinen Finger vom Glas abgespreizt, und dann geradewegs ins Emek Israel, in den Staub und den Dreck und die Arbeit und den Morast ...«, erzählte mir meine Mutter über ihre Mutter.

Ich spürte, dass sie sie verstehen und erklären, ihr vielleicht auch etwas verzeihen wollte: »Sie kam her, entdeckte, dass all das Gerede über das Vermögen, das ihr Vater hier angeblich besaß, nicht stimmte, dass Großvater Aaron zwar viele Vorzüge und Begabungen hatte, aber kein tüchtiger Bauer war, und versank in einem Leben voll Not und Arbeit. Und trotz alledem entschloss sie sich, nicht zu zerbrechen und nicht nach Russland zurückzukehren und nicht nach Amerika auszuwandern und nicht nach Tel Aviv zu übersiedeln. Wir hatten kein leichtes Leben mit ihr, aber für diesen Bauernhof muss die ganze Familie ihr danke sagen.«

Tatsächlich hatte Onkel Aaron noch anderes als Landwirtschaft im Kopf. Ich habe schon erzählt, dass er manchmal Aufsätze und Reportagen für *Der junge Arbeiter* schrieb, und in Nahalal verfasste er ein satirisches Lokalblatt namens *Die Fliege*. Auch die Sederabende, die er seinerzeit veranstaltete, waren berühmt. Nachdem jede Familie ihre häusliche Sederfeier beendet hatte, gingen alle ins »Volkshaus«, wo ein turbulenter Seder der etwas anderen Art stattfand, mit eigens verfassten scharfzüngigen Bearbeitungen der Lieder aus der Haggada, in denen er Personen und Ereignisse aus dem Dorf und der Moschaw-Bewegung aufs Korn nahm.

Doch am nächsten Morgen hieß es wieder früh aufstehen zum Pflügen und Melken, Säen und Mähen, und gelegentlich, wenn Großvater Aaron die Last und die Verantwortung nicht mehr aushielt, verkündete er: »Ich habe Kopfschmerzen«, und machte sich aus dem Staub. Und Großmutter Tonia sagte darauf, »er entfleucht wieder mal«, und lief ihm nach, um ihn zurückzuholen.

»Das hier war eine Tragödie für ihn und für sie«, erzählte meine Mutter. »Mein Vater hätte anderswo ein anderes Leben führen sollen, ein Leben, das seiner Persönlichkeit und seinen Begabungen eher entsprochen hätte. Aber sie war entschlossen, den Hof mit Zähnen und Klauen zu erhalten, und ebendiese Zähne und Klauen hat sie in die Erde und ins Haus und in uns und in ihn geschlagen. Und da jeder Mensch einen Feind braucht, war ihr Feind der Schmutz.«

4

Als die Gründer von Nahalal sich auf dem zugeteilten Stück Land niederließen, wohnten sie in Zelten. Später übersiedelten sie in Holzbaracken, und als die ersten richtigen Gebäude errichtet wurden, waren sie nicht für die Menschen, sondern fürs Vieh bestimmt. Erst 1936, fünfzehn Jahre nach der Dorfgründung, wurden Bauernhäuser gebaut und ans Stromnetz angeschlossen.

Dieser Umstand ist außerordentlich wichtig, denn der Held der Geschichte, jeder Geschichte, muss in Aktion treten. Und der Held dieser Geschichte ist ein Elektrogerät: ein Staubsauger.

Jede Familie weihte ihr Haus damals auf ihre Weise ein. Ich weiß nicht, was andere Familien taten, aber Großmutter Tonia vollzog eine eigene kleine Zeremonie, deren ungeheure Bedeutung und Tragweite nicht alle erfassten: Sie umwickelte die Klinke der Eingangstür mit einem kleinen Lappen. Das Haus sei neu und sauber, erklärte sie, und die Klinke neu und blank, der Lappen solle sie gegen Schmutz und Flecken schützen.

Alle grinsten, aber innerhalb weniger Tage stellte sich heraus, dass dieses unscheinbare Läppchen selbst eine Art Pionier war. Weitere Lappen tauchten in seinem Gefolge auf und umhüllten die Klinken sämtlicher Türen sowie die

Griffe einiger Schubladen, Fenster und Schränke, und sie blieben dort bis zu ihrem, und Großmutters, letztem Tag.

Einen weiteren Lappen schwang Großmutter Tonia sich über die linke Schulter. Er war größer als all seine Brüder auf den Griffen und war sich seiner Wichtigkeit und Vorrangstellung voll bewusst: eine Art Wächterlappen, der sie auf Schritt und Tritt begleitete, allzeit für einen Blitzeinsatz bereit – wenn sie etwa einen Fleck abwischen wollte, der ihr zuvor entgangen war, nun aber plötzlich ins Auge stach, oder wenn ihr ein Utensil auffiel, das eine Reinigung nötig hatte, oder sie sich die Hände abwischen musste, ehe sie etwas Sauberes anfasste, das keinen eigenen Abdecklappen hatte.

Auch ich, ein Dutzend Jahre später geboren, erinnere mich gut an diesen Schulterlappen und an all seine Gefährten, die wie Gefechtsfähnchen auf Klinken und Griffen prangten, sie gegen den Direktkontakt mit Händen und Fingern schützten. In jenen Zeiten pries jedermann die arbeitenden Hände, die Hände des Baumeisters, des Arbeiters und des Wächters, vor allem aber die Hände des Bauern, die pflanzen, mähen, melken und pflücken. Auch Großmutter Tonia war eine fleißige Bäuerin, die bei jeder Arbeit Hand anlegte, aber als realistische Frau wusste sie: Bei allem Respekt für die landwirtschaftliche Arbeit im Allgemeinen und die hebräische Arbeit im Besonderen – Bauernhände kommen mit Schmutz aller Art in Berührung: mit Schlamm und Staub, mit Kuhmist und Hühnerdreck, mit der »schwarzen Salbe« für die Bäume und mit dem schwarzen Schmieröl der Maschinen, und diese ganze schöne Bescherung sucht nur nach einem sauberen Plätzchen, um sich festzusetzen und es zu verdrecken. Selbst wenn man sich die Hände gründlich wäscht, hinterlässt sie Flecken, ja schlimmer noch – »Spuren«.

Das Haus hatte seinerzeit drei Zimmer, Küche und Bad, eine Vordertür zur Straße und eine Hintertür zum Hof. Vor der Hintertür hatte man eine geräumige Fläche betoniert: die sogenannte »Plattform«, auf der sich das Familienleben größtenteils abspielte. Ich war damals noch nicht auf der Welt, und die Geschichten über die »Plattform« machten mich neidisch. Hier saß man und redete, schälte Mais und Kartoffeln, rupfte und zerlegte Tauben und Hühner, knetete Teig, bauschte Geschichten auf, legte Gurken ein, konservierte Obst und kochte Marmelade. Hier nahm Onkel Jizchak, Großmutter Tonias Bruder, auch den Staubsauger auseinander, den Onkel Jeschajahu ihr geschickt hatte, und deckte sein Innerstes und seine Schande auf. Aber alles zu seiner Zeit.

Die Marmeladen köchelten in einer großen Kupferwanne, die im Dorf von Haus zu Haus weitergegeben und auf eine Feuerstelle im Hof gestellt wurde. Bei uns entzündete man das Feuer im Schatten des Granatapfelbaums neben der Baracke, und die eingedosten Marmeladen hielten sich sehr lange. Eines Tages, Großmutter war schon ein paar Jahre tot, fand ich in der alten Holzbaracke eine solche Dose und öffnete sie mit dem Dosenöffner. Ein leichter Geruch nach Lagerfeuer stieg heraus, und wie es Lagerfeuergeruch so an sich hat, ließ er meine Augen überquellen.

Fünfzehn Jahre nach seiner Erbauung wurde das Haus erweitert und renoviert: Die alte Küche verwandelte sich in ein zweites Wohnzimmer, auf der Plattform entstand die neue Küche mit überdachter Veranda davor, und man baute ein Badezimmer und eine Toilette an. Das ist das Haus, wie ich es kannte. Ich habe es gut im Gedächtnis, von innen und außen, und erinnere mich, wie eifersüchtig Großmutter es hütete.

Zunächst einmal achtete sie streng darauf, dass man das Haus nur durch die Tür im Hof betrat und nicht durch die Vordertür von der Straße her, denn durch die Vordertür wäre der Gast direkt in den geschützten, verbotenen Teil des Hauses gelangt. Sooft jemand dort anklopfte, erklang von drinnen ihr energischer Ruf: »Außen rum! Die andere Tür!«, und der Besucher musste ums Haus herumgehen – ohne einen Fuß vom betonierten Weg auf die Erde zu setzen, damit ihm ja kein Schlamm oder Staub anhaftete – und erreichte so über die Veranda die Hintertür, nur um zu gewärtigen, dass er auch dort nicht eingelassen wurde, es sei denn, er war ein hoher Ehrengast.

Großmutter Tonia hatte gern Gäste, nahm die Wendung »gastliches Haus« jedoch nicht wörtlich. Gäste ins Haus lassen? O nein, keineswegs! Das Gebot der Gastfreundschaft erfüllte sie draußen. Die Gäste saßen auf der Veranda, und Großmutter holte ihnen ein Glas Tee, Kekse mit Marmelade und Obst heraus. Sie fragten sich sicher: Was ist denn im Haus, dass sie es wie ihren Augapfel hütet? Aber die wenigen, die eingelassen wurden, fanden ein ganz normales und bescheidenes Heim vor. Eine kleine Küche zur Rechten, ein Flur mit Bad und Toilette am Ende und ein »Esszimmer« zur Linken. Ich setze es in Anführungszeichen, weil es nur so hieß. Gegessen wurde dort lediglich einmal im Jahr – am Sederabend. Die übrige Zeit des Jahres wurde darin geschlafen, und essen tat man auf der Veranda oder in der Küche.

Vom Esszimmer bog ein zweiter kleiner Flur zum alten Teil des Hauses ab. Hier, erzählte mir meine Mutter, hatte die Familie nach den Jahren in der Baracke gewohnt. Ihre Augen leuchteten, wenn sie davon sprach. Es war ein Haus voller Leben, Geschichten, Liedern und Humor gewesen. Doch als die Kinder meiner Großeltern erwachsen wurden und ihrer eigenen Wege gingen, wurde dieser Bereich endgültig geschlossen, und so, abgesperrt und verboten, habe ich ihn in Erinnerung. Es gab dort ein Zimmer, das wenigen auserwählten Gästen vorbehalten blieb, und zwei Zimmer, die Sperrgebiet für die gesamte Menschheit waren, selbst für Familienangehörige, ja sogar für »Blutsverwandte«. Großmutter Tonia unterschied zwischen »Blutsverwandten« und »Nichtblutsverwandten«, aber auch das gehört nicht zu der Geschichte, die ich hier erzählen möchte, der Geschichte des Staubsaugers, den Onkel Jeschajahu ihr aus den Vereinigten Staaten schickte.

Hier, in den zwei ständig verschlossenen Zimmern, stand ihr »Mobiliar«. Wer sich darunter Mahagoni und Ebenholz, Schränkchen und Kommoden vorstellt, dem sei gesagt, dass es schlichte Möbel waren: Es gab dort einen Schrank, bei dem ich versucht bin, ihn den »Heiligen Schrein« zu nennen, es mir aber verkneifen werde. Und es gab dort ein Sofa, auf dem kein Mensch je die Beine ausstreckte, zwei kleine Sessel, auf denen keiner je saß, und eine Anrichte, deren Türen und Schubladen nie aufgemacht wurden, voll mit Essgeschirr, das nie einen Tisch oder einen Tischgast zu Gesicht bekam. Als Kind argwöhnte ich, dass dieses Geschirr nur in der Erinnerung meiner Mutter und ihrer Schwester Batscheva existierte. Da in unserer Familie Erinnerung und Phantasie zwei Namen für ein und dasselbe sind, zweifelte ich an seiner tatsächlichen Existenz. Aber nach Großmutter Tonias Tod sah ich es mit eigenen Augen.

Im Nebenzimmer stand ein Doppelbett mit hohem Kopfende aus Metall, das dunkelbraun gestrichen war, so dass es wie Holz aussah. Früher hatte dieses Bett Großvater und Großmutter gedient, aber zu meiner Zeit schlief niemand mehr darin. Es spürte nicht mehr die Schwere und Wärme eines menschlichen Leibes, nicht sein schlafloses Wälzen, weder das Beben im Traum noch die Regungen der Liebe – »das Bett kannte Liebe, als Liebe da war«, bemerkte eine Verwandte einmal treffend –, noch die Berührung von Decke und Laken, abgesehen von dem alten Leintuch, das es gegen Staub schützen sollte.

Nicht nur das Bett, auch alle anderen Gefängnisinsassen – Sessel und Stühle, Sofa, Tisch, Schrank und Anrichte – waren in solch alte Totenschleier gehüllt. Kein Mensch setzte sich auf sie, kein Auge sah sie, außer den Augen von Großmutter Tonia, die gelegentlich hineinging, um »mit dem Lappen drüberzugehen« und nachzuprüfen, dass keiner von ihnen schmutzig geworden oder getürmt war. Aber einmal im Jahr, zu Ehren des Sederabends, holte sie die Stühle heraus und brachte sie ins Esszimmer, und so betrat auch ich erstmals das Heiligtum, denn vor dem achten Pessachfest meines Lebens wurde ich für reif und verantwortungsbewusst genug befunden, um bei den Festvorbereitungen mitzuhelfen.

Ich erinnere mich sehr gut an jenen Tag. Neugierig und aufgeregt stand ich hinter Großmutter Tonia. Sie steckte den Schlüssel ins Schloss und drehte ihn, öffnete die Tür und sagte: »Du darfst reingehen, aber fass nichts an.«

Ich ging hinein. Zum ersten Mal war ich in ihren verbotenen Zimmern. Bei der Niederschrift dieser Worte kommt mir auch mein letztes Mal, rund dreißig Jahre später, in den Sinn, als wir am Tag ihrer Beerdigung vom Friedhof in ihr Haus zurückkehrten, aber beim ersten Mal lebte sie und schloss die Tür mit einem Schlüssel auf, den sie aus der Tasche ihres Kleides gezogen hatte.

Kühle, dämmrige und kristallklare Stille schlug mir entgegen. Die Luft hatte dort so lange gestanden, dass sie sich auf meiner Haut wie Wasser anfühlte. Fenster und Läden waren geschlossen. Die Lappen, die die Griffe schützten, waren über die Jahre verschlissen, durchbrochen wie Spitzen. Alles war sauber und weiß und kristallklar und ermattet. So sauber, dass zwei Sonnenstrahlen, die durch die Ladenritzen drangen, keine Staubpartikel beschienen, wie sie es jeden Morgen in den anderen Zimmern taten, sondern nur zwei bebende Lichtflecke an die Wand malten.

Großmutter Tonia zog das Laken von einem der Stühle in der Ecke. Er blinzelte mit seinen Holzaugen, entblößt und geblendet.

»Kannst du ihn ins Esszimmer tragen?«, fragte sie mich.

»Ja«, sagte ich.

»Ganz allein?«

»Ja.«

»Heb ihn hoch. Schleif ihn mir nicht mit den Beinen über den sauberen Boden und ›kratzratz‹ mir nicht die Wand.«

Abgesehen von ihrem reichen Wortschatz, ihrer Erzählfreude und ihrem typischen Akzent hatte ihr Hebräisch noch eine Eigenheit – alle Verben waren auf sie bezogen: Man schleifte *ihr* die Stühle über den sauberen Boden, verschmutzte *ihr* die aufgewischten Gehwege, kratzratzte *ihr* die gestrichenen Wände. »Kratzratzen« ist ein altes Familienwort, das in unserem Lexikon der Ausdrücke und Redewendungen noch immer häufig vorkommt. Er ist von dem jiddischen Wort *Kratz* für »Kratzer« abgeleitet, wird in unserer Familie aber nur für das Verkratzen von Wänden verwendet.

Eine Sprache muss viele Welten beschreiben: die reale Welt, in der sie lebt und wirkt, und die furchterregenden oder herbeigesehnten Phantasiewelten, in denen sie und ihre Sprecher leben oder nicht leben möchten. In vielen realistischen Häusern jener realistischen Zeit waren die Flur-, Esszimmer- und Küchenwände bis in anderthalb Meter Höhe mit Ölfarbe gestrichen, damit man sie abwischen konnte. Großmutter Tonia erfüllte das Gebot des Wandabwischens täglich, und ein Kratzer in der Ölfarbe war für sie ein derart gravierender Schaden, dass er ein eigenes Wort erforderte: Er war ein *Kratz.*

Vorsichtig, ohne ihr auch nur einen einzigen »Kratz« zu »kratzratzen«, trug ich ihr den Stuhl ins Esszimmer und stellte ihn ihr dort ab. Er blickte sich um, verdattert über seine jähe Blöße, die Freiheit und das starke Licht, so exponiert und so nahe bei den einfachen Stühlen, die von der Veranda und aus der Küche stammten. Sie waren an Licht und Leute, Blicke und Berührungen gewöhnt und erzählten einander, wie Mutter behauptete, lustige Klatschgeschichten über allerlei Hintern, mit denen sie in Kontakt gekommen waren. Er dagegen war zwar froh und zufrieden über den Ausflug in die Weite und Freiheit, wusste aber, dass es nur für einen einzigen Abend war, dass er nur einem einzigen Hintern begegnen würde, und dass er nach dem Sederabend mit einer großen Bürste bearbeitet, abgeseift, trockengerieben, wieder in sein altes Laken gehüllt und bis zum nächsten Freiheitsfest in sein Gefängnis zurückbefördert werden würde.

5

Wie gesagt gab es in Großmutter Tonias Haus zwei Badezimmer, das alte und das neue. Das neue hatte nur eine Dusche, aber im alten stand eine richtige Badewanne. Als ihre Kinder noch im Haus wohnten, war es in Betrieb, aber als sie erwachsen geworden waren und auszogen, wurde es für immer geschlossen.

Badezimmer, erklärte mir meine Mutter, sind höchst heimtückische und gefährliche Räume. Gerade sie, deren erklärtes Ziel Sauberkeit ist, werden erstaunlich dreckig: Kacheln, Fußboden, Wasserhähne, sanitäre Anlagen. Man braucht kein Genie zu sein, um zu begreifen, dass derjenige, der duschen geht, ein dreckiger Mensch ist, sonst hätte er es ja nicht nötig. Und so ein dreckiger Mensch lässt in der Dusche all den Unrat zurück, den er sich vom Leib entfernen wollte. Er tropft trübes Wasser auf den sauberen Boden, fasst mit schmutzigen Fingern an die sauberen Kacheln, hinterlässt überall Flecken und Spuren.

Im Winter wusch man sich im Haus, im Sommer jedoch draußen. Die Erwachsenen unter der »vorzüglichen Dusche«, wie Großmutter Tonia sie nannte – nichts weiter als ein Schlauch an einer Wand des Kuhstalls –, und die Kleinen am »Trog«, von dem ich noch erzählen werde. Mit den Jahren verbesserten sich die hygienischen Bedingungen: Neben der Kükenbrüterei wurde eine Waschküche gebaut, und dort gab es warmes Wasser, dank eines großen Boilers mit Abzugsrohr. In seinem Innenraum brannte ein Feuer und erhitzte das Wasser zwischen den doppelten Wänden. Anfangs verfeuerte man darin Reisig und trockene Maisstrünke, später wurde eine Vorrichtung installiert, aus der Petroleum träufelte. Ich kann mich bis heute an das besondere Geräusch dieses Boilers erinnern – eine Art dumpfes, geheimnisvolles Bullern, das keinem anderen Klang ähnelte und dem kindlichen Ohr höchst angenehm und unheimlich zugleich war.

Wie in allen anderen Häusern gab es auch bei Großmutter Tonia ein Kämmerchen, das WC hieß, aber sie ermunterte einen nicht, es als solches zu benutzen. Eine Version der Geschichte vom ersten Besuch meines Vaters im Haus der Familie in Nahalal – er warb damals um meine Mutter – berichtet, dass er arglos das Örtchen aufsuchte und es blitzblank geputzt vorfand. Auf dem geschlossenen Klodeckel lag eine Zeitung, auf der Zeitung ein Holzbrett, mit einer weiteren Lage Zeitung abgedeckt, und darauf stand eine Backhaube, in der ein Pflaumenkuchen auskühlte.

An dieser Stelle sind zwei Dinge anzumerken. Erstens, dass Großmutter Tonia ein Händchen für Pflaumen hatte – ihr Pflaumenkuchen und ihre Pflaumenmarmelade waren wahre Kunstwerke. Und zweitens, dass mein Vater im Dorf nicht selten abfällig als *Tilligent* oder auch als *Tillignat* bezeichnet wurde – zwei Moschaw-Schimpfwörter für bebrillte Städter, die Bücher lesen und schreiben, statt zu arbeiten. Aber einige *Tilligente* waren auch intelligent, und mein Vater begriff sofort, dass das WC seiner künftigen Schwiegermutter nicht für seinen ursprünglichen Zweck bestimmt war. Deshalb verkniff er es sich, und statt sich zu erleichtern, machte er sich über ihren Pflaumenkuchen her, verputzte die Hälfte und trat mit unschuldiger Miene heraus. Der Vorfall trug nicht gerade zur Verbesserung der bilateralen Beziehungen bei, aber darauf werde ich später zurückkommen.

Auch über mich gibt es eine einschlägige Geschichte. Als ich im Alter von vier oder fünf Jahren bei Großmutter zu Gast war, erwischte sie mich vor der Toilettentür und wünschte zu wissen, wohin ich denn wolle.

»Dahin.« Ich zeigte auf die geschlossene Tür, ohne zu begreifen, was daran problematisch sein könnte.

»Musst du groß oder klein?«

»Klein.«

Sie atmete erleichtert auf, sagte, das könne man auch draußen tun, und bugsierte mich sogleich sanft, aber bestimmt – Großmutter Tonia war klein, aber kräftig – zur Haustür und von dort auf den Hof, mit der Erklärung, am Kuhstall stehe noch das alte Toilettenhäuschen aus der Zeit, als sie in der Baracke wohnten, und wenn ich wolle, könne ich auch die Abflussrinne für die Kühe benutzen oder den speziellen Zitrusbaum begießen, den Großvater gepflanzt und aufgepfropft hatte und von dem ich ebenfalls noch erzählen werde.

»Und geh nicht mit leeren Händen.« Sie reichte mir eine kleine Abfalltüte. »Wenn du schon auf den Hof gehst, nimm das mit und wirf es auf den Misthaufen.«

Großmutter Tonia konnte Dreck weder im Haus noch in seiner näheren Umgebung dulden, selbst wenn er schon säuberlich zusammengekehrt und in einer Tüte im Mülleimer ruhte. Wer Richtung Hof ging, bekam von ihr etwas Abfall mit, in ein Stück Zeitung gewickelt oder in einer alten Papiertüte vom Dorfladen, und meist fügte sie die Aufforderung hinzu: »Bring mir auf dem Rückweg ein paar Eier von den Hennen mit.«

»Geh nicht mit leeren Händen« und »bring mir auf dem Rückweg« waren Standardanweisungen, die bedeuteten: Man geht nicht einfach so spazieren, um über die Felder zu streifen, die Landschaft zu betrachten. Ein Hof muss bewirtschaftet werden, es fällt viel Arbeit an, und es gibt immer etwas mitzunehmen, abzuholen, fortzubringen, wegzuwerfen, weiterzugeben.

Ich nahm ihr den Abfall mit und ging ihr auf den Hof, und unterwegs begoss ich ihr Großvaters speziellen Zitrusbaum. Und Großmutter hastete unterdessen zur Toilettentür, überprüfte die Klinke, die ich ihr schon angefasst hatte, wischte sie mit dem großen Lappen auf ihrer Schulter ab, legte das kleine Läppchen wieder darauf und schloss die Tür.

So habe ich ihren Satzbau und so auch ihr Haus in Erinnerung. Ersteren mit dem »ihr« nach jedem Verb und Letzteres mit der »anderen Tür« und der überdachten Eingangsveranda, um die sich eine steinerne Bank zog, und mit der Küche und dem Esszimmer, dem mit Ölfarbe gestrichenen Flur und den verschlossenen Zimmertüren. Häufig fragte ich meine Mutter, was hinter all diesen Türen mit all den Lappen auf den Klinken sei, und sie erklärte: »Hier ist die Dusche, in der man nicht duschen darf, und hier die Toilette, die man nicht benutzen darf, und hier sind die Zimmer, die man nicht betreten darf, und hier«, sie hielt vor dem alten Badezimmer, dem Allerheiligsten, in dem es sogar eine richtige Badewanne gab, »hier wohnt ihr Sweeper, der Staubsauger.«

»Der Sweeper?«, fragte ich in freudiger Erwartung, denn meine Mutter sagte das Wort genau wie ihre Mutter – swiiiperrr –, sprach das englische W wie ein deutsches aus, verlängerte den I-Laut und ließ die Zunge am Gaumen rattern, bis aus dem englischen R ein russisches RRR wurde. Diese Imitation war eine Verheißung: Dahinter verbarg sich eine Geschichte. Und nicht etwa eine der gewöhnlichen Geschichten, die sie und ihre Schwester und ihre Brüder mir sonst erzählten – über tänzelnde Pferde und fliegende Esel und über den Großvater der Nachbarn, der so klein war, dass er nachts auf Kaninchen ritt –, sondern eine Wundergeschichte über ein geheimnisvolles Wesen namens Sweeper, das in Großmutters verbotenem Badezimmer eingesperrt war, genau hier, hinter der verschlossenen Tür.

»Erzähl mir von ihm.«

»Von ihrem Sweeper? Was gibt es über einen Staubsauger schon groß zu erzählen?«

»Erzähl, erzähl, bitte.«

»Den Staubsauger hat Onkel Jeschajahu ihr aus Amerika geschickt.«

»Aus Amerika?«, staunte ich, denn Amerika kam in den Familiengeschichten nicht häufig vor.

»Aus Amerika. Aus Los Angeles in Kalifornien in den Vereinigten Staaten.«

Ein tiefer Atemzug. So viele wichtige, verbotene und faszinierende Namen in einem einzigen Satz.

6

Und noch ein tiefer Atemzug: nicht nur in jenem Augenblick, als das Wort »Amerika« erstmals in Mutters Geschichten auftauchte, und nicht nur an jenem Ort, in Nahalal, wo Amerika für so viele unterschiedliche und gar gegensätzliche Dinge stand, sondern auch ein Atemholen im Hier und Jetzt, viele Jahre später, da ich mich daran erinnere und darüber schreibe.

Das Amerika von dort und damals, das Amerika meiner Kindheit im Dorf, war Sehnsuchtsort und Feindesland zugleich. Die stärksten Traktoren und modernsten Mähmaschinen kamen aus Amerika. Die Rohrzange Marke Ridgid kam von dort – »der beste Rohrschlüssel der Welt, mit Garantie auf Lebenszeit«, riefen die Onkel Menachem und Jair bewundernd – ebenso wie der allmächtige Jeep, der überall fuhr, und die bedrohliche Maschinenpistole Tommy Gun, von der Onkel Itamar und Onkel Micha, die im Unabhängigkeitskrieg gekämpft hatten, wahre Wunderdinge erzählten.

Ja mehr noch: Die Eroberer des amerikanischen Westens waren Pioniere wie unsere Großväter und Großmütter gewesen. Der 1. Mai – Festtag der Arbeiter – stammte aus Amerika. Viele der Soldaten, die die Nazis besiegt hatten, waren Amerikaner. Und auch Luther Burbank, der große

Agronom, Erfinder der Pflaumensorte Santa Rosa und Begründer des Kartoffelanbaus durch Säen statt Setzen, war ein Amerikaner. Seine Autobiographie, *Lebensernte,* stand damals in vielen Häusern, und siehe da, er lebte in Kalifornien, genau dort, wohin Onkel Jeschajahu ausgewandert war, statt ins Land Israel zu kommen, und wo er *business* machte und seinen Namen in Sam änderte.

Und ja, auch der Kapitalismus stammte aus Amerika, und die Vergnügungssucht, und die Geistlosigkeit, und die Mode, und das Make-up, und der Luxus, und die Musik, die mein junger Onkel Jair zum Leidwesen seines Vaters hörte. Kurzum, kein Mensch verstand, wie ein Land, das der Menschheit den Mähdrescher und den Mais und die Dreipunkthydraulik für Traktoren – ein Heckhubwerk und zwei weitere Hebewerke an langen hydraulischen Armen – geschenkt hatte, gleichzeitig an einer derart verwerflichen Lebensart und völliger Wertvergessenheit kranken konnte.

Ich bezweifle, dass Amerika sich dessen bewusst war, aber neben der Sowjetunion, Ostdeutschland, China und Nordkorea hatte es in meiner Kindheit noch einen Feind. Er war weder groß noch stark, er war ehrlich gesagt kein besonders gefährlicher Gegner, aber erbittert, prinzipientreu und entschlossen: eine Handvoll Moschawim und Kibbuzim im Land Israel – die Arbeitersiedlungsbewegung.

Die Feindseligkeiten zogen sich über viele Jahre hin. Auch ich konnte das, zwei Generationen nach der Dorfgründung, noch miterleben. Einmal, Anfang der sechziger Jahre, kamen die Sänger Israel Gurion und Benny Amdurski, das Duo Hadudaim, nach Nahalal. Anfangs sangen sie hebräische Heimatlieder: *Ein Abend der Rosen, Das weite*

Ährenmeer und andere beliebte Weisen, danach ein paar russische Lieder: *Birne und Apfel* und allerlei Lieder über Wanja und Katjuschka, und dann, zum Abschluss, ein amerikanisches Lied.

Es war ein hübscher, harmloser Folksong – von den Weavers, wenn ich mich nicht irre, oder von Pete Seeger solo –, aber für das Dorf war es eine unverzeihliche Sünde. Ein amerikanisches Lied? Noch dazu auf Englisch?! Sofort sprangen zwei Alteingesessene auf, schrien: »Nicht bei uns in Nahalal!«, und ließen das Duo einfach nicht weitersingen.

Auch der Nagellack, mit dem ich meine Geschichte begonnen habe, war ein amerikanisches Übel – ein unsägliches, krankhaftes Übel, das durch Zeitungsbilder, durch Briefe und Fotos von Verwandten, durch Kinofilme und herüberflatternde Gerüchte bei uns einsickerte. Die »Maniküre« hatte in charakterschwachen und ideologiefernen Orten wie Tel Aviv nicht wenige Seelen vom rechten Weg abgebracht, und trotz aller Anstrengungen der Gründergeneration konnte sie auch bei uns einige Opfer verzeichnen. So ging dieses Wort ebenfalls in das Lexikon der Ausdrücke und Redewendungen unserer Familie ein und von dort in den Wortschatz des Dorfes, vielleicht sogar der ganzen Jesreelebene.

Genau lautet der Ausspruch, den wir bis heute benutzen: »Man sagt, sie macht auch Maniküre.« Er steht für totalen Wertezerfall, unaufhaltsamen geistigen und ideologischen Niedergang. Seinen Ursprung hatte er einst in einem Tischgespräch über einen Dorfgenossen, der angeblich »einem fliegenden Händler an der Landstraße Melonen verkauft«, das heißt, den Prinzipien des Moschaws zuwidergehandelt hatte, die Kauf und Verkauf nur über die Genossenschaftsgremien zuließen. Seinerzeit war das ein echtes moralisches Vergehen, und tatsächlich setzte ein Genosse gleich noch eins obendrauf: »Na, wenn's nur er und der Händler wären. Seine Frau hat was mit einem aus Ramat David« – nicht mit einem Mann aus dem Nachbarkibbuz, Gott behüte, das nun doch nicht, sondern vom Luftwaffenstützpunkt gleich daneben.

Und dann, als zweifelsfrei festgestellt war, dass es sich um eine in jeder Hinsicht fragwürdige Familie handelte, die sowohl gegen die Satzung unseres Moschaws als auch gegen die moralischen Gesetze der gesamten Menschheit verstieß, kam der endgültige K.o.-Schlag, wie ein Arbeitsstiefel ihn einem armseligen Zigarettenstummel oder einer Kakerlake auf dem Hof versetzt, der Satz, der die schlimmste Verworfenheit bezeichnete, in die Menschen abgleiten können: »Man sagt, sie macht auch Maniküre.«

Nicht dass die verwerflichen Verwandten der Maniküre – der Lippenstift und die Wimperntusche und der Puder und das Rouge – damals im Dorf gern gesehen gewesen wären, keineswegs. Aber die Maniküre wurde zum Inbegriff des Schlechten, weil sie gerade an den Fingern auftauchte, an den Fingern eben jener hebräischen Pionierhände, die zum Pflügen, Umgraben, Säen und Bauen bestimmt waren, die im Zug der zionistischen Revolution von Federkiel, Handel und talmudischer Haarspalterei zu Schwert, Handwerk und Landwirtschaft zurückgeführt werden sollten. Die Finger, die die Baumschere halten und das Euter melken mussten, den Griff einer Sense umschließen und bei Bedarf den Abzug einer Waffe drücken – ausgerechnet sie wurden Gegenstand von Eitelkeit und Schönheitswahn. Eine Frau, die Maniküre machte, wäre schließlich kaum bereit, sich die Finger im Stall und auf dem Feld schmutzig zu machen oder sich die Nägel beim Einschieben von Patronen abzubrechen, sondern würde ihre Finger nur rot lackieren und kokett präsentieren.

Großvater Aaron beließ es nicht bei dem Feldzug gegen die Maniküre. Er führte auch einen heiligen Krieg gegen das Kaugummi, eine weitere lästerliche amerikanische Angewohnheit – »müßiges Mampfen«, wie er es nannte –, die er in einen Topf warf mit nichtswürdigen Sitten und Produkten wie Süßigkeiten, Krawatten, Taxifahrten und dem übrigen »Luxuskram«. Darunter verstanden er und seine Genossen alle bourgeoisen amerikanischen Annehmlichkeiten, ja eigentlich jegliche Art von Genuss und Vergnügen, die über ein Glas Tee und einen »Heringsschwanz« hinausging – so nannte Großvater Aaron den ganzen Salzhering.

Sooft er einen seiner Enkel Kaugummi kauen sah, fuhr er ihn an: »Nimm das Tschinga aus dem Mund!« »Tschinga« war eine Verballhornung von *chewing gum,* einem Wort, das mein Großvater bei den englischen Soldaten aufgeschnappt hatte, die zur Mandatszeit in der Gegend dienten. Man erzählte mir, einige von ihnen seien gelegentlich auf dem Hof erschienen, um etwas von dem ausgezeichneten Käse zu kaufen, den Großmutter Tonia herstellte, oder eine Wassermelone zu essen, die man zum Kühlen in einem feuchten Sack in den Wind gehängt hatte, an einen schattenspendenden Baum. Und vor allem wollten sie ein Haus sehen, in dem es Kinder und Vater und Mutter gab, denn sie waren ja fern von Heim und Familie. Zum Dank zogen sie Kaugummipäckchen aus der Tasche und erregten Großvater Aarons Zorn.

Wie seinen Genossen, den anderen Gründern des Dorfes, diente auch ihm ein Strick als Gürtel, wie man ihn für die Strohbündel benutzte. Und im Winter zogen sie sich alle einen leeren Jutesack über Kopf und Schultern, zwei Ecken ineinander gefaltet wie zu einer großen Mönchskapuze. So schützten sie sich gegen den Regen, aber es war auch eine Demonstration proletarischer Bescheidenheit und Genügsamkeit.

Großmutter Tonia hingegen putzte sich manchmal gern ein bisschen heraus. Sie machte keine Maniküre und schminkte sich nicht die Augen, aber hin und wieder schmückte sie ihr Haar mit einem Band oder einer bourgeoisen Spange, und manche warfen ihr vor, auch in dieser Hinsicht aus der Reihe zu tanzen. Aber sie war ein Freigeist, und sie hatte auch bei der Arbeitskleidung ihren eigenen Stil: Sie trug stets ein Kopftuch und ihren Lappen auf der Schulter, und an glühend heißen Sommertagen arbeitete sie auf dem Hof in einem grauen Trägerhemd von Großvater Aaron. Wenn ich heute junge Mädchen in »Opas Unterhemd« sehe, die sich kühn und originell vorkommen, schmunzle ich stillvergnügt, denn meine Großmutter hat diese Mode viele Jahre vor ihnen erfunden.

Sooft meine Mutter mir sagte, dass sich hinter der abgeschlossenen Badezimmertür ein Staubsauger aus Amerika verbarg, staunte ich.

»Aus Amerika?«, fragte ich immer aufs Neue, rätselte, ob

sich in Großmutter Tonias Badezimmer neben dem Staubsauger womöglich auch Kisten voll verbotener Dinge wie »Tschinga«, Schminksachen und Rock-'n'-Roll-Platten versteckten.

»Onkel Jeschajahu hat ihn ihr geschickt«, sagte meine Mutter. »Aber sie hat ihn nur einmal benutzt und dann hier weggesperrt.«

»Warum?«

»Das ist eine komplizierte Geschichte.«

»Und was ist danach passiert?«

»Wonach?«

»Nachdem sie ihn da weggesperrt hat.«

»Auch das ist eine lange Geschichte«, sagte meine Mutter. »Ich werde sie dir bei Gelegenheit erzählen. Sag unterdessen keinem außerhalb der Familie was von dem Sweeper. Das ist ein Geheimnis.«

So begann ich zu verstehen, was im Folgenden auch dem Leser aufgehen wird: Die Geheimnisse anderer Familien im Dorf rankten sich um blamable Fehlschläge, finstere Racheakte, verbotene Lieben, Psychiatrieaufenthalte, um Feigheit vor dem Feind, kriminelle Machenschaften, außereheliche Schwangerschaften, Luxusgegenstände und den Verkauf von Melonen an fliegende Händler. Bei uns kamen derlei prickelnde Geheimnisse jedoch höchst selten vor, und wenn doch einmal, dann waren sie so schrumpelig wie Dörrpflaumen in der Sonne, allen Augen preisgegeben. Unser mysteriöses Geheimnis war ein großer amerikanischer Staubsauger, von einem doppelten Verräter – weder Zionist noch Sozialist – aus Los Angeles in Kalifornien übersandt an seine Schwägerin im ersten Arbeitermoschaw, den die Pioniere der Zweiten Alija im Land Israel gegründet hatten: Großmutter Tonias Sweeper, zu lebenslänglicher Haft verurteilt in ihrem Badezimmer, dessen fest verschlossene Tür von einem Flammenschwert in Form eines Lappens auf der Klinke bewacht wurde.

7

Seinerzeit packten im Dorf alle Kinder mit an, leisteten harte Arbeit in Kuh- und Hühnerstall wie im Obstgarten, auf Hof und Feld. Aber Großmutter Tonias Töchter – Batja, meine Mutter, und Batscheva, meine Tante – waren doppelt versklavt, denn sie mussten zusätzlich beim Putzen helfen. Für diesen Aufgabenbereich hatte Großmutter auch eine spezielle Warnung gegen Renitenz oder Drückebergerei parat, eine Drohung, die wir bis heute verwenden: »Ich reiß Stücke von dir ab!«

Jeden Morgen weckte sie ihre Töchter in aller Herrgottsfrühe, so dass sie noch vor der Schule putzen konnten. Und damit sie ordentlich was schafften, stellte sie die Zeiger der Wanduhr eine Stunde zurück. So kamen die beiden erst um neun statt um acht Uhr in die Schule, und da sie schon einige Stunden Arbeit hinter sich hatten, waren sie müde.

Der Lehrer des Dorfes, Schmuel Pinneles hieß er, zitierte Großmutter Tonia in die Schule. Er verlangte eine Erklärung, und sie stritt auch gar nichts ab.

»Die beiden müssen mir helfen, das Haus sauberzumachen«, teilte sie ihm mit.

Sie war keine Ausnahme. Es kam häufiger vor, dass Dorfbewohner ihre Kinder zu Hause behielten, damit sie ihnen bei der Arbeit halfen, und der Lehrer regte sich über Großmutter Tonia genauso auf wie über andere Eltern. »Sie sind Schülerinnen!«, rief er. »Sie müssen was lernen! Müssen pünktlich zur ersten Stunde kommen und nicht vor lauter Erschöpfung im Klassenzimmer einschlafen.«

Meine Großmutter erhob sich zu ihrer vollen Größe, die eher gering war, um zu zeigen, dass sie wenig Zeit, dafür aber viel Arbeit hatte und die Unterredung für beendet hielt, und ging. Pinneles seufzte. Wie die Sache weiterging, konnte er nicht ahnen.

Ein paar Wochen später, an einem Freitag, zwei Stunden vor Unterrichtsschluss, klopfte es an seinem Klassenzimmer. Noch ehe er »herein« rufen konnte, ging die Tür auf. Großmutter Tonia stand auf der Schwelle. Die Kinder anderer Mütter grinsten unverhohlen. Meine Mutter, Tonias eigenes Kind, sank auf ihrem Stuhl zusammen.

»Guten Morgen«, sagte Pinneles und wollte gerade hinzufügen: »Was verschafft uns die Ehre?«

Großmutter Tonia und Batja, 1945.

Aber Großmutter Tonia kam ihm zuvor: »Heute ist Freitag!«, stellte sie fest.

»Sehr richtig«, bestätigte der Lehrer, als wäre sie eine Schülerin, die ihm eine korrekte Antwort gegeben hatte.

Die Kinder, mit Ausnahme meiner Mutter, kicherten. Hier und da kam sogar Lachen auf.

»Es gibt viel Arbeit für den Schabbat!«, verkündete sie.

»Auch bei uns in der Klasse wird hart gearbeitet«, sagte Pinneles.

»Batja muss heimkommen, mir beim Putzen helfen.«

»Wir sind jetzt mitten im Unterricht«, erwiderte der Lehrer. »Batja wird mittags heimkommen, wenn die Schule aus ist, wie alle ihre Klassenkameraden.«

Großmutter Tonia marschierte schnurstracks ins Klassenzimmer. Ihre Augen ließen vom Lehrer ab und nahmen Batja aufs Korn. Meine Mutter packte ihre Sachen in ihre Stofftasche und stand auf.

»Ich muss ihr helfen«, sagte sie zu dem Lehrer. Es war keine Bitte um Erlaubnis, sondern eine Feststellung, vielleicht sogar die Erklärung eines der Gesetze des Weltenlaufs: Morgens geht die Sonne auf, die Flüsse fließen ins Meer, die Sterne ziehen ihre Bahn, und ich muss putzen.

Pinneles seufzte tief, wie bei seiner vorigen Begegnung mit Großmutter Tonia, und verstummte. Tonia rauschte hinaus, wobei sie die Tür offen ließ. Batja folgte ihr und schloss sie hinter sich.

Ging sie neben ihrer Mutter oder in einigem Abstand? Ließ sie sich zurückfallen, oder lief sie wütend voraus? Und was sagte sie ihr auf dem Heimweg? Vielleicht sagte sie auch gar nichts, schwieg nur? Oder nahm sie einen anderen Weg, unterdrückte ein Schluchzen und machte ihrem Herzen nur im Stillen Luft? Ich weiß es nicht. Diese Geschichte habe ich nicht von ihr gehört, sondern von Pnina Gerry, ihrer guten Freundin und ehemaligen Klassenkameradin.

»Ich begriff nicht«, sagte mir Pnina, »warum Batjale sich nicht weigerte oder wenigstens widersprach. Im Allgemeinen war deine Mutter nämlich schlagfertig und wusste sich durchzusetzen.«

Ich nehme an, das geschah aus demselben Grund, aus dem sie mir nicht von dem Besuch ihrer Mutter in der Schule erzählt hatte – weil sie sich schämte, ja mehr noch, sich ihrer Scham schämte. Aber die Sache hat einen weiteren Aspekt: Nahalal war damals ein berühmter und stolzer Ort, hoch angesehen im Jischuw, das heißt bei der jüdischen Bevölkerung des Landes, und mehr noch in den Augen der Dorfbewohner selbst. Und wie es in solchen Orten so geht: Nachdem die Leute damit durch waren, Tel Aviv, Jerusalem, den benachbarten Moschaw Kfar Jehoschua und New York mit ihrem Dorf zu vergleichen und in eine Rangordnung zu bringen, begannen sie, dasselbe untereinander zu tun. Deshalb wollte meine Mutter sich nicht vor den Mitschülern mit ihrer Mutter streiten, wollte den Spöttern und Lästerern keine weitere Munition liefern. Sie stand auf, verließ den Unterricht und ging heim zum Putzen.

Und es gab was zu putzen. Sie und ihre Schwester Batscheva schüttelten Teppiche, Decken und Bettüberwürfe aus – fern des Hauses natürlich, damit der Wind den Staub nicht durch die Fenster wehte – und putzten die Zugangswege: Die eine schwenkte den Wasserschlauch, die andere scheuerte mit einer großen, harten Bürste den Beton. Und dann der Höhepunkt – das tägliche Bodenschrubben.

Ich weiß nicht, in welchem Jahr das Putzutensil namens »Gummiwischer« erfunden wurde, aber in Großmutter Tonias Haus hat es nie Eingang gefunden. Ein Gummiwischer hinterlässt nämlich nicht nur Streifen auf dem Fußboden und säubert die Ecken und Fußleisten nicht »richtig« – nein, er ist an sich schon ein Werkzeug für Tatsachenleugner und Faulpelze, für Personen, die es vermeiden, sich auf den Boden der Wirklichkeit hinabzubeugen und sie aus der Nähe zu betrachten. So hielten denn meine Mutter und ihre Schwester den Lappen in Händen, bückten sich und putzten den Boden tagtäglich, und sie wiederholten diese Prozedur so lange, bis Großmutter Tonia mit dem Ergebnis zufrieden war.

»Und wann war sie zufrieden?«, fragte meine Mutter, wie ein geübter Geschichtenerzähler fragt, wenn die Zuhörer die Geschichte schon kennen.

»Wann?«, fragte ich zurück, wie ein geübter Zuhörer zurückfragen sollte, wenn er und der geübte Erzähler beide die Antwort kennen.

Nun, Großmutter Tonia war erst zufrieden, wenn das Putzwasser, das mit dem Lappen aufgenommen und in den Eimer gewrungen wurde, völlig sauber und klar war. Und um sicherzustellen, dass es das war, prüfte sie »gut-gut« nach: Sie schöpfte mit der hohlen Hand Wasser aus dem Eimer und ließ es gegen das Licht wieder hineinrinnen. War das Wasser nicht richtig klar, mussten ihre Töchter den Boden erneut schrubben, das Wasser wieder und wieder wechseln, es wieder mit dem Lappen aufnehmen und diesen wieder auswringen.

»Das war furchtbar«, seufzte meine Mutter und lachte gleich darauf los: »Aber so wischen wir alle bis heute den Boden.«

Mit »wir alle« meinte sie nicht nur sich und ihre Schwester, sondern auch ihre Schwägerinnen in Nahalal, Onkel Menachems Frau Pnina und Onkel Jairs Frau Zilla, die im Rahmen der Eignungsprüfungen zur Aufnahme in die Familie bei ihrer künftigen Schwiegermutter hatten putzen müssen. Auch sie erzählen, dass sie noch Jahre später im eigenen Haushalt nach Großmutter Tonias Methoden putzten. Manche Gewohnheiten, die einem Menschen oder einem Volk in Zeiten der Knechtschaft eingebleut wurden, werden auch nach der Befreiung nicht abgelegt.

Was die Wände angeht, so habe ich bereits erzählt, dass Großmutter Tonia die Küchen- und Flurwände bis zur halben Höhe mit Ölfarbe gestrichen hatte, damit man sie ebenfalls abwaschen konnte. Auch dafür gab es präzise Vorschriften, die bis heute alle aufsagen können: »Erst feucht, dann mit Seife, dann wieder feucht, und zum Schluss trocken.« Ich erinnere mich gut daran, denn ihre Töchter und Schwiegertöchter rezitierten das noch viele Jahre später. Und noch heute zürnen und lachen und drohen sie einander mit Tonias Standardwarnung: »Ich reiß Stücke von dir ab«, und diskutieren: nur mit Seife oder zusätzlich mit einer Mischung aus Wasser und Petroleum?

Einige Jahre zogen ins Land, und meine Mutter beendete erfolgreich die Schule im Moschaw. Die meisten Jungen und

Mädchen ließen es damals mit der zehnten Klasse bewenden, aber begabte Schüler gingen – sofern sie und ihre Eltern daran interessiert waren – für die elfte und zwölfte Klasse in Chana Meisels Landwirtschaftsschule am Ortseingang von Nahalal.

Meine Mutter war eine sehr gute Schülerin, aber Micha nahm schon an Kursen der Hagana teil, Menachem und Batscheva waren noch Kinder und Jair ein Baby. Eine Sechzehnjährige war eine unverzichtbare Arbeitskraft. Man musste in Haus und Hof arbeiten, putzen und melken, Eier einsammeln, Heu mähen und es den Kühen bringen. Erst Jahre später verstand ich, warum unsere Mutter mir und meiner Schwester immer wieder das Gedicht der polnisch-jiddischen Schriftstellerin Kadya Molodovsky über das Mädchen Ajelet mit dem himmelblauen Sonnenschirm vorgelesen hatte: Man muss einen Eimer Wasser schöpfen, muss Hemden und Socken aufhängen und Knoten binden und Knöpfe annähen und Kartoffeln schälen und den Boden aufwischen... So war es hinter Warschau: Sumpfland, ein Bauernhaus mit Hof, und so war es hier, in Nahalal: Matsch, ein Hof, aber ein blitzsauberes Haus.

Und so kam meine Mutter, ihrem Wunsch und ihrer Begabung zum Trotz, nicht auf die Oberschule. Ihre Freundin Pnina Gerry, die weitermachen durfte, hat mir erzählt, dass Batja jeden Tag vor ihrem Haus auf sie wartete, um sie auszufragen, was sie heute in der Schule gelernt hatten. Doch zwei Jahre später fuhr meine Mutter nach Jerusalem ins »Seminar«. Viele Jugendliche aus den Moschawim gingen damals, wie gesagt, nicht bis zur zwölften Klasse zur Schule, aber die Moschaw-Bewegung schickte sie später zur

Erweiterung und Vertiefung ihrer Ausbildung in dieses Seminar, das ein paar Wochen dauerte. Dort, in Jerusalem, lernte sie meinen Vater kennen, und ein Jahr später heirateten die beiden.

8

Wie die Geschichte der Ankunft des Sweepers aus Amerika, wie die Legenden über die Wundertaten unserer Eselin Ah, von der ich noch erzählen werde – dem klügsten, schlausten und besten aller Esel der Jesreelebene und womöglich der ganzen Welt –, und wie die endlosen Debatten – Wer hat am härtesten gearbeitet, und wer hat am meisten gelitten, und wie groß war der Zitrushain hinter dem Hühnerhaus, und wer hat zu wem dies und nicht das gesagt, und wo genau hat der schwarze und wo der weiße Feigenbaum gestanden –, so hat auch die Geschichte von der ersten Begegnung meiner Eltern mehrere Varianten und Versionen. Aber sie unterscheiden sich nicht sehr, und alle bezeugen, dass Großmutter Tonias Sauberkeitswahn nicht nur den engen Bereich von Eimern, Lappen, Verboten und Bürsten tangierte. Er erstreckte sich auch auf Familienmitglieder, auch auf meinen Vater und meine Mutter, und sogar auf Liebesdinge.

Die Begegnung fand 1946 statt, als meine Mutter achtzehn Jahre alt war und das Seminar der Moschaw-Bewegung in Jerusalem besuchte.

In Jerusalem hatte sie sich mit einem Jungen aus Kfar Jecheskel angefreundet, der ebenfalls am Seminar teilnahm. Eines Spätfrühlingstages gingen die beiden die Jaffa-Straße

Richtung Zion-Platz hinunter. Plötzlich fing es in Strömen an zu regnen. Die Himmelspforten taten sich auf, so erzählte es mein Vater in biblischen Worten, damit wir begriffen, dass es sich um eine wahre Sintflut gehandelt hatte. Die beiden, die nur leichte Jacken trugen, suchten nach einem Unterschlupf. Der junge Mann sagte: »Mein Cousin wohnt nicht weit von hier, komm, wir rennen schnell zu ihm.«

Dieser Cousin war mein Vater, Jizchak Shalev – ein junger Lehrer und angehender Dichter, der schon ein paar Gedichte in Zeitungen veröffentlicht hatte. Er war damals sechsundzwanzig Jahre alt und hatte ein Zimmer in der Wohnung der Cellistin Talma Jellin, in der Innenstadt, gemietet. Dass die beiden, sein Vetter aus Kfar Jecheskel und die fremde junge Frau aus Nahalal, aus dem flutartigen Regen draußen so urplötzlich in sein Zimmer platzten, versetzte ihn in helle Aufregung.

Die Besucherin streifte ihre feuchte Jacke ab, ließ ihren langen, dicken Zopf, der von Regenwasser troff, herunter, wrang ihn aus und trocknete ihn mit einem Handtuch ab, das er ihr reichte. Er machte Tee, und sie trank ihn kochend heiß und mit großem Genuss, wobei sie den kleinen Finger abspreizte. Die Vorliebe für glühend heißen Tee hatte meine Mutter von ihrem Vater geerbt und das Abspreizen des kleinen Fingers von ihrer Mutter, aber mein Vater achtete nicht auf diese Details. Er sah sie an, und obwohl er kein religiöser Mensch war, war er überzeugt, Gott habe jenen Regen eigens für ihn fallen lassen.

Jahre später, als sie schon lange verheiratet waren, schrieb er ein schönes Gedicht über jene Begegnung, mit dem Titel

Einmal angenommen. Ich füge es hier im vollen Wortlaut an:

> Einmal angenommen, du hättest einen anderen Mann getroffen,
> einmal angenommen, ich hätte eine andere gefunden.
> Alles wäre anders gekommen. Meine Tochter wäre vielleicht
> schöner geworden, oder hässlich.
> Und sie würde nicht weinen über ein trauriges Gedicht,
> nicht weinen über einen traurigen Film,
> und selbst wenn sie weinte, würde sie nicht
> so ihr dünnes Taschentuch ausbreiten und bitterlich schluchzen…
>
> Einmal angenommen, es wäre ein Anderer gewesen,
> dessen Pfeifenduft du erlegen.
> Selbst wenn er rauchte wie ich, stopfte er nicht genau so
> den Tabak in den Pfeifenkopf.
> Alles wäre anders gekommen. Auch du wärst
> anders gewesen. Wehmütiger oder glücklich.
> Wärst vielleicht langsam neben ihm her geschritten,
> gemächlich durch die Straßen der Stadt gegangen,
> und nicht im schnellen Trab mit einem Mann,
> den der Sturmwind treibt.
> Nicht diese Bücher im Regal
> hättest du dann aufgestellt und abgestaubt,
> und deine Gäste wären andere gewesen
> auch die Worte, die du gesprochen hättest.

Einmal angenommen, ich hätte eine Frau gefunden,
vielleicht dunkler als du oder auch blasser,
die leise Stille um sich verbreitete,
bis sogar meine Stimme verstummte, keine Widerrede
mehr leistete.
Alles wäre anders gekommen, wärst du nicht
an einem stürmischen Tag voll düsterer Wolken
vor dem Regen draußen in mein Zimmer geflohen,
mit nassem Haar und feuchtem Mantel.
Angenommen, jene Wolke wäre nicht
über die Stadt gesandt worden, um sich abzuregnen...

Dieses Gedicht treibt mir bis heute ein Lächeln, aber auch Tränen ins Gesicht. Die ersten Entwürfe dazu waren Gespräche, die mein Vater mit meiner Schwester und mir führte, als wir kleine Kinder waren. Er erzählte uns immer wieder die Geschichte jener ersten Begegnung und endete jedes Mal mit der schicksalsschweren Frage, die schließlich in seinem Gedicht auftauchte: »Ja, Kinder, was wäre geschehen, wenn jener Regen damals nicht gefallen wäre?« Wir schwiegen ängstlich und betreten, und er gab selbst die Antwort: »Eure Mutter und ich hätten uns nicht kennengelernt, und ihr wärt nicht zur Welt gekommen!«

Und während wir noch über diese schreckliche Möglichkeit nachsannen, bot er ein weiteres schwindelerregendes Szenario auf: »Oder ihr wärt zur Welt gekommen, aber mit anderen Eltern, und dann wärt ihr nicht ihr geworden!«

Aber jener Regen war gefallen, jene Begegnung hatte stattgefunden, und mein Vater und meine Mutter trafen sich fortan auch unabhängig von den Kapriolen des Wetters.

Bald einmal nahm er sie mit zu seiner Mutter, Großmutter Zippora, in die Arbeiterwohnsiedlung 2 in Jerusalem, wo Batja auch seinen jüngeren Bruder Mordechai kennenlernte, der damals achtzehn Jahre alt war. Ich erzähle das, weil meine Mutter nach jenem Besuch ihrer Schwester Batscheva einen Brief schickte, in dem sie zum ersten Mal von ihrem neuen Verehrer berichtete. Unter anderem schrieb sie: »Ich habe in Jerusalem zwei Brüder kennengelernt. Beide sind furchtbar klug und furchtbar hässlich.« Als ich meinem Onkel Mordechai vor kurzem von diesem Brief erzählte, brach er in schallendes Gelächter aus, und seine Frau Rika korrigierte: »Das stimmt nicht. Jizchak war gar nicht hässlich.«

Hässlich oder nicht, als meine Mutter nach Nahalal zurückkehrte, schickte mein Vater ihr Briefe, die sie auch beantwortete. Sie hatte damals so einige Verehrer unter den Söhnen des Emeks, allesamt große und starke Dorfburschen mit blonden Haaren und blauen Augen – »oder umgekehrt«, pflegte mein Vater mit Siegerjovialität anzumerken –, aber es flatterten jetzt immer mehr Briefe zwischen Jerusalem und Nahalal hin und her, und im Schreiben konnte es keiner ihrer Verehrer im Emek Israel mit ihm aufnehmen.

Wie gesagt, war mein Vater damals Lehrer, und zu Beginn der Sommerferien schrieb er ihr, er wolle Verwandte in En Charod, in Ginossar und in Kfar Jecheskel besuchen, und fragte, ob er auch zu ihr nach Nahalal kommen dürfe. Als er eintraf – ganz versengt von der Sonne, seine Haut war gerötet und schälte sich –, erfuhr sie, dass er große Teile des Weges zu Fuß zurückgelegt hatte, um gebräunt und gekräftigt vor ihre Familie zu treten und nicht als der bebrillte, weißhäutige Städter und *Tilligent,* der er schmachvollerweise war.

Trotz seiner Bemühungen um einen guten ersten Eindruck erschien mein Vater zu einem denkbar ungünstigen Zeitpunkt, was von seiner mangelnden Vertrautheit mit den Lebensgewohnheiten der Familie zeugte, in die er einheiraten wollte: Er kam an einem Freitagmorgen, zur Zeit des Großreinemachens! Dieses Unwissen verursachte einen weiteren Fehltritt: Er ging nicht ums Haus herum, sondern klopfte an die Vordertür und trat ein, noch ehe Großmutter Tonia rufen konnte: »Außen rum! Die andere Tür!«

Als er auftauchte, standen meine Mutter und Batscheva zwischen Waschküche und Plattform und schüttelten Bettüberwürfe aus. Großmutter Tonia, die befürchtete, er könnte die beiden von der Arbeit abhalten, erklärte ihm mit grimmiger Miene, er solle sich etwas abseits hinsetzen, und befahl ihren Töchtern, mit dem Ausschütteln, Klopfen und Putzen fortzufahren.

Der Gast wollte sich nützlich machen, und Großvater Aaron schickte ihn hinters Hühnerhaus, zum Gurken-Aussäen. Dort beging er seinen dritten Fehler. Großvater Aaron hatte ihm gesagt, zwischen einer Gurke und der nächsten solle er dreißig Zentimeter Abstand lassen, und so ging er denn, ausgestattet mit Lineal, Pflöcken und einer Schnur, aufs Feld. Nach einer noch spöttischeren Version nahm er auch eine Wasserwaage und einen Winkelmesser mit, und die ganz Spitzfindigen behaupten, auch Zirkel und Sextant, weil er alles richtig abmessen und säen wollte. Die Abstände waren tatsächlich höchst präzise, und die Reihe verlief schnurgerade, aber in zwei Stunden hatte mein Vater nur zehn Gurken gesät.

Dieser Vorgang hatte zur Folge, dass sein Nachname Shalev, der sich mit ruhig oder gelassen übersetzen ließe, fortan sein Spitzname wurde, den man zu allem Übel noch abfällig auf der ersten statt auf der zweiten Silbe betonte – und wie in Nahalal üblich ist die Sache bis heute nicht vergessen. Noch viele Jahre später, als sich mein Vater längst einen Namen auf Gebieten erworben hatte, die nicht weniger wichtig sind als die Gemüseaussaat, erinnerte man ihn bei jeder Gelegenheit daran.

Und was den Besuch selbst betraf, so dachten anfangs alle, meine Mutter habe ihn eingeladen, weil er ein Dichter war und sie sich sehr für Literatur interessierte. Aber nach dem Abendessen gingen die beiden »in den Feldern spazieren«, und schnell wurde klar, dass Shalev sie zielstrebig umwarb und sie absolut nichts dagegen hatte. Es dauerte nicht lange, bis sie das Dorf verließ und ihm nach Jerusalem folgte – weit weg von Hof und Moschaw –, doch auch bei der Hochzeit meiner Eltern spielte Großmutter Tonias Reinlichkeitswahn eine wichtige Rolle. Die Sache war so: Als die beiden beschlossen zu heiraten, kam Großmutter Zippora, die Mutter meines Vaters, nach Nahalal, um mit Großmutter Tonia alles Erforderliche zu besprechen. Haus und Hof im Dorf waren natürlich der passendste Ort für das Fest. Aber es war Winter, und Großmutter Tonia verlangte, die Hochzeit in den Sommer zu verschieben, und lieferte auch einen Grund dafür: »Die Gäste würden mir Schlamm ins Haus bringen!«

Shalev war nicht einverstanden, einerseits wegen des Aufschubs und andererseits, weil er den Charakter seiner künftigen Schwiegermutter mittlerweile durchschaut hatte und den Verdacht hegte, sie würde die Hochzeit im Sommer erneut aufschieben wollen, diesmal, weil die Gäste ihr Staub ins Haus bringen würden. In Reinlichkeitsfragen war Großmutter Zippora deutlich toleranter und entspannter. Deshalb fand die Hochzeit in Jerusalem statt, und die Gäste aus dem Emek brachten *ihr* den Schlamm ins Haus. Nach der Trauung mietete das junge Paar ein Zimmer in der Wohnung von Professor Roth in der Abarbanel-Straße, und so wurde meine Mutter, zumindest von Amts wegen, Jerusalemerin. Aber den Stolz der Nahalaler legte sie nie ganz ab, einen Stolz, der nicht selten an Überheblichkeit grenzte, und da sie sich nach wie vor als Moschaw-Tochter fühlte, fiel sie an ihrem neuen Wohnort aus dem Rahmen, behielt etwas Eigenwilliges und Anderes an sich. Das blieb ihr ganzes Leben lang so, auch als sie schon viel länger in der Stadt lebte als auf dem Dorf, und etwas davon hat sie auch an mich weitergegeben – sei es zum Guten oder zum Schlechten.

Sie tat das mit den Geschichten, die sie erzählte, mit den Bemerkungen, die sie machte, mit den Stellen, an denen sie errötete, und mit dem Spott, den sie austeilte. Mir ist besonders mein erster Schultag in Erinnerung, als Erstklässler in der Schule der Jerusalemer Siedlung Kirjat Mosche, wo wir damals wohnten. Naturgemäß war dies ein sehr aufregender Tag. Sie half mir, den Ranzen zu packen, überprüfte, dass ich ordentlich gewaschen und angezogen war, und schnürte mir sorgfältig die Schuhe, denn sooft ich es selbst versuchte, fädelte ich die Senkel in die falschen Löcher und verhedderte sie zu schier unlösbaren Knoten.

Ich saß auf einem Stuhl in der Küche, sie kniete vor mir, band mir die Schnürsenkel zu einer doppelten Schleife, die wie zwei hübsche, symmetrische Schmetterlinge aussah, und dann, zufrieden mit meiner Gesamterscheinung, nahm sie meine Hände in ihre Hände und sagte mir »zwei wichtige Dinge«: Erstens sollte ich in der Schule keinesfalls die Schuhe ausziehen und barfuß herumlaufen, wie sie und ich es sonst gewohnt waren, denn »diese Städter« sähen das nicht gern. Und zweitens – sie stand auf, blickte mich von oben an, und ihre Stimme bekam einen gewichtigen Unterton: »Sicher werden sie dort jeden Schüler fragen, wer er ist und woher er kommt, und was sagst du ihnen dann?«

»Dass ich von hier bin, aus der Siedlung Kirjat Mosche, Block 4.«

»Nein! Du sagst ihnen: Ich bin ein Bauernsohn aus Nahalal!«

Heute, da ich diese Dinge niederschreibe, muss ich grinsen. Man stelle sich vor, ein französischer oder englischer oder polnischer Bauernjunge sagt an seinem ersten Schultag in der Großstadt etwas Derartiges. Wahrscheinlich würde er kübelweise Spott ernten. Aber das Israel der fünfziger Jahre war ein anderer Ort, und meine Mutter betonte erneut: »Das sagst du ihnen. Ich bin ein Bauernsohn aus Nahalal! Merk es dir gut und vergiss es nicht.«

Viele Jahre später, kurz nach dem Tod meiner Eltern – meine Mutter starb Anfang 1991 und mein Vater knapp ein Jahr später –, bekam ich diese Besonderheit nochmals aus einem anderen Blickwinkel zu sehen, als ich eines schönen Morgens in der Jerusalemer Chopin-Straße zufällig dem Schriftsteller David Shahar begegnete, der mit meinen Eltern befreundet gewesen war.

Ich freute mich, ihn wiederzusehen. Ich liebte seine Bücher, erinnerte mich an seine Besuche bei meinen Eltern, und als junger Mann war es mir auch einmal vergönnt, ihn allein im Haus meiner Großmutter Zippora in der Arbeiterwohnsiedlung 2 in Jerusalem anzutreffen. Großmutter Zippora war damals schon tot, und mein Vater und sein Bruder Mordechai hatten mich gebeten, etwas in der Wohnung instand zu setzen. Sie sagten mir, ich würde vielleicht David Shahar vorfinden, der mit ihrem Wissen und ihrer Erlaubnis dort sitze und schreibe, und schärften mir ein, ihn ja nicht mit Fragen zu belästigen und bei der Arbeit zu stören.

Aber David Shahar erhob sich vom Schreibtisch und begann von sich aus ein Gespräch, und so wagte ich es, ihm ein paar Fragen der Art zu stellen, wie ein begeisterter junger Leser sie einem großen und geliebten Schriftsteller stellen möchte. Unter anderem wollte ich wissen, wie er schreibe. Er antwortete mit einer Gegenfrage: Ob ich ebenfalls schreiben würde oder es irgendwann einmal vorhätte? Ich sagte ihm wahrheitsgemäß, dass ich manchmal ein Gedicht für die Schublade oder für eine Frau schrieb, aber nicht Schriftsteller werden wollte, sondern Zoologe. Ich sei nur noch unschlüssig, ob auf dem Gebiet der Entomologie, der Insektenkunde, oder der Ethologie, der Erforschung tierischen Verhaltens.

Er lächelte und sagte: »Wenn das so ist, werde ich deine

Frage beantworten. Ich schreibe und redigiere eine Seite pro Tag und komme dann nie mehr darauf zurück.«

Auch ich lächle jetzt stillvergnügt, denn heute, da ich mich weder mit Entomologie noch mit Ethologie beschäftige und auch keine Gedichte mehr schreibe, weder für Schubladen noch für Frauen, denke ich oft an ihn und seine Antwort. Anders als er kann ich nicht eine perfekte Seite pro Tag schreiben, sondern muss viele Male darauf zurückkommen, muss abändern und korrigieren und sie wieder und wieder gegen das Licht halten, bis sie richtig ist, wirklich klar und sauber.

Doch zurück zu unserer Begegnung in der Chopin-Straße, an dem schönen Morgen in jenem schlimmen Jahr, in dem meine beiden Eltern starben. Ich ging damals Richtung Stadtzentrum, und David Shahar machte seinen Morgenspaziergang, elegant wie immer. Seine klugen, sarkastischen Züge und seine stattliche Erscheinung fielen auf. Er trug eine große schwarze Baskenmütze, keck zu einem Ohr hinabgezogen, ein bunter Seidenschal war um seinen Hals geschlungen, ein schwarzer Mantel, der an einen Talar erinnerte, hing ihm locker von den Schultern, und eine Hand hielt einen dünnen Stock, sei es zur Stütze oder rein aus Vergnügen.

Wir begrüßten uns und blieben kurz auf dem Platz vor dem Jerusalem-Theater stehen. Natürlich drehte sich das Gespräch um meinen Vater und meine Mutter. Er warf mir vor, zu spät mit dem Schreiben begonnen zu haben, und sagte, es sei gut, dass meine Eltern mein Debüt, *Ein russischer Roman*, noch hatten lesen können. Ich wurde traurig und erzählte ihm, dass ich ihnen – meiner Mutter auf ihrem und meinem Vater auf seinem Krankenbett – auch Kapitel aus meinem zweiten Roman, *Esaus Kuss*, vorgelesen hatte, und wie leid es mir tat, dass sie ihn nicht mehr fertig und gedruckt lesen konnten. Er sagte, beide hätten sich gefreut, dass ich schrieb, und meiner Mutter habe besonders gefallen, dass mein erstes Buch in ihrem Emek und in ihrem Dorf spielte.

»Sie hat ihre Identität als Nahalalerin und *Moschawnikit* nie abgelegt«, sagte er mir, etwas, das ich selber wusste. Dann fügte er einen Satz hinzu, den ich bis an mein Lebensende nicht vergessen werde, einen Satz, den nur ein Schriftsteller wie er formulieren konnte, ein Schriftsteller, der imstande war, pro Tag eine perfekte Seite zu schreiben, ohne jemals darauf zurückkommen zu müssen: »Ich erinnere mich an den Tag, an dem dein Vater sie aus dem Emek nach Jerusalem brachte«, sagte er, »sie war wie eine große, rote Blume auf den Steinen dieser traurigen Stadt.«

9

Als meine Mutter mit mir schwanger wurde, war der Unabhängigkeitskrieg schon ausgebrochen. Im belagerten Jerusalem gab es nicht genug Lebensmittel, es fehlte an Verbandszeug und Medikamenten, und das Trinkwasser wurde rationiert. Sie wollte lieber in Nahalal gebären, und Jahre später erzählte sie mir eine weitere schöne Geschichte: Als sie im achten Monat war, holte ihr großer Bruder Micha, der in der Harel-Brigade der Palmach diente, sie mit seinem Jeep ab und schmuggelte sie nachts über die sogenannte Burma-Straße aus Jerusalem in die Küstenebene.

Er setzte sie in Rechovot ab. Von dort ging es weiter zur Schwester meines Vaters, die seinerzeit in Tel Aviv wohnte – »nicht mal ein Glas Tee hat sie mir angeboten«, erzählte sie errötend. Von Tel Aviv schlug sie sich aus eigener Kraft nach Nahalal durch. Sie errötete nie aus Verlegenheit, nur aus Wut, und es war eine besondere, tiefe Röte, die ihr nicht schlagartig ins Gesicht trat, sondern vom Blusenausschnitt bis zur Stirn aufwallte wie Himbeersaft, den man in ein Glas gießt. Auch Großmutter Tonia lief vor Zorn rot an, aber bei ihr konzentrierte es sich hauptsächlich auf die linke Wange, die tiefer errötete als die rechte.

Meine Mutter unterstrich die Wahrhaftigkeit der Geschichte sogar mit der Familienformel »die Sache war so«, aber viele Jahre nach ihrem Tod sagte mir der Hauptzeuge, Onkel Micha persönlich, es sei zwar eine hübsche Geschichte, aber sie stimme nicht. Er benutzte die Berichtigungsformel der Familie »so war es nicht« und erzählte, meine Mutter sei tatsächlich im achten Monat schwanger gewesen und habe tatsächlich das belagerte Jerusalem verlassen und Nahalal erreicht, aber nicht in einer kühnen Nachtfahrt über Stock und Stein in seinem Jeep, sondern in einem geordneten Konvoi, der Kranke und Kinder, Alte und Schwangere aus Jerusalem in die Küstenebene evakuierte.

Zur Geburt kam auch mein Vater nach Nahalal, aber dort blieben wir nicht lange, weil zwei Wochen später ein großer Streit entbrannte. Großmutter Tonia erklärte meiner Mutter, der Mutterschaftsurlaub sei abgelaufen. Sie verwendete sogar eine ihrer entschiedensten Wendungen – »genug im Bett herumgestänkert« –, um zu verkünden, dass es nun mit der Schonung vorbei sei, es heiße jetzt aufstehen, putzen, kochen und schaffen. »Bei uns in Rokitno«, ihrem Dorf in der Ukraine, wären die Bäuerinnen auf dem Feld niedergekommen, hätten sich das Neugeborene in einem Tuch an die Brust gebunden und hätten weiter gemäht und Ähren gebündelt.

Mein Vater legte wütend und empört sein Veto ein. Er erklärte, seine Frau habe eine längere Erholung verdient, und gewiss eine Pause von solcher Schwerarbeit. Trotz seiner korrekten sephardischen Aussprache, seiner Brille und seiner bleichen Haut war Shalev ein energischer und leicht erregbarer Mensch. Und Großmutter Tonia kannte keinerlei Hemmungen und hatte mehr Erfahrung in Familienfehden. Nun entzündeten die beiden einen der gelungensten

Kräche unserer Familiengeschichte. Leider war ich erst zwei Wochen alt und erinnere mich nicht daran, aber mir wurde erzählt, dass es laute Worte und Beleidigungen hagelte und dass mein Vater unter seiner städtischen Blässe noch weißer wurde, während Großmutters linke Wange knallrot anlief.

Und dann traf Shalev seine Schwiegermutter mit einem ebenso listigen wie zielsicheren Pfeil: Er sagte ihr, er könne sie nicht ertragen, weil sie ihn an seine Mutter erinnere!

Im ersten Augenblick war sie verblüfft. Dieser Dichter, der eine so simple Aufgabe wie das Säen von Gurken vermasselt hatte, war offensichtlich raffinierter und gefährlicher als erwartet. Einen Moment später kochte sie vor Wut, denn auch sie konnte seine Mutter nicht ausstehen und ärgerte sich außerdem über sich: Wieso war sie denn nicht selbst darauf gekommen. Sie hätte ihm doch zuvorkommen und als Erste sagen können, dass er sie an seine Mutter erinnere. Und was sollte man auf eine solche Beleidigung überhaupt erwidern? Hätte er behauptet, Großmutter Zippora sei besser als sie, wäre ihr schon eine passende Erwiderung eingefallen, aber was sollte man jemandem entgegnen, der seiner Schwiegermutter vorwirft, dass sie seiner Mutter ähnlich ist?

Doch Großmutter Tonia blieb so schnell keine Antwort schuldig. Gleich hatte sie sich wieder gefangen und zog ein einzigartiges Schimpfwort aus ihrem Köcher, eines, das kein Mensch kannte oder verstand, aber auch dieser Ausdruck ist in unser Familienlexikon eingegangen, und wir benutzen ihn bis zum heutigen Tag. Sie wandte sich an ihre Tochter, die bisher aus lauter Verlegenheit und Unbehagen geschwiegen hatte, und sagte: »Nimm dich vor ihm in Acht, Batjale, der ist mir ein anständiger Vogel!«

Was soll ein »anständiger Vogel« sein? Das wusste niemand zu sagen, und noch heute ist uns die Bedeutung des Ausdrucks schleierhaft. Großmutter Tonia hat sich nie für Vögel interessiert, gleich welcher Art. Sie machten alle Dreck und waren für sie samt und sonders »Dreckstauben«, auch wenn es sich um Krähen oder Honigsauger handelte. Möglicherweise hat sie diesen anständigen Vogel aus dem Stegreif erfunden, und es könnte auch sein, dass sie dabei – *a jener Foigel* – aus dem Jiddischen übersetzte oder etwas aus dem Russischen. Mein Onkel Jair brachte eine weitere Erklärung ins Spiel: Großmutter Tonia könnte mit der hebräischen Bezeichnung *Zippor hagun,* »anständiger Vogel«, auf den Namen von Großmutter Zippora angespielt haben. Das hieße frei nach dem Prophetenwort, »Aus der Wurzel einer Schlange kommt eine Natter«: Shalev ist wie seine Mutter, der Apfel ist nicht weit vom Stamm gefallen.

So oder so war allen Zuhörern klar, dass es sich um etwas Ungutes handelte. Und tatsächlich, als mein Vater diesen anständigen Vogel aus dem Mund seiner Schwiegermutter flattern hörte, ging er wütend seinen Koffer packen. Und da er mit einem zarten Baby und einer gerade erst niedergekommenen Frau nicht in das belagerte Jerusalem zurückkehren konnte und wollte, fuhren wir drei nach Tiberias.

Auch jene Reise habe ich natürlich nicht in Erinnerung, aber man hat mir erzählt, dass wir in Tiberias ein paar Tage im Hotel wohnten. Mein Vater hatte damals eine Cousine in Ginossar, und sie half ihm, dort Arbeit zu finden. Er begann an der Volksschule des Kibbuz zu unterrichten, und meine Mutter arbeitete im Kleinkinderhaus.

In Ginossar blieben wir vier Jahre, und dort haben sich meinem Gedächtnis die ersten Bilder eingeprägt. Wir wohnten am Ufer des Kinneret-Sees, in einer Art Laubhütte mit Wänden aus Stoff, einem Dach aus Palmwedeln und Obstkisten als Regalen. Ich erinnere mich an den starken Ostwind, der die Stoffbahnen blähte, und ich erinnere mich an das fröhliche Baden im Kleinkinderhaus mit allen anderen Kindern in einer großen Betonwanne. Und noch ein Bild: Ich sitze auf einem Holzbrett, das auf dem Wasser des Sees schaukelt. Das Brett schwimmt nur anderthalb Meter vom Ufer entfernt und meine Eltern stehen neben mir, aber mein Herz ist von Grauen erfüllt.

Außerdem erinnere ich mich an Besuche von Onkel Itamar. Itamar und meine Mutter standen sich sehr nahe, obwohl sie von verschiedenen Müttern stammten, und trotz seiner angespannten Beziehung zu Großmutter Tonia. Er war damals als Armeeoffizier in der »Kommandantur« von Safed stationiert, und wenn er kam, tranken er und meine Mutter unweigerlich glühend heißen Tee – wie ihr gemeinsamer Vater, Großvater Aaron, der sich bei jedem Glas Tee, das man ihm vorsetzte, beschwerte, der Inhalt sei »eiskalt« –, wetteiferten mit Zitaten aus ihren Lieblingsbüchern und lachten viel.

Und noch ein uniformiertes Familienmitglied tauchte bei uns auf – meine junge Tante Batscheva als kleine, schwarzhaarige Nachal-Soldatin. Sie erzählte ihrer Schwester unter Klagen, dass Großmutter Tonia wütend war: Shalev hatte ihr Batjale genommen, und die Armee hatte ihr Schevale genommen, und nun stand sie ohne ihr Arbeitsteam da. Sie übte Druck aus und stellte Gesuche, überzeugte, wen es zu überzeugen galt, dass der Bauernhof ohne die Tochter vor dem Kollaps stände, und erreichte Batschevas vorzeitige Entlassung. Doch dann geschah etwas Unvorhergesehenes: Batscheva rebellierte, unterschrieb eine Verzichtserklärung und setzte ihren Wehrdienst fort.

Ihr Vater und ihre Mutter waren außer sich vor Wut. Batscheva erzählte mir, sie wären vor Zorn beinah handgreiflich geworden, aber sie blieb lieber beim Militär. Sie fand es dort nett und interessant, sagte sie, und ich erlaube mir die Annahme, dass kein Feldwebel der israelischen Armee so penibel auf Sauberkeit hielt wie ihre Mutter.

10

Viele Jahre davor, 1928 oder 1929, geschah etwas, was man als den Anfang betrachten könnte, als das Saatkorn, dem die ganze Geschichte entsprießen sollte.

Die Sache war so: An einem jener Wintertage, an denen Wolkenheere jenseits des Karmel aufziehen und seinen Kamm verhüllen, an denen das Himmelszelt sich verfinstert, der Regen draußen niederprasselt und die Felder des Emeks sich in Schlammseen verwandeln, bekam Großvater Aaron einen Brief von seinem großen Bruder Jeschajahu, dem »doppelten Verräter«.

Er öffnete den Umschlag und ärgerte sich. Zum einen war der Brief auf Jiddisch verfasst, der Sprache der Diaspora, die er seit seiner Einwanderung in das Land Israel konsequent boykottierte. Aber mehr noch erboste ihn der Inhalt. Onkel Jeschajahu schrieb, er habe von der schwierigen Wirtschaftslage in Palästina im Allgemeinen und in den Arbeiter-Moschawim im Besonderen gehört und schicke ein paar Dollars, weil er seinem Bruder, dem Pionier, helfen wolle.

Der Regen hörte nicht auf. Sumpfiger Matsch überschwemmte die Höfe. Kühe und Bauern versanken bis zu den Knien darin. Wehmut und Winterkälte erfüllten die Herzen, es gab weder Jacken noch Stiefel für die Kinder, und der Geldbeutel war leer – und da kam nun dieser dreiste

Brief von seinem reichen Bruder, der nicht ins Land Israel eingewandert war, sondern in den Vereinigten Staaten ein *business* gegründet hatte.

Die Lebensbedingungen in Nahalal waren damals in der Tat sehr hart. Die Arbeit war Knochenarbeit, das Einkommen verschwindend gering, und der Morast war nicht nur winterliche Wirklichkeit, sondern auch ein gelungenes Sinnbild für die Situation in den übrigen Jahreszeiten. Viele Familien, unsere inbegriffen, kannten damals echte Not und Entbehrung. Manche zogen sogar weg. Aber Großvater Aaron freute sich nicht über das großzügige Geschenk seines Bruders. Im Gegenteil, er war bis auf den Grund seiner Seele beleidigt. Dollars aus Amerika?! Er, der ins Land Israel gekommen war, Sümpfe trockengelegt, erste Furchen in die Heimaterde gezogen, gesät und gepflanzt hatte, würde dieses kapitalistische Diasporageld nicht anrühren. Außerdem war er kein Bettler, nicht auf die Almosen reicher Herren angewiesen, auch wenn dieser reiche Herr sein Bruder war.

Großmutter Tonia, praktisch wie immer, flehte ihn an, sagte, das Geld sei wichtig, man brauche Jacken und Stiefel für den Winter und Petroleum für den Primus-Kocher und die Lampe, außerdem Zucker und Öl und Mehl und Medikamente, aber Großvater Aaron blieb stur und tat etwas, das wahrlich nicht leicht war: Er schickte das unreine Geld an den Absender zurück, begleitet von einigen ideologischen Zurechtweisungen. Laut einer weiteren Version fügte Großvater Aaron auch persönliche Beleidigungen an, im Stil von: Wir Pioniere, die wir die Wüsten unseres Landes auf zionistische und sozialistische Weise zum Blühen bringen, werden uns nicht durch Geld verführen lassen, das unter Ausbeutung des Proletariats von Verrätern gescheffelt wurde, die ein Leben in der Diaspora gewählt und ihren Namen von Jeschajahu in Sam geändert haben.

Trotz aller Unterschiede waren die beiden doch Brüder von ähnlichem Temperament. Auch Onkel Jeschajahu wurde wütend und schickte stur weitere Umschläge mit weiteren Dollarnoten, und auch damit verfuhr Großvater Aaron wie mit dem ersten Brief, ja machte sich nicht einmal mehr die Mühe, sie zu öffnen und die ermahnenden und lockenden Worte seines Bruders zu lesen. Ihm genügte der verruchte grünliche Schimmer, der durch die Umschläge drang, und schon schickte er sie zurück nach Los Angeles, verschlossen, wie sie gekommen waren.

Schließlich und endlich war auch Onkel Jeschajahu beleidigt, und das – wie Großvater Aaron – bis auf den Grund seiner Seele. Seit seiner Emigration nach Amerika behandelte ihn sein kleiner Bruder kritisch und hochmütig und dünkte sich was Besseres. Nun, da Aaron ihm seine Briefe und Gaben zurückgeschickt, ihn sogar barsch getadelt hatte, war er so verletzt, dass er beschloss, es ihm in gleicher Münze heimzuzahlen, Rache an ihm zu üben – keine grausame oder gewalttätige Rache, Gott behüte, sondern eine elegante und intelligente und lehrreiche Rache, die Rache eines pragmatischen Erstgeborenen am idealistischen jüngeren Bruder. Er überlegte, heckte Pläne aus und wartete vor allem auf eine günstige Gelegenheit. Er war ein Mann der Tat und hatte Geduld, erzählte mir meine Mutter.

Zwei, drei Jahre vergingen, Umschläge kamen keine mehr, und Großvater Aaron beruhigte sich. Aber die Lage wurde nicht besser. 1931 herrschte solche Armut und Knappheit, dass er sich außerhalb des Moschaws nach Arbeit umsehen musste. Er fand eine Stelle im Arbeiterrat des Dorfes Binjamina, und die Familie verließ Nahalal und zog für ein Jahr dorthin. Micha und Batja waren damals sieben und vier Jahre alt, und Großmutter Tonia trug die Zwillinge Batscheva und Menachem im Leib. Onkel Jaakov, ihr jüngerer Bruder, kümmerte sich so gut er konnte um den Hof in Nahalal, und die großen Brüder Mosche und Jizchak, die im nahen Kfar Jehoschua wohnten, halfen ebenfalls.

Wie gesagt, besaß Großvater Aaron weder die nötige Veranlagung noch die Kraft, die enormen Schwierigkeiten des damaligen Lebens zu meistern und seinen Widrigkeiten auf Dauer zu trotzen. Aber er war ein Experte im Pflanzen, wusste, wie man Schädlinge loswurde und Bäume beschnitt und veredelte, und fand auch Gefallen an der symbolischen Seite der Landwirtschaft. Das erste, was er auf seinem Hof anpflanzte, waren Weinstock und Olivenbaum, Granatapfel und Feige, weil sie, laut der Bibel, zu den sieben Arten des Landes Israel gehören. An den Eingang des Grundstücks setzte er Zypressen, wie sie laut dem Hohelied als Wände für König Salomos Liebeslager gedient hatten. Aber seine Lieblinge waren die Zitrusbäume, die er um das Haus der Familie pflanzte. Einer von ihnen ist mir besonders lebhaft im Gedächtnis geblieben: sein spezieller Zitrusbaum, der mich verblüffte und faszinierte, weil er mehrere Sorten Früchte trug, die Großvater Aaron einem einzigen Bitterorangenbaum aufgepfropft hatte.

Auch über diese Sorten kursieren mehrere Versionen in der Familie. Die einschlägigen Diskussionen beginnen unweigerlich mit dem Satz: »Er hat dem Bitterorangenbaum Orangen, Zitronen und Pampelmusen aufgepfropft«, werden dann spezifischer: »Navelorangen, Valencia-Orangen und Pomelas« und enden mit: »Hier hat Großvater Aarons spezieller Zitrusbaum gestanden, der Birnen, Pflaumen und Ananas trug.« Heute weiß ich, dass das kein großes Kunststück ist, dass jeder Pflanzer mehrere Zitrussorten auf ein Reis pfropfen kann, aber damals hielt ich meinen Großvater für einen Zauberer und betrachtete ihn und seinen Wunderbaum mit ungläubigem Staunen.

Wie ich schon erzählte, verkündete Großvater Aaron hin und wieder, er habe Kopfweh, und machte sich aus dem Staub. Manchmal ging er auch ohne Erklärung weg, und Großmutter Tonia sagte dann »jetzt entfleucht er wieder mal« und lief ihm nach, um ihn zurückzuholen. War er zu seiner Schwester, Tante Sara, nach Herzlia geflüchtet, war die Verfolgung relativ einfach. Hatte er im Kibbuz Chanita, wo seine Söhne Itamar und – vorübergehend auch – Binja wohnten, Unterschlupf gefunden, war sie unmöglich, denn Großmutter Tonia setzte keinen Fuß an diesen Ort. Manchmal floh er nach Rechovot, zu seinem Freund Seev Smilansky (diese Freundschaft hat Smilanskys Sohn, der Schriftsteller S. Yishar, viele Jahre später in seinem Buch *Auftakte* erwähnt), oder nach Tel Aviv, zu seinem Freund Chaim Schorer, der sein Nachbar in Nahalal gewesen war, bis er wegging und die Redaktion des Gewerkschaftsblatts *Davar* übernahm.

Auch Ben Gurions Aufruf an alteingesessene Moschaw-

Pioniere, den neuen Moschawim, die gerade erst von Einwanderern gegründet worden waren, zu Hilfe zu kommen, befolgte mein Großvater mit einer Begeisterung, die den üblichen Rahmen freiwilliger Einsatzfreude sprengte. Ein paar Monate war er Obstbauberater in Kfar Chabad, unterwies die Chassidim dort – die seinerzeit noch die Möglichkeit erwogen, sich von produktiver Agrararbeit zu ernähren – im Veredeln von Bäumen und Reben und dem Beschneiden von Obstbäumen. Er selbst war ein Laizist, der sich von der Religion aus Prinzip abgewendet hatte, aber die Lieder der Chassidim kannte und liebte er noch aus seinem Elternhaus und sang sie mit solcher Begeisterung und Präzision, dass mir einige im Gedächtnis geblieben sind. Vor allem erinnere ich mich an den Psalm »Meine Seele dürstet nach dir«, wegen seiner Schönheit und Süße, und an ein weiteres Lied, das dem Buch Numeri entlehnt ist, wegen seiner besonderen Aussprache:

Und am Schabbat und am Schabbat und am Schabbat
  und am Scha-habba-at-tag
und am Scha-habba-at-tag.
Und am Schabbat und am Schabbat und am Schabbat
  und am Scha-habba-at-tag
und am Scha-habba-at-tag.
Und am Scha-habba-at-tag
zwei fehlerlose einjährige Lä-hem-mer.
Und am Scha-habba-at-tag
zwei fehlerlose einjährige Lä-hem-mer.
Ei jei ja ja jei,
ja ja ja ja ja ja ja ja jei,

ja ja ja ja ja ja, ei jei ja ja ja ja jei…
Dazu als Speiseopfer zwei Zehntel Feinmehl
dazu als Speiseopfer zwei Zehntel Feinmehl,
das mit Öl vermengt ist,
sowie das dazugehörende Trank-o-ho-ho-opfer…
Und zwei Zehntel Feinmehl
als Speiseopfer zwei Zehntel Feinmehl
als Speiseopfer zwei Zehntel Feinmehl,
sowie das dazugehörende Trank-o-ho-ho-opfer.

Der Satz lautet in der Bibel nur: »Am Schabbat aber nimm zwei fehlerlose einjährige Lämmer, dazu als Speiseopfer zwei Zehntel Feinmehl, das mit Öl vermengt ist, sowie das dazugehörende Trankopfer«, das letzte Wort also leicht verkürzt im Vergleich zu »Trank-o-ho-ho-opfer«, aber so sangen es Großvater und die Chassidim, die ihn besuchen kamen, und ich möchte genau sein.

Noch Jahre nach seinem Einsatz als Berater besuchten ihn alljährlich, vor jedem Pessachfest, zwei Männer aus Kfar Chabad, deren Bärte und Schläfenlocken mich stark an alte Fotos vom Vater meines Großvaters erinnerten und im Nahalaler Straßenbild befremdlich wirkten. Aus ihren Taschen förderten sie stets eine Flasche *Maschke*, Schnaps, zutage und eine *Schmuremazze*, eine besonders koschere Mazze, als Gabe für den Feiertag.

Großvater Aaron genoss die Aufmerksamkeit und die Unterhaltung und den Gesang und den Schnaps, aber viel mehr gab ihm dieser Besuch nicht. Er hielt sich, wie gesagt, nicht mehr an die religiösen Gebote; wenn er jedoch etwas genau einhielt, dann ihre Nichteinhaltung. Übrigens beeindruckte ihn auch die chassidische – und gesamtjüdische – Gewohnheit nicht, mit der eigenen Abstammung anzugeben, sich mit irgendeinem wichtigen Rabbiner in der Ahnengalerie zu schmücken, und diese Abneigung vererbte er seinen Nachkommen. Meine Mutter pflegte, wenn jemand ihr mit einem Vorvater kam, der ein Admor oder ein Zaddik oder ein Chacham-Baschi oder ein Gaon gewesen war, mit trockenem Spott zu erwidern: »Wir sind auch keine einfachen Leute, wir stammen vom Golem von Prag ab.«

Und was die Schmuremazze anbelangte – die zierte tatsächlich den Sedertisch, aber bei uns aß man auch an Pessach das Brot, das Großmutter Tonia in ihrem *Tabun* buk. Das war eine Art arabischer Backofen, den Binja als Junge an der Kuhstallwand gebaut hatte, ein Ofen aus Lehm und Blech, der mit Reisig beheizt wurde. Einmal die Woche knetete Großvater Aaron Teig in einer großen Schüssel, und Großmutter Tonia formte ihn zu Laiben. Während der Teig aufging, zündete sie das Feuer im Ofen an, ließ ihn ordentlich heiß werden und buk – auch an Pessach – wunderbares Brot.

»Am Sederabend essen wir Mazze und tun alles so, wie es sich gehört«, erklärte sie, »aber an den Zwischenfeiertagen muss man arbeiten, und ohne Brot hat man keine Kraft dazu.« Tatsächlich begingen wir den Sederabend mit allem Drum und Dran. Wir lasen die ganze Haggada, sangen alle Lieder und tranken all die vorgeschriebenen Gläser Wein. Das einzige Problem war der Afikoman, jenes spezielle Stückchen Mazze, das Großvater traditionsgemäß versteckte, ohne jedoch dem glücklichen Finder unter seinen Enkeln je das versprochene Geschenk zu kaufen.

An zwei Afikomans erinnert man sich bis heute in der Familie. Der eine war der Afikoman vom Pessachfest 1963, das bei Tante Batscheva in Kfar Monasch gefeiert wurde. Großvater Aaron hatte ihn so gut versteckt, dass die Enkel ihn nicht finden konnten, auch nicht die Eltern, die ihnen zu Hilfe kamen, und trotz aller Bitten und Beschwörungen und Versprechungen kehrte mein Großvater siegreich nach Nahalal zurück, ohne etwas über seinen Verbleib verraten zu haben.

Und noch ein Afikoman – ich weiß nicht mehr genau, in welchem Jahr – blieb unauffindbar, aber aus einem anderen Grund. Großmutter Tonia hatte damals irgendetwas angehoben, um mit ihrem Schulterlappen darunter abzuwischen – selbst während der Sederfeier kommt zuweilen Dreck zum Vorschein –, hatte ein Stück Mazze gesehen und es geistesabwesend gegessen, ohne zu ahnen, dass es sich um den Afikoman handelte, den Großvater versteckt hatte. Das war die offizielle Erklärung, aber einige Cousins behaupten, es habe sich um einen der seltenen Fälle gehandelt, in denen die beiden gemeinsame Sache machten, und sie habe den Afikoman mit seiner Kenntnis und Zustimmung verspeist.

Neben der Schulung von Pflanzern suchte sich Großvater Aaron noch andere Aufgaben. Jede diente ihm als Zufluchtsort, und einige warfen außerdem etwas Kleingeld für die leere Familienkasse ab: Er vermaß die Felder im Umkreis von Nahalal. Er gab im Auftrag des Innenministeriums im Bezirk von Tiberias und der Jordansenke Personalausweise aus. Und er war verantwortlich für den »Eukalyptuswald« des Dorfes. Seinerzeit hatte jeder Arbeiter-Moschaw, der etwas auf sich hielt, einen »Eukalyptuswald« – ein etwas übertriebener Ausdruck für die paar Bäume –, aus dem die Bauern sich Latten für ihre Pferche und Zäune schnitten. Anders als Kiefern und Zypressen beispielsweise treibt der Eukalyptus neue Äste an Stellen, wo ein Ast abgehackt wurde, und Großvater Aaron bestimmte in Nahalal, welche Bäume zum Holzschlagen freigegeben waren, damit immer genug neue Äste für den künftigen Bedarf nachwuchsen.

Als Feldvermesser übernahm mein Großvater auch die Aufgabe, im Winter die Niederschlagsmesser abzulesen und die Werte zu notieren. Die Ergebnisse veröffentlichte er im Dorfblatt. Überhaupt überstiegen sein Interesse für das Wetter und seine meteorologischen Kenntnisse bei weitem die Aufmerksamkeit, die jeder Landwirt naturgemäß für Regen, Hagel, Frost und Dürre aufbringt. Er hatte auch Talent für Wetterprognosen und kannte schöne Geschichten über die Winterwolken und wie er aus ihrer Ballung über dem Karmelgebirge die kommenden Regenmengen voraussagen konnte.

Was die Personalausweise anbelangt – nach der Gründung des Staates Israel wurden seine Bürger aufgefordert, die Ausweise der britischen Mandatsregierung abzugeben und gegen neue israelische einzutauschen. Großvater Aaron erhielt damals einen verschlossenen Koffer voller leerer Ausweise, Formulare und Stempel. Er zog von Ortschaft zu Ortschaft, und die Einwohner fanden sich mit ihren Mandatsausweisen und anderen Papieren bei ihm ein. Er traf Freunde, und laut Großmutter Tonia auch Freundinnen, führte Gespräche, schwelgte in Erinnerungen und füllte nebenbei mit seiner schönen Handschrift die neuen Personalausweise aus, versah sie mit dem Stempel des Innenministeriums und setzte seine eigene Unterschrift darunter.

Auch die ersten Personalausweise meiner Eltern, die damals in Ginossar wohnten, stellte er aus. Doch als Großmutter Tonia erfuhr, dass man ihm in Tiberias ein Hotelzimmer zur Verfügung gestellt hatte, eilte sie dorthin, um »seinen Huren« zuvorzukommen. Großvater Aaron war ein gutaussehender Mann, konnte Geschichten erzählen und Reime schmieden und hatte Humor, und »seine Huren« war die Bezeichnung meiner Großmutter für alle Frauen, die ihn umschwärmten, sei es in ihrer Phantasie oder in Wirklichkeit.

Bei einer seiner Eskapaden kam Großvater Aaron sogar bis in die Wüste, zu den »Phasphatwerken« (so sagte es Großmutter Tonia, und seither kommt uns das Wort »Phosphat« nicht über die Lippen). Wie auf unserem Hof in Nahalal begann er auch dort, Metallstücke, Säcke, Stricke und Drähte zu sammeln und zu sortieren, und wurde bald eine Art Lagerist. Man stelle sich seine Verblüffung vor, als ein paar Tage später der Bus mit den Werksarbeitern eintraf, ihm aber nicht nur Arbeiter entstiegen, sondern auch eine resolute kleine Person, die in der hitzeflimmernden Luft auf ihn zuschwebte – Großmutter Tonia, die ihn ausfindig gemacht und bis hierher verfolgt hatte, und die sofort begann, in der Werksküche zu arbeiten.

Ich erzähle all diese Dinge schweren Herzens. Großvater Aaron war tatsächlich kein emsiger und tüchtiger Bauer, eignete sich nicht für die Knochenarbeit der damaligen Landwirtschaft, aber er war ein sehr schöpferischer Mensch und besaß Talente, die den meisten emsigen und tüchtigen

Bauern seiner Generation abgingen. Ich habe mich häufig gefragt und frage mich noch heute: Was wäre geschehen, wenn er, wie sein Bruder, in die Vereinigten Staaten gegangen wäre? Nun, abgesehen davon, dass sich eine andere Frau vor jenem Jerusalemer Regen ins Zimmer meines Vaters geflüchtet hätte und meine Schwester, mein Bruder und ich nicht zur Welt gekommen wären, hätte er dort möglicherweise ein besseres Leben gehabt: Er hätte seine erste Frau Schoschana nicht verloren, wäre nicht gezwungen gewesen, Felder zu vermessen, in die Wüste zu entfleuchen, Eukalyptusbäume zu überwachen und Personalausweise auszustellen. Er hätte Jiddisch sprechen und schreiben und Erzählungen und Aufsätze im *Forverts* in New York statt in *Der junge Arbeiter* veröffentlichen können.

Und wer weiß, vielleicht hätte mein Großvater anstelle der humoristischen Verse für die Sederabende in Nahalal Musicals für den Broadway schreiben, ein reicher Mann werden und »Luxuskram« ohne Gewissensbisse genießen können. Vielleicht hätte er auch, wie sein Bruder Jeschajahu, seinen Namen geändert, von Aaron in Harry vermutlich, und sein Bruder wäre für ihn kein Verräter gewesen und hätte sich nicht überlegt, wie er sich an ihm rächen und ihm helfen und sein Herz zurückgewinnen könnte, hätte ihm keine Dollars in Umschlägen geschickt und auch keinen Sweeper in einer großen Holzkiste, die mit Post- und Zollstempeln und allerlei Aufschriften übersät war.

11

Nach vier Jahren in Ginossar kehrten meine Eltern nach Jerusalem zurück. Anfangs wohnten wir in einem kalten und feuchten Zimmer in Nachlat Schiva, an das ich mich überhaupt nicht erinnere, und ein Jahr später bezogen wir die kleine Wohnung, in der ich den größten Teil meiner Kindheit und Jugend verbrachte – in der Wohnsiedlung, die damals gerade im Viertel Kirjat Mosche entstand. Dort kam meine Schwester Rafaela zur Welt und viel später unser Bruder Zur, der gut neunzehn Jahre jünger ist als ich. Er ist der Vater von Ronny und Naomi, die mir im ersten Kapitel dieses Buches die Zehennägel rot lackierten.

Die Siedlung in Kirjat Mosche hatte nicht das Jerusalemer Flair jener Viertel, die mein Vater und David Shahar in ihren Büchern beschrieben, und gewiss nicht dasjenige von Nachlaot, Bet Israel, der Prophetenstraße, Kerem Avraham, Baka, der deutschen Kolonie und anderen alten Stadtteilen. Man sah dort keine steinernen Bögen, keine Gassen mit Geranien und Jasmin, keine Kuppeln und Gewölbe. Die hässlichen »Blocks« von Kirjat Mosche hatten nichts von der Jerusalemer Verordnung gehört, die das Bauen oder Verkleiden mit Naturstein vorschreibt. Sie waren aus Hohlblocksteinen errichtet und grau verputzt.

Aber in der Nähe standen wie Schildwachen drei Institutionen, die für Jerusalem sehr typisch sind: die Blindenschule, die Irrenanstalt Esrat Naschim und das Allgemeine Waisenhaus Diskin. Diese Einrichtungen hatten eine starke Präsenz. Viele Insassen der Irrenanstalt gingen im Viertel spazieren und waren ein fester und interessanter Teil seines Straßenbildes. Aus dem Waisenhaus Diskin gellten nicht selten furchtbare Schreie, die bis zu unseren Ohren drangen und unsere Herzen mit Grauen erfüllten. Und zu den Kindern der Blindenschule knüpften wir besondere Beziehungen. Häufig spielten wir mit ihnen, sogar Spiele wie Fangen und Verstecken, oft erzählten sie uns und wir ihnen Geschichten, und manchmal, an warmen Sommerabenden, schlichen wir uns, blinde und sehende Jungs gemeinsam, unter die Zimmerfenster der blinden Mädchen. Wir beobachteten sie bei den Vorbereitungen zum Schlafengehen, und die blinden Jungen kniffen uns in die Arme und flüsterten aufgeregt: »Was sieht man? Erzählt uns, was man sieht...« Sie waren Feuer und Flamme, noch viel mehr als wir. Die Augen ihrer Phantasie sahen Szenen, die Augen aus Fleisch und Blut nicht zu sehen vermochten.

Jahre später, bei einem Gespräch mit meinem Vater über seine geliebte Stadt, sagte ich ihm, für mich sei Jerusalem nicht der Tempelberg, der Ölberg, das Dach des Klosters Notre Dame, die Märkte, Stadtviertel und Gassen, die er in seinen Gedichten und Erzählungen schilderte, sondern der Irrsinn, die Blindheit und die Verwaistheit jener drei Anstalten. Und zu meiner Überraschung lächelte er und sagte, ich hätte recht, und zwar mehr als ich ahnte.

Hier, in der Wohnsiedlung, hatte meine Mutter einen kleinen Garten, in den sie all ihr Wissen und all ihre Sehnsucht nach dem Emek, der Erde und der Landwirtschaft steckte. Sie arbeitete dort barfuß, in knappen Shorts, die sogar blinde Passanten schwindlig machten. Etwas oberhalb des Gartens, dort, wo heute die Jeschiwa Merkas Ha-Rav steht, lag damals ein offenes Geröllfeld, auf dem Rinderzüchter aus dem angrenzenden Givat Schaul ihre Tiere weiden ließen. Auch wenn es sich um Jerusalemer Kühe handelte, waren sie für meine Mutter wie ein Gruß aus dem Dorf. Sie sah sie durchs Küchenfenster und freute sich: »Dort ist eine nette Färse, ich geh mal mit ihr reden.« Und schon stürmte sie los, stieß schrille Fanfarenstöße wie ein Hirte aus, die Faust zur Trompete an die Lippen gelegt. Auch kehrte sie nicht mit leeren Händen zurück – auf dem Rückweg brachte sie Kuhfladen mit, Dünger für ihren Garten.

Obwohl es schon etliche Jahre her war, dass sie ihr Dorf und ihr Elternhaus verlassen hatte, und obwohl sie in Jerusalem eine eigene Familie und einen eigenen Hausstand besaß und keiner sie zum Putzen zwang, sie aus der Schule holte oder ihr drohte, Stücke von ihr abzureißen, wischte sie den Boden wie bei ihrer Mutter: nicht mit dem Gummiwischer, sondern gebeugt und rückwärts schreitend, den Lappen in ausladenden Schlängelbewegungen über den Boden ziehend, stolz über ihre Biegsamkeit, die Leichtigkeit, mit der sie ihre Fußspitzen erreichen konnte.

Wenn sie den Lappen über dem Eimer auswrang, prüfte sie das Wasser gegen das Licht, lächelte entschuldigend und sagte: »Ich fürchte, sie hat mich ein bisschen mit ihrer Krankheit angesteckt.« Alle wussten, wessen Krankheit gemeint war und wie sie sich äußerte. Auch nach Großmutter Tonias Tod und bis zu ihrem eigenen Todestag nannte meine Mutter jeden in der Familie, der ein besonderes Interesse für Sauberkeit an den Tag legte, »Tonia«, sogar sich selbst.

Meine Mutter lehrte mich, Knöpfe anzunähen und Hemden zu bügeln und Hosen zu flicken und Essen zu kochen und noch weitere Fertigkeiten, die man seinerzeit nur den Töchtern und nicht den Söhnen beibrachte, und so erhielt ich eines Tages auch Unterricht im Bodenputzen.

Nach einigen Minuten merkte ich, dass sie belustigt zusah, wie ich den Lappen auswrang. Sie fragte, ob ich meinte, alles Wasser ausgewrungen zu haben.

»Klar«, sagte ich stolz. »Da ist kein Tropfen mehr drin.«

Und dann nahm sie mir den ausgewrungenen Lappen ab, wrang ihn und jede Menge Wasser floss heraus.

Ich staunte. Und war auch ein bisschen gekränkt. Sie erklärte mir, was ihre Mutter ihr in ihrer Kindheit erklärt hatte, dass nämlich die Männer mit Kraft auswringen und die Frauen mit Verstand. Der Mann hält den Lappen mit beiden Handflächen nach oben und dreht nur die starke Hand, während die andere statisch bleibt, »Kontra gibt«, wie die Fachleute sagen. Aber eine Frau, zumal wenn sie zu unserer Familie gehört, das heißt, die Meisterklasse im Putzen an Großmutter Tonias Hochschule für Sauberkeit absolviert hat, tut es folgendermaßen: Der eine Handrücken zeigt nach oben, der andere nach unten, und beide Hände arbeiten, drehen, bis die Arme sich kreuzen und strecken, und so erzielt man beim Wringen ein größeres Drehmoment und zusätzliche neunzig Grad.

Manchmal besuchten uns die Geschwister meiner Mutter. Ich erinnere mich vor allem an Onkel Menachems Auftritte, denn vor jedem seiner Besuche erstellte meine Mutter eine Liste von Dingen, die in unserem Haushalt repariert werden mussten. Mein Vater konnte nichts und wollte nichts können, was über das Wechseln einer Glühbirne hinausging, und ich muss zugeben, dass er mir diesen Zug vererbt hat. Aber die Brüder meiner Mutter konnten – wie seinerzeit die meisten Moschawniks – reparieren und bauen, Beton gießen, Fliesen legen, Wasserrohre und elektrische Leitungen verlegen. Und als ich als Kind das Gedicht »Ich hab einen Onkel in Nahalal / der kann das all« las, war ich felsenfest überzeugt, dass man es über sie geschrieben hatte.

Onkel Menachem brachte immer ein paar Werkzeuge mit, weil er wusste, dass er in unserem Haus keine vorfinden würde. Sie hatten wunderbare Namen wie *Dschabka* (eine Greifzange), *Ismil* (der Meißel), »der kleine Schwede« (ein Verstellschlüssel) und »die persönliche Zange, die jeder Moschawnik stets dabeihaben muss«. Wenn er sie auf dem Tisch aufreihte, wurde mein Vater nervös, denn er fürchtete, die Reparaturarbeiten seines jüngeren Schwagers könnten seinen eigenen männlichen Status im Haushalt untergraben. Er lief ständig im Kreis um ihn herum, und wenn Menachem die Dichtung eines tropfenden Wasserhahns wechselte, ein Gewinde mit Werg umwickelte oder einen verstopften Abfluss flottmachte, erteilte er ihm Anweisungen.

Einen Vorfall habe ich klar und deutlich in Erinnerung. Die Sache war so: Onkel Menachem stand, in kurzen Hosen und hohen Arbeitsschuhen, auf einem Stuhl, den man auf den Küchentisch gestellt hatte, hielt Nägel und Schrauben zwischen den Lippen, und allerlei Werkzeuge lugten aus seinen Hosentaschen oder baumelten ihm am Gürtel. Er verband Drähte, wechselte eine Birnenfassung und hängte einen neuen Lampenschirm an der Decke auf. Meine Mutter hielt zwei Stuhlbeine fest, ich blickte bewundernd zu ihm auf, und mein Vater drehte Runden um den Tisch und wies ihn an: »Nicht so... zieh noch fester an... nimm erst das hier runter und schraub dann das fest...«

Onkel Menachem sah vom Stuhl auf ihn hinunter, erst erstaunt, dann ungeduldig, und schließlich spuckte er alle Nägel und Schrauben in die hohle Hand und sagte: »Shálev...« – so, mit der Betonung auf der ersten Silbe – »Shálev, tu mir einen Gefallen, geh ein Gedicht schreiben...«

Die Spannung zwischen Nahalal und Jerusalem in unserer Familie hatte verschiedene Aspekte, einige davon sehr lustig, die anderen weniger. Die berühmte runde Dorfanlage von Nahalal war meiner Mutter nicht weniger wichtig als sämtliche heiligen Stätten Jerusalems, und obwohl sie von sich aus weggezogen war, sehnte sie sich nach ihrer Familie und dem Dorf. Shalev dagegen konnte Großmutter Tonia nicht ausstehen, bemitleidete Großvater Aaron und hatte das Gefühl, Mutters Geschwister hätten ihn zwar in die Familie aufgenommen, aber nicht mit Freuden. Sie kritisierten seine rechtsgerichteten politischen Anschauungen und machten sich über seine zwei linken Hände lustig, und er zahlte es ihnen mit einer gewitzten Posse heim: Bei seinen seltenen Besuchen im Dorf ging er zum Truthahnstall hinunter und rief den Tieren zu: »Es lebe der Sozialismus!« Die dummen Puten antworteten ihm, ihrer Natur entsprechend, in einem Chor begeisterter Zustimmung, worauf Shalev zufrieden grinste und allen Anwesenden erklärte: »Seht ihr? So macht man das. Es ist ganz einfach…«

Meinen Vater zog es also nicht besonders häufig nach Nahalal, und meine Mutter, die ihre Kinder stärker an ihre Familie und ihren Heimatort binden wollte, aber nicht hinfahren konnte, weil meine Schwester noch ein Baby war, schickte mich ein paarmal alleine nach Nahalal, mit dem Milchlaster des Dorfes, der häufig nach Jerusalem fuhr.

Fünf Jahre zählte ich damals, und meine Mutter fand, ich sei alt genug für eine solche Fahrt. Sie weckte mich morgens um halb drei, und wir tranken erst mal Tee. Sie trank ihn glühend heiß, und mir goss sie ihn auf ein Tellerchen, damit er schnell abkühlte. »Wir müssen los zur Tnuva! Motke und unser *Tanker* können nicht warten.«

Tnuva war die Molkereikooperative der Genossenschaftsdörfer, Motke war Motke Chabinski, der Milchtankwagenfahrer von Nahalal, und »unser Tanker« war der Lastwagen selbst, ein Mack Diesel. Die Molkerei befand sich damals im Viertel Ge'ula, etwa fünfundvierzig Gehminuten von unserem Haus – im Schritttempo einer jungen Mutter, die an der einen Hand ein schlaftrunkenes Kind hält und in der anderen einen kleinen Koffer trägt.

Draußen war es kalt und dunkel. Zuerst gingen wir hinunter zur Herzl-Allee, wo auf der Gegenseite damals die Garage der Busgesellschaft Hamekascher war, dann links hinauf nach Romema, vorbei am Allenby-Denkmal und der Steinmetzwerkstatt von Abud-Levi. Bei Marktgängen hörte ich von dort immer melodische Meißelklänge, aber um diese Zeit war es still. Die Luft hatte so etwas wie einen Riss, genau an der Stelle, an der die Klänge hätten ertönen müssen.

Wir passierten die Schneller-Kaserne und gingen weiter die Straße der Könige Israels, die Hauptstraße von Ge'ula, hinunter. Hier und da hasteten erste Gottesdienstbesucher, aber kein Auto fuhr vorbei oder ließ sich auch nur von weitem blicken. Jahre später, ich war um die zwanzig, hatte ich ein seltsames, schönes Erlebnis, das mit diesen nächtlichen Spaziergängen zusammenhing: Drei Wochen lang träumte ich fast Nacht für Nacht denselben Traum. Ich gehe, allein, auf jener Straße, von der Schneller-Kaserne zum Schabbat-Platz, stampfe von Zeit zu Zeit mit dem Fuß auf dem Asphalt auf und hüpfe und hebe ab und schwebe in langsamem, hohem Bogen hundertfünfzig oder sogar zweihundert Meter weit, fliege auf dem Scheitel der Flugbahn hoch über allen Häusern der Straße, sinke dann ab zu sanfter Landung, stampfe wieder mit dem Fuß auf und starte zu neuem Höhenflug. Flugträume sind nichts Seltenes, aber warum flog ich gerade dort und warum so oft nacheinander? Ich weiß es nicht. Nach zwanzig Nächten und Träumen war es vorbei mit diesen nächtlichen Flügen, was ich sehr bedaure.

Aber damals blieben meine Mutter und ich auf dem Boden, erreichten den Schabbat-Platz und bogen zweimal nach links ab zur Molkerei. Unser Tanker, ein Sattelschlepper, an dessen grünen Türen der heilige Name Nahalal in grellgelben Lettern prangte, parkte schon dort, ein dicker Schlauch sog ihm die Milch ab, und Motke Chabinski rief meiner Mutter zu: »Schalom, Batjale!«, wie alle Leute im Dorf sie nannten.

Motke war ein lauter und freundlicher Mann, seine starken Schenkel und Arme waren unbehaart, und sein großes Gesicht strahlte vor Gutmütigkeit. Er schrie, wie alle

Lastwagenfahrer – »weil man den Motorenlärm übertönen muss«, erklärte er mir viele Jahre später, als er alt war und ich ihn besuchte, um ihm Fragen zu stellen –, und er sah genau so aus, wie ein hebräischer Lastwagenfahrer aus der Jesreelebene auszusehen hat: kräftig und wohlbeleibt, in einem blauen Arbeitshemd, weiten, blauen Shorts und den Riemensandalen, die bei uns »biblische Sandalen« heißen.

Es war die Zeit der Knappheit und der Lebensmittelrationierung, und Motke zog unter seinem Sitz das Paket hervor, das Großvater Aaron und Großmutter Tonia ihm für ihre Tochter in der notleidenden Stadt ihres Exils mitgegeben hatten. Darin: ein geköpftes und gerupftes Huhn, ein paar Eier, ein Laib Käse, Obst und Gemüse der Saison und zwei Beschwerdebriefe, seiner über sie und ihrer über ihn. Das alles war in braunes Packpapier gewickelt, das Großvater Aaron aus einem leeren Milchpulversack zugeschnitten hatte, mit alten Zeitungen gepolstert und mit einem Strick für Heuballen zweimal über Kreuz gut verschnürt.

Großvater Aaron war gut im Verpacken und Verschnüren, und das scheint in der Familie zu liegen. Denn jedes Mal, wenn meine Mutter mir von dem Staubsauger erzählte, den Onkel Jeschajahu Großmutter Tonia aus Amerika geschickt hatte, betonte sie, dass er ihn für seine schwere und lange Reise »fachmännisch« verpackt und verschnürt und gepolstert hatte, »genau wie Großvater Aaron die Pakete packt, die er uns aus Nahalal schickt«. Die beiden waren echte Packbrüder, die meisterhaft polstern und bündeln und einwickeln und verschnüren konnten und nie jemand anderen für sich hätten packen lassen.

»Wessen Kind bist du?«, rief mir Motke zu, obwohl er die Antwort kannte.

Vor lauter Verlegenheit konnte ich nicht antworten, aber schon hatte Motke mich gepackt, hochgeschwungen und schier in die Kabine geworfen und sagte meiner Mutter, sie solle nach mir einsteigen. Einen Moment dachte ich, sie würde mitfahren, und wusste nicht, ob ich das begrüßen oder bedauern sollte, aber sie erklärte mir, dass sie nur bis zur Ausfahrt aus der Stadt, in der Nähe der Siedlung, mitkäme.

Motke setzte mit dem Tanker sicher zurück – damals wusste ich noch nicht, wie schwierig das ist – und fuhr mit Schwung aus dem Molkereihof hinaus, bog dann nach rechts und schaltete in der Straße der Könige Israels nach und nach hoch.

»Was gibt's Neues im Dorf?«, fragte meine Mutter.

»Alles in Ordnung. Man arbeitet hart.«

»Und bei uns zu Hause?«

»Bei euch? Was denn, schreiben sie dir keine Briefe?«

»Doch, aber nicht genug.«

Ich, zwischen ihnen, konzentrierte mich auf seine Hände, die das Lenkrad drehten und den Schaltknüppel bedienten, und blickte sehnsüchtig hoch zu dem kurzen Kabel, das über der Fahrertür baumelte – das Hupkabel des Mack.

Motke fing meinen Blick auf.

»Mir scheint, hier möchte jemand sehr gern mit der Tute tuten«, sagte er.

Ich gab keine Antwort, um mir meine Chancen nicht zu verderben.

»Vielleicht bist du das, Batjale?«

Meine Mutter wäre glatt imstande gewesen, »ja« zu sagen. Aber sie beherrschte sich und sagte: »Nein. Die Tute interessiert mich nicht die Bohne.«

»Vielleicht bin ich es?«, fragte Motke und antwortete selbst: »Nee, auch nicht. Ich tute schon genug.«

Und nach einer schrecklich langen Pause sagte er: »Wer bleibt denn übrig?« Er wandte sich an mich: »Bloß du. Möchtest du ein bisschen die Tute tuten?«

»Ja.«

»Worauf wartest du denn dann? Stell dich hinter mich und zieh«, sagte er und beugte sich ein wenig übers Lenkrad. Ich zwängte mich zwischen seinen breiten Rücken und die Lehne und zog am Kabel. Ein mächtiges Heulen zerriss die Luft, erfüllte mich jedes Mal wieder mit Grauen und Glück.

»Fester«, sagte Motke. »Wir wecken all die Tagediebe und all die Städter. Genug geschlafen, ihr faulen Brüder, auf zur Arbeit, wir haben hier einen Staat aufzubauen.«

Ich zog erneut am Kabel, fester diesmal, und der Mack ließ wieder seine Hupe ertönen, forderte mit einem Fanfarenstoß Jerusalem heraus, samt seinen Schofar-Hörnern und seiner Geschichte, forderte die Ultraorthodoxen heraus, die jeden Schabbat gegen die Tnuva-Lastwagen protestierten, die ihnen Agrarprodukte in die Stadt lieferten, und Hals über Kopf davonliefen, sobald Kibbuzniks und Moschawniks aus dem Wagen sprangen, um ihrem Gemüse, ihren Eiern und ihrer Milch mit Hackenstielen in der Hand eine Bresche zu schlagen.

Ich kehrte an meinen Platz zurück und beobachtete wieder Motkes Hände, die drehten und drückten und rückten und zogen, und seine Füße in den Sandalen, die auf den drei Pedalen tanzten, von denen das rechte, das Gaspedal, aus Holz war.

Am Stadtrand hielt er. Meine Mutter gab mir einen Kuss und stieg aus dem hohen Fahrerhaus.

»Mach Winke-Winke«, sagte Motke.

Ich erwiderte das Winken meiner Mutter und wandte den Blick wieder ihm zu, ganz aufgeregt über die bevorstehende Fahrt.

»Schlaf jetzt«, sagte Motke. »Der Weg ist lang, und im Dorf wird man dich bitten, mit anzupacken. Man muss die Kälber tränken und die Hühner füttern und den Kühen Luzernen bringen und deiner Großmutter beim Putzen helfen. Schlaf, damit du nicht müde ankommst.«

Jetzt, da ich diese Dinge niederschreibe, denke ich an meine Mutter, die in unsere Wohnung in der Siedlung zurückkehrte, zu meinem Vater und meiner kleinen Schwester, die damals ein halbes Jahr alt war, und versuche mir vorzustellen, woran sie beim Gehen gedacht haben mag. Aber seinerzeit hat mich das nicht beschäftigt. Wir ließen die Stadt hinter uns, glitten hinab in die kühle Serpentine bei Motza und mühten uns das Steilstück zum Kastel hinauf. Ich war hypnotisiert von der Freiheit und Unabhängigkeit, von der bergigen Nachtfahrt und dem zügigen Tempo des großen Tanklasters, auf und ab und um die Kurven, und allein schon von der Nähe zu Motke, der in meinen Augen den Inbegriff von Männlichkeit verkörperte.

So fuhr ich dahin, ohne Richtung, Ort und Zeit zu kennen, unstet zwischen Schlummern und Wachen hin- und hergleitend, und bis heute sind mir jene Fahrten ins Dorf als eine Reihe identischer Träume in Erinnerung, denn hin und wieder erwachte ich aus dem Schlaf, und jedes Mal war die Luft heißer und feuchter und das Licht heller. Unterwegs hielt Motke in einer großen Stadt – vermutlich Tel Aviv – und hieß mich aussteigen, um wie er die Glieder zu strecken und gemeinsam hinter dem Hinterrad zu pinkeln. So gab er mir zu verstehen, dass er mich als gleichwertig und gleichberechtigt betrachtete: Ich, ein kleiner Stadtjunge ohne Führerschein für Sattelschlepper, aber ein Bauernsohn aus Nahalal und ein echter Mann.

Danach lud er mich zu einem Frühstück mit Rührei, Dickmilch und Salat ein und bestellte mir sogar eine Tasse Kaffee. »Trink ruhig, trink den Kaffee, das ist in Ordnung«, sagte er. »Aber sag den Eltern nichts davon, dass ich's dir erlaubt hab.« Dann gingen wir in einem großen Haus ein paar Pakete und Briefe abliefern und entgegennehmen, wahrscheinlich im Gebäude des Arbeiterrates, und kehrten zurück zu unserem Tanker, der geduldig auf der Straße wartete.

Das Land, damals kleiner als heute, war groß und weitläufig, und unser Tanker, kleiner als die heutigen Sattelschlepper, war viel größer als diese. Und als wir bei Jokneam aus dem Wadi Milch kamen, das alle bei seinem arabischen Namen Wadi Milek nannten, und die weite Jesreelebene sich mit einem Schlag vor unseren Augen öffnete, glaubte ich, wir führen jetzt hinüber auf die andere, die gute Seite der Welt. Ein Dutzend Jahre später, als meine Eltern Auto fahren lernten und einen Wagen kauften – einen kleinen Simca 1000 – und meine Mutter anfing, damit ins Dorf zu fahren, war dies die Stelle, an der sie tief einatmete und vor sich hin lächelte, ohne ein Wort zu sagen und vielleicht auch, ohne sich der Tiefe des Atemzugs, der Breite ihres Lächelns und ihres Beinah-Seufzers bewusst zu sein.

In der Dorfmitte parkte Motke den Wagen an der Wand der Molkerei, sagte, er müsse sich »um den Mack kümmern« und ein paar Dinge im »Fahrtenbuch notieren« – Worte, die mich tief beeindruckten –, und ich solle auf Onkel Menachem warten, der bald in der Molkerei auftauchen und mich zu Großmutter Tonia mitnehmen würde.

»Und wenn er schon in der Molkerei gewesen ist?«

»War er noch nicht. Dein Onkel kommt immer als Letzter, weißt du das nicht?«

Beim Warten sah ich dem Treiben in der Molkerei zu. Ich hoffte, einer der Bauern würde den »Separator« anschalten. Dieser Separator war ein Zaubergerät, ein großer, runder Metallbehälter mit einer Kurbel an der Seite. Drehte man die Kurbel, rotierte der Behälter mit ungeheurer Geschwindigkeit, und die eingefüllte Milch trennte sich in Rahm und Magermilch, die durch zwei Röhren in zwei Kannen abflossen. Aber an jenem Morgen wurde keine Sahne hergestellt, und ich beobachtete die Bauern, die mit ihren Pferdewagen und Milchkannen bei der Molkerei vorfuhren, sich laut unterhielten und mich mit einem Blick musterten, den jedes Kind im Dorf bestens kannte.

Die Nahalaler hatten in jener Zeit eine besondere Begabung, Kinder zu beurteilen und treffsichere Einschätzungen und Prognosen abzugeben. Vermutlich hatten sie aus der jahrelangen Beobachtung junger Fohlen und Kälber gelernt, die Zukunft jedes Neugeborenen in Haus, Hof und Stall vorauszusagen. Sie wussten, wer »ein guter Landwirt« und wer ein »Müßiggänger« werden würde, wer als »Wohlgeratener« seinen Beitrag leisten und Nutzen bringen und wer als »Parasit« den Solidaritätsgrundsatz ausnützen und der Gesellschaft zur Last fallen würde.

Wer mich erkannte, fragte, wie es meiner Mutter gehe. Wer mich nicht erkannte, fragte, wessen Kind ich sei. So war das damals – man fragte jedes Kind nach seinen Eltern. Erfuhr man, wes Kind man vor sich hatte, war einem sofort alles klar. Das Kind fügte sich in die Landkarte der Geschichten, Ereignisse, Personen, Gerüchte, Erfolge, Fehlschläge ein und vor allem – in die Herdenbücher des Dorfes und der Moschaw-Bewegung, in die Genetik des Ortes und der Familie. So klar, heikel und wichtig waren diese Dinge, dass ich mich schon damals wohlweislich als Sohn von Batjale vorstellte, die beliebt und wohlangesehen war, und lieber nicht als Enkel von Tonia, die anders war, umstritten, eine Abweichlerin.

Motke hatte recht gehabt. Onkel Menachem erschien, wie immer, als Letzter. Der Molkereidirektor ließ schon Anzeichen von Ungeduld erkennen und warf mir vorwurfsvolle Blicke zu, als wäre ich schuld an seiner Verspätung. Und ich fühlte mich tatsächlich schon ein wenig schuldig, denn so hatte man es mir beigebracht: Familie bedeutet Verantwortung und Haftung füreinander. Doch dann tauchten in der Ferne die helle Gestalt des Schimmels Whity auf, der den Wagen mit den paar Milchkannen zog, und die dunkle Gestalt von Onkel Menachem selbst, der auf dem Wagen saß, die Zügel hielt und gemächlich seine Noblesse rauchte.

Onkel Menachem war ein Draufgänger. Er rauchte seit der dritten Klasse und fuhr seit der fünften Motorrad. Er jagte Katzen nach, imitierte andere Leute, erzählte Geschichten und amüsierte oder ärgerte nicht wenige Genossen in Nahalal. Etwa zu dieser Zeit heiratete er Tante Pnina, das schönste Mädchen des Dorfes, und bei ihrer Hochzeit tat ich etwas Schreckliches, das noch viele Jahre unvergessen bleiben sollte.

Es war, wie gesagt, die Zeit der Nahrungsmittelknappheit, und vor dem großen Ereignis hatte Großvater Aaron Eier gehortet, um sie meiner Mutter, Onkel Micha, Tante Batscheva, die alle nicht mehr zu Hause wohnten, und ein paar weiteren Ehrengästen zu schenken. Er legte sie in ein Körbchen, das er im Kuhstall versteckte – wo ich und ein anderer Junge, ein »Nichtblutsverwandter«, es bald fanden.

Whity stand an der Stallwand und fraß seine bescheidene Pferderation, und wir – ich möchte das hohe Gericht daran erinnern, dass wir viereinhalb oder fünf Jahre alt waren – warfen ein Ei auf ihn. Das satte Gelb des Dotters auf seinem weißen Fell beeindruckte uns ungeheuer und spornte uns weiter an, und als Großvater Aaron die Gäste in den Kuhstall bat, auf dass sie ihr Geschenk – zehn Eier pro Kopf – entgegennähmen, troff der Schimmel schon am ganzen Leib. »Man hätte nur noch Semmelbrösel gebraucht, um für alle wunderbare Schnitzel zu braten«, fügte meine Mutter hinzu, wann immer diese schmähliche Geschichte über ihren Sohn erneut aufgetischt wurde.

Einige Verwandte – auch sie, wie ich meine, keine Blutsverwandten – verbreiteten die Geschichte flugs im ganzen Rund von Nahalal. Übrigens wunderte es keinen, genauso wenig wie man sich Jahre später wunderte, als ich zur Einweihung des renovierten Waffenverstecks der Hagana mit rotlackierten Zehennägeln erschien. Das kommt eben dabei heraus, wenn ein Kind in seinen Chromosomen die Gene eines städtischen, revisionistischen und *tilligenten* Vaters trägt und einer Großmutter, die den ganzen Tag saubermacht, Zimmer zusperrt und einen Staubsauger hinter verschlossenen Türen gefangen hält.

12

Onkel Menachem kraulte mir liebevoll den Schädel und sagte: »Hallo, wie geht's?«, als sei es ganz natürlich, dass sein kleiner Neffe aus Jerusalem ihn um halb neun vor der Molkerei in Nahalal erwartete. Er lud die Kannen vom Wagen und goss die Milch durch die weißen Tücher, die den Wiegebehälter abdeckten. Dabei stritt er sich mit dem Direktor über irgendetwas, wie er sich mit allen über alles stritt, und als er mit dem Geschäftlichen fertig war, setzte er mich auf den Wagen, stellte den Koffer neben mich, gab mir Whitys Zügel in die Hand, zündete sich eine neue Noblesse an und sagte: »Fahr los.«

Mir die Zügel zu überlassen, war weit mehr als ein Spiel. Es war Ausdruck einer Haltung, die heute mehr und mehr abhandenkommt: Man gab kleinen Kindern das Gefühl, dass man ihnen etwas zutraute, ihnen Verantwortung übertrug und – später – auch von ihnen erwartete, ihren Teil beizutragen und sich nützlich zu machen.

Mächtig aufgeregt rief ich Whity ein erstes, zögerndes »Los« zu und ein zweites, selbstsicheres, und ein drittes, gebieterisches. Der Schimmel drückte den Wagen zurück, wendete langsam und trat den Rückweg an – in wohlberechneter Gemächlichkeit, um die ruhige Zeit zwischen den morgendlichen Pflichten, die jetzt zu Ende gingen, und der

Whity und Onkel Menachem auf dem Weg zur Molkerei, Anfang der fünfziger Jahre.

Schwerarbeit, die ihn im weiteren Tageslauf erwartete, möglichst zu verlängern.

Whity war ein hübsches Pferd mit leicht theatralischem Charakter, das eine Kutsche durch die Straßen Tel Avivs, vielleicht sogar über die Champs-Élysées oder durch den Central Park hätte ziehen sollen. Stattdessen steckte es bis zu den Knien im Schlamm der Jesreelebene. Der Schimmel war weder körperlich noch seelisch so stark und fleißig wie die anderen Pferde im Dorf, die richtige Ackergäule waren. Aber er besaß Phantasie und Humor, und er liebte Spektakel. Manchmal, wenn Onkel Menachem oder Onkel Jair etwas Lustiges sagten – was häufig vorkam –, schien er ebenfalls zu lächeln.

Nicht selten riss er aus, meist zu nächtlichen Besuchen bei Stuten, was den Zorn der Bauern erregte, weil auf diese

Weise weitere Pferde zur Welt kamen, für die Arbeit nicht der einzige Lebensinhalt war. Trotzdem weigerten meine Onkel sich, ihn zu kastrieren, wie es andere Bauern mit ihren Ackergäulen taten. Sie sagten, dass die Kastration eine schlimme Sache sei und die Nutztiere ohnehin schon genug litten.

Auch Onkel Menachem genoss jetzt einen legitimen Moment des Nichtstuns. Er saß auf dem Wagen, rauchte genüsslich und fragte mich nach seiner Schwester. Aber ich konzentrierte mich auf den Weg und die Zügel, zog mal rechts, mal links und sagte immer wieder »vorwärts«, obwohl ich wusste, dass Whity den Heimweg sowieso kannte und mich aus Höflichkeit überhörte. Er trabte von der Dorfmitte zur Ringstraße und bog links ab, um nach dem Hof Jehudai, dem Hof Schalwi, dem Hof Janai und dem Hof Tamir nach rechts in unseren Hof, den Hof Ben-Barak, einzuschwenken.

Der Wagen fuhr unter den hohen, duftenden Zypressen der kurzen Allee entlang, die Großvater an der Einfahrt gepflanzt hatte und die mittlerweile abgeholzt ist, und hielt neben der alten Baracke. Hier stand der Wasserhahn, unter dem die Kannen gespült wurden, und hier war das erste Anzeichen von Großmutter zu sehen: Der Käse, den sie käste, baumelte in einer tropfenden, weißen Windel.

Ich kletterte vom Wagen, ging zur Veranda, und da ich damals schon wusste, dass man das Haus nicht betreten durfte, rief ich von draußen nach ihr.

Ihre aufgeregte Standardbegrüßung ertönte aus dem Haus: »Oh, wie gut, dass du da bist...«. Meine Mutter empfing sie stets mit dem Ausruf: »Oh, wie gut, dass du da bist, könntest du vielleicht...«, gefolgt von einer Bitte. Aber ich war noch klein und nicht wirklich zu gebrauchen. Sie kam heraus, beugte sich zu mir nieder, schloss mich in die Arme und küsste mich freudig und liebevoll, ganz ohne Vorwürfe und Forderungen.

Nun begann die übliche Zeremonie: Sie nahm mein Kinn in die eine Hand, drückte meinen Kopf zurück, betrachtete mich und sagte in ihrem russisch-jiddischen Akzent: »Du siehst ›miserrrobel‹ aus.« Und schon setzte sie mich auf das Geländer der Veranda, eine niedrige, bankbreite Mauer, auf der man sitzen und sogar liegen konnte: »Ah nu, bleib hier einen Augenblick sitzen, warte hier draußen auf mich.«

Sie ging in die Küche, und ich hörte die Kühlschranktür auf- und zugehen. In Jerusalem hatten wir damals noch keinen elektrischen Kühlschrank, nur einen »Eiskasten«, aber Großmutter besaß schon einen – und zwar nicht irgendeinen, sondern einen Frigidaire, den sie ebenfalls von Onkel Jeschahaju erhalten hatte.

Sie kam aus der Küche zurück, einen Löffel in der einen Hand, ein Gläschen Sahne in der anderen. »Ah nu, mach den Mund auf«, sagte sie, tauchte den Löffel hinein und hob ihn weißtropfend vor meinen Mund. Ein Tropfen von dieser Sahne ist nicht wie andere Tropfen. Erst hängt er an einem dicken, kurzen Faden, dann zieht dieser sich haarfein in die Länge, und der Tropfen wächst und schwillt an, bis er auf seinem Ziel landet – der Brotscheibe, der Kaffeetasse, der herausgestreckten Zunge.

Am ersten Tag, frisch aus dem Separator, war die Sahne

dünnflüssig, danach verdickte sie sich immer mehr, bis Butter daraus wurde. Meist strich man sie aufs Brot mit Großmutter Tonias Pflaumenmarmelade, aber ich mochte sie lieber mit Salz und dünnen Tomatenscheiben, und wenn es dazu noch »einen Heringsschwanz«, Großvaters Leibspeise, gab, war das Glück vollkommen. Ich aß mit ungeheurem Genuss, und sie beobachtete mich und rief aus: »Schaut euch an, was Vererbung ist.« Das sagte sie immer, wenn eines der Kinder sie in Aussehen oder Verhalten an einen Erwachsenen der Familie erinnerte.

Ich sperrte den Mund auf, und sie schob mir den gehäuften Löffel hinein: »Ah nu, schluck runter.«

Die Sahne glitt mir über die Zunge in die Kehle, hinterließ einen unglaublichen, schamlosen Geschmack, der jedes Mal aufs Neue überraschte. Ich schluckte. Sie warf mir einen kurzen, prüfenden Blick zu und verkündete: »Du siehst schon viel besser aus.«

Obwohl ich wusste, dass ich gerade einen urkomischen Moment erlebte, lachte ich nicht. Es wirkte alles zu richtig und wichtig, als dass ich darüber hätte lachen können, und auch jetzt bin ich sicher, dass sie recht hatte: dass ich bis zu diesem Augenblick tatsächlich »miserrobel« ausgesehen hatte und jetzt schon weit besser aussah.

»Hast du Hunger?«, fragte sie. »Geh dir die Hände waschen. Ich mach dir was zu essen.« Unwillkürlich steuerte ich die Haustür an, aber Großmutter fauchte: »Händewaschen am Trog! Draußen!«

Der »Trog« war ein großes Betonbecken – drei kleine Kinder konnten locker darin stehen – draußen an der Biegung des betonierten Wegs. Dort füllte man die Putzeimer, und an seinen Hahn schraubte man den Schlauch zum Abspritzen der Wege. Dort wusch man Geschirr, Hände, Füße und Gesicht, und wenn ein Kind gewaschen wurde, diente der Trog als Ganzkörperdusche.

Ich wusch mir die Hände, aß, und Großmutter fragte, wann ich für die Reise aufgestanden sei. Um halb drei Uhr in der Frühe, erzählte ich stolz, und sie sagte: »Ich bereite dir dein Lager, und du legst dich ein bisschen schlafen.« So sagte sie immer: nicht »das Bett machen«, sondern »das Lager bereiten«.

Das hebräische Wort für »Lager« im Sinn von »Lagerstatt« liebte ich sehr. Damals hielt ich es noch für eine Erfindung meiner Großmutter, aber einige Zeit später fand ich es in der Bibel wieder, aus der mein Vater uns jeden Abend ganze Kapitel vorlas. Ich wusste, dass es »Bett« bedeutete, denn es steht geschrieben: »Als David einmal zur Abendzeit von seinem Lager aufstand ...« Doch obwohl mein Vater beim Vorlesen nicht jede Einzelheit erklärte, ahnte ich, dass dieses Wort noch etwas Anderes, weit Aufregenderes als bloßes Schlafen barg, denn zwei Verse weiter heißt es ja, in wörtlicher Übersetzung: »Sie kam zu ihm, und er lagerte mit ihr.«

Rund ein Dutzend Jahre später, als wir in der Oberschule die hebräische Lyrik des Goldenen Zeitalters in Spanien durchnahmen, erinnerte ich mich wieder an Großmutter Tonia und ihren literarischen Einfluss auf mich. Wir besprachen damals das hübsche Gedicht von Abraham Ibn Esra:

Komm ich früh zum Haus des Herrn – heißt es:
Schon ausgeritten.
Komm ich gegen Abend – heißt es: Schon zum Lager
geschritten.
Ob er nun Ross oder Lager erkoren –
Wehe dem Armen, der ohne Glücksstern geboren.

Das machte mir eine Riesenfreude, was mir sonst im Literaturunterricht an der Schule kaum je passierte und gewiss nicht bei der sephardischen Lyrik. Aber es gefiel mir, wie hier die hebräische Sprachgeschichte die geschliffene Ausdrucksweise Ibn Esras und der Bibel mit Großmutter Tonias einzigartigem Stil verband, der reichhaltig und gebrochen zugleich war.

Und so gelangte ich denn vom Lager des Königs in Jerusalem und dem Lager des reichen Herrn in Spanien zu meinem bescheidenen Lager in Nahalal, das meine Großmutter mir in ihrer Leviten-Kammer bereitete, dem kleinen Raum unmittelbar neben dem Tempel – den beiden abgeschlossenen Zimmern – und dem Allerheiligsten: dem Badezimmer, in dem der Sweeper, ihr amerikanischer Staubsauger, sein einsames Dasein fristete.

Immer wieder wollte ich hineingehen, um ihn mir anzusehen, mitsamt seinen Bürsten und Düsen, den großen Rädern, dem dicken Schlauch und dem funkelnden Gehäuse, von denen meine Mutter mir erzählt hatte. Aber sie erlaubte es mir nicht. Vielleicht fürchtete sie, ich könnte ihn haben wollen, und ehrlich gesagt war sie keine besonders freigiebige Großmutter, sie schlug mir auch viele andere Bitten ab. Sie hatte sogar eine feststehende Wendung, wenn jemand sie um einen Gegenstand bat, den sie im Haus hatte, aber nicht benutzte: »Ihr werdet mich nicht zu meinen Lebzeiten beerben.«

In diesem Zusammenhang ist mir vor allem ein großes Bierglas in Erinnerung, das in meiner Kindheit Neugier und in meiner Jugend Begehrlichkeit bei mir weckte – ein massiver Glashumpen, auf dessen Boden das Wort »München« eingraviert war. Damals trank kein Mensch im Haus und in der Familie Bier, und auf meine Frage, woher sie dieses Glas habe, sagte Großmutter nur: »von den Deutschen«, ohne nähere Erklärung. Sie meinte damit wohl, dass das Glas aus den nahegelegenen deutschen Kolonien, Waldheim und Bethlehem in Galiläa, stammte, deren Bewohner die Engländer im Zweiten Weltkrieg ausgewiesen hatten. Und als ich sie um dieses Glas bat, antwortete sie mit ihrem Standardsatz: »Ihr werdet mich nicht zu meinen Lebzeiten beerben.«

»Dann mach mir bloß die Tür auf«, bettelte ich schließlich. »Ich guck mir den Sweeper von draußen an, ohne reinzugehen.«

»Auf gar keinen Fall!«

Man stelle sich meine Überraschung vor, als ich neulich, im Verlauf meiner Recherchen über sie und ihren eingesperrten Sweeper, herausfand, dass mein Cousin Nadav, der älteste Sohn von Tante Batscheva und Onkel Arik, sie eines Tages tatsächlich überredet hatte, ihn in das verschlossene Badezimmer einzulassen – und nicht nur das, er durfte sogar dort baden!

Das Ganze geschah vor vielen Jahren, als Nadav siebzehn war. Er interessierte sich überhaupt nicht für den Sweeper, wollte ihn auch gar nicht sehen, und wahrscheinlich kannte er die Geschichte nicht annähernd so gut wie ich. Aber er hatte mit seiner Mutter gewettet, dass Großmutter Tonia ihm erlauben würde, ein Bad in ihrem Badezimmer zu nehmen, in dem noch nie jemand gebadet hatte. Er wettete – und gewann. Planschte in einer richtigen Badewanne, und zwar ausgiebig!

Wie hat er das angestellt? Keiner weiß es. »Ganz einfach. Ich hab sie überzeugt«, sagte er mir mit einem selbstgefälligen, geheimnisvollen Lächeln, als ich eine Erklärung von ihm verlangte.

Ich war gekränkt und eifersüchtig. Nadav ist fünf Jahre jünger als ich, und ich fand, dass derartige Privilegien zuallererst mir, dem ältesten Enkel, zugestanden hätten und nicht den Dutzenden Nachgeborenen. Ich tröstete mich damit, dass es sich vermutlich nicht um eine absichtliche Zurücksetzung ihrerseits handelte, sondern um etwas ganz Banales: Großmutter Tonia hatte Nadav wahrscheinlich gebeten, ihr was im Haus zu reparieren, und er hatte als Belohnung dieses Bad verlangt.

Anders als ich, der die zwei linken Hände und die Kurzsichtigkeit meines Vaters geerbt hat, besitzt Nadav tüchtige Hände und scharfe Augen und kann, wie seine Vorväter und seine Onkel, in Haus und Hof, an Traktor und Auto alles reparieren, bauen oder installieren. Hatte Großmutter sich breitschlagen lassen, ihn dafür mit einem Bad in ihrem verbotenen Badezimmer zu belohnen? Sie konnte mir keine Antwort mehr geben, weil sie schon gestorben war, und er wollte die Sache weder bestätigen noch dementieren. Als ich erneut versuchte, das Geheimnis seines Erfolgs zu lüften, setzte er nur wieder sein irritierendes Grinsen auf und erklärte: »Ich hab sie überzeugt«, als wollte er sagen: »Und du nicht.«

»Was heißt: Ich hab sie überzeugt?«, wollte ich wissen. »Hast du ihr was versprochen?«

»Gar nichts.«

»Hast du ihr gedroht?«

Nadav erschauerte. »Großmutter Tonia drohen? Da kennst du mich aber schlecht und sie offenbar gar nicht.«

»Du hast ihr sicher erzählt, dass du mit deiner Mutter gewettet hast, und ihr angeboten, den Gewinn zu teilen.«

»Nein«, sagte Nadav, »ich hab sie überzeugt. Sie war ein logischer Mensch, anders als du denkst: Und weißt du, was? Das ist genau der Grund, warum ich dort in einer echten Wanne gebadet habe und du Geschichten darüber schreibst.«

»Und hast du den Sweeper gesehen?« Ich überging die neuerliche Provokation.

»Was soll ich gesehen haben?«

»Den Sweeper, ihren Staubsauger?«

»Ich hab dort nichts Besonderes gesehen«, sagte er.

»Was ist denn mit dir los? Wie kann man so was übersehen? Einen riesigen amerikanischen Staubsauger Marke General Electric, so groß wie ein Fass, mit funkelndem Gehäuse, schwarzen Gummirädern und einem Schlauch von mindestens zwei Zoll. Hat deine Mutter dir nichts davon erzählt?«

»Doch, sie hat davon erzählt. Sie wollte ihn sogar haben.«

Tatsächlich hatten beide Mütter, seine und meine, ihre Mutter wiederholt um diesen Sweeper gebeten. »Warum soll er bei dir im Badezimmer faulenzen?«, sagten sie. »Gib ihn einer von uns.« Aber Großmutter Tonia ließ sich auch von ihnen nicht erweichen, sondern konterte nur mit ihrer berühmten Devise: »Ihr werdet mich nicht zu meinen Lebzeiten beerben!«

»Dann hast du ihn dort also nicht gesehen?«

»Da standen allerlei Kisten und Kasten rum, aber nichts, was so groß war, die du es beschreibst. Du glaubst den Märchen deiner Mutter zu sehr.«

Ich erkannte, dass Nadav dieses Gespräch viel mehr genoss als ich, und gab den Kampf auf.

Zurück zu dem Lager, das Großmutter mir bereitete. Trotz der feierlichen Bezeichnung war dieses Bett nichts als ein altes Eisengestell, breiter als ein Einzel- und schmaler als ein Doppelbett, auf dessen Sprungfedern und Metallstreben drei kleine Seegrasmatratzen in einer Reihe lagen.

In ebendiesem Zimmer und auf ebendiesem Lager sollte ich noch unzählige Male schlafen. Einmal, rund siebzehn Jahre später, auch mit einer jungen Amerikanerin, Abigail hieß sie, deren Beitrag zur Geschichte des Staubsaugers meiner Großmutter nicht mit Gold aufzuwiegen ist. Aber jetzt, als Fünfjähriger, schlief ich allein dort, und da ich schon lesen und schreiben konnte, schmökerte ich vorm Schlafengehen gern in den alten Jahresbänden der Wochenschrift *Davar für Kinder*, die seit der Kindheit meiner Mutter und ihrer Geschwister in einem alten Bücherregal im Zimmer standen.

Im Gegensatz zu meinen Eltern ließ Großmutter Tonia mich nach Herzenslust lesen und zwang mich nicht, zu einer bestimmten Zeit das Licht zu löschen. Aber die Aufstehzeit bestimmte sie strikt, und sie weckte mich immer sehr früh und immer auf dieselbe Weise: Um halb sechs kam sie ins Zimmer, packte wortlos die mittlere der drei Matratzen und zerrte sie mit einem Ruck unter mir weg. Noch schlafend schlug ich auf die Metallstreben und Sprungfedern des Bettgestells auf, jedes Mal von Neuem überrascht und benommen, während Großmutter sagte: »Nu, ich sehe, du bist schon wach, also steh jetzt bitte auf. Ich muss anfangen zu putzen.« Und wenn ich nicht schleunigst gehorchte, sagte sie: »Steh auf, aufstehen, genug im Bett herumgestänkert.«

Ich stand auf, wusch mich draußen am Trog, und unterdessen schleppte Großmutter Tonia schon einen Wassereimer und einen feuchten Putzlappen in mein Zimmer, riss Fenster und Läden auf und begann mit dem täglichen Bodenschrubben. Wieder und wieder wischen und wringen und wechseln und gegen das Licht prüfen, bis das Wasser glasklar und richtig sauber und sie zufrieden war. Sie wrang den Lappen mit Verstand aus, wie es Frauen tun, und hängte ihn zum Trocknen an Großvater Aarons speziellen Zitrusbaum.

13

In die Geschichte des Landes Israel ist 1936 als das Jahr eingegangen, in dem der arabische Aufstand gegen die Engländer ausbrach, aber es geschahen damals noch andere wichtige Dinge, und die halfen Onkel Jeschajahu, seinen Racheplan umzusetzen. Von einem dieser Ereignisse habe ich schon erzählt: In Nahalal baute man zu dieser Zeit Wohnhäuser anstelle der Baracken und Zelte. Das Dorf und seine Häuser wurden ans Stromnetz angeschlossen, und darüber berichtete sogar eine amerikanisch-jüdische Zeitung, die Onkel Jeschajahu zu lesen pflegte. Übrigens nutzte Großmutter Tonia seinerzeit die Gelegenheit und kochte Essen für die Arbeiter der Elektrizitätsgesellschaft, um das Familienbudget mit ein paar weiteren Groschen aufzubessern.

Zum Zweiten hatten sich die Gerüchte über ihren Putzfimmel verbreitet und waren ebenfalls von der Jesreelebene in Palästina nach Los Angeles im US-Staat Kalifornien gedrungen, allerdings nicht über die jüdische Presse, sondern auf die für Gerüchte übliche Weise.

Die Sache war so, erzählte mir meine Mutter, erst verbreiteten sich die Gerüchte im Rund von Nahalal, später sickerten sie, wie aus einem Bewässerungskanal im Zitrushain, in die Felder. Und um mir das Ganze noch anschaulicher zu machen, schlug sie im Brawer-Atlas die Karte »Untergaliläa und die Senken« auf, nahm einen gelben Bleistift zur Hand und zeigte mir die Grenzen der Jesreelebene. Hier liegt Nahalal, und das ist der Karmel, und hier fließt der Kischon, und diese Berge da sind der Gilboa und der Ha-Moré. Die Gerüchte kamen hier auf und flossen dorthin und überschwemmten das ganze Emek.

Im Emek lebten damals viele Freunde ihres Vaters, Pioniere der Zweiten und Dritten Alija – in En Charod, in Kfar Jecheskel, in Kfar Jehoschua, in Merchavia, in Tel Adaschim –, und rasch stieg der Pegelstand der Geschichten über Großmutter Tonia bis zum Kamm des Karmel, und von da war der weitere Weg ein Leichtes. Die Gerüchte ergossen sich nach Westen, und als sie das Meer erreichten, klappte meine Mutter den Atlas zu und stellte den kleinen Globus, den ich zum Geburtstag bekommen hatte, auf den Tisch, denn von hier aus verbreiteten sich die Gerüchte in alle Welt.

Aber wie? Ganz einfach, wie Gerüchte es eben tun: Es wuchsen ihnen Flügel, und sie schwirrten durch die Lüfte. Zuerst flogen sie übers Mittelmeer, überquerten Kreta und Sizilien – diese Inseln hier, da und da –, sprangen von Mund zu Mund und von Insel zu Insel, bis sie an die Meerenge von Gibraltar gelangten – und ich war ziemlich überrascht: nicht über die Existenz dieser Gerüchte, sondern weil die Geschichten meiner Mutter über ihre Mutter und die Geschichten meines Vaters über Skylla und Charybdis und Ikarus und Odysseus anhand ein und desselben Globus erzählt wurden und sich an denselben Orten abspielten.

Die Gerüchte überquerten den Atlantischen Ozean und erreichten die amerikanische Küste. Sie überflogen die Appalachen und die weiten Prärien und die kargen Gebirgszüge im Wilden Westen, bis die Spitze des gelben Bleistifts in Kalifornien landete. So scharf war die Spitze, dass sie in Onkel Jeschajahus Bürofenster in Los Angeles steckenblieb, hier, genau da.

»Und was ist dann passiert?«

Nun, die Sache war so: Just zu diesem Zeitpunkt las Onkel Jeschajahu die Zeitung, die über die neuen Häuser im Dorf und ihren Anschluss ans Stromnetz berichtete. Er kombinierte die gedruckten Nachrichten mit den schwirrenden Gerüchten, schloss genüsslich die Augen und lächelte. Alles klärte sich mit einem Schlag. Großmutter Tonias Putzfimmel, das neue Haus und der Stromanschluss fügten sich zu einem Ganzen. Das Problem der Rache hatte eine perfekte Lösung gefunden. Onkel Jeschajahu beschloss, seinem Bruder, dem Pionier, und seiner Schwägerin, der Pionierin, einen Staubsauger zu schicken! Einen elektrischen Staubsauger, groß und schwer, den sein Bruder ihm auf keinen Fall zurückschicken könnte, wie er es mit den Dollars in den Briefumschlägen getan hatte.

Wie von einem doppelten Verräter nicht anders zu erwarten, war es eine doppelte Rache, denn dieses Geschenk würde Großvater aus zwei Gründen nicht retournieren können: Erstens, weil er nicht die Mittel besaß, um ein so großes und schweres Gerät zu versenden, und zweitens, weil Großmutter Tonia es nicht zulassen würde. Sie würde diesen Staubsauger haben wollen, zum Saubermachen.

»Viele Pläne fasst das Herz des Menschen, doch nur der Ratschluss des Herrn hat Bestand«, sagte meine Mutter feierlich. Sie war keine gläubige Frau, aber bibelfest, und dieser spöttische Vers hatte es ihr angetan. Jetzt zitierte sie ihn mit großem Vergnügen, weil sie wusste, was weiter geschehen war. Selbst Onkel Jeschajahu, der gewandte und gewiefte Geschäftsmann, hatte diesen Ausgang nicht vorausgesehen: dass sein Geschenk zwar nicht verächtlich zurückgeschickt, aber unbenutzt in ein Badezimmer eingesperrt werden würde. Und das nicht von seinem Bruder, sondern ausgerechnet von seiner Schwägerin, für die das Geschenk gedacht gewesen war. Warum und wieso? Das werde ich später verraten.

Onkel Jeschajahu erhob sich von seinem Stuhl, wies seine Sekretärin an, alle Nachmittagstermine abzusagen, setzte seinen Hut auf – so was trugen die amerikanischen Kapitalisten und die Bourgeois von Tel Aviv seinerzeit an Stelle eines Kibbuzhuts, einer Schirmmütze oder eines zusammengefalteten Sacks auf dem Kopf – und begab sich in ein großes Elektrogeschäft, dessen Inhaber ein »Makarower« wie er war, also aus derselben Stadt wie mein Großvater und sein Bruder stammte. Er ging zum Ladeninhaber und sagte ihm: *»Gib mir dem grester, dem schwerster, dem sterkster un dem bester Stoibsoiger, was du hast!«*

Ich traute meinen Ohren nicht. Jiddisch? Aus dem Mund meiner Mutter? Ihr Vater hatte, wie gesagt, bei seiner Ankunft im Land Israel Knall auf Fall aufgehört, Jiddisch zu sprechen – »Jiddisch ist die Sprache der Diaspora!« – und sie zu meinem Bedauern auch all seinen Nachkommen vorenthalten. Wieso konnte meine Mutter diesen Satz so flüssig aufsagen? Nun, einige Jahre später stellte sich heraus, dass sie, um diese Geschichte erzählen zu können, zu Fleischer Mosche gegangen war, der neben dem Kramladen des

Viertels Kirjat Mosche eine kleine Fleischerei betrieb, und ihn gefragt hatte, wie man auf Jiddisch sagt: »Gib mir den größten, schwersten, stärksten und besten Staubsauger, den du hast!«

»Frau Shalev«, wunderte sich Fleischer Mosche, »wozu brauchen Sie das auf Jiddisch? Wollen Sie bei den Ultraorthodoxen in Mea Schearim einen Staubsauger kaufen?«

»Nein, gar nicht«, sagte meine Mutter.

»Sehr schade, hab ich ihr gesagt«, erzählte mir der Kronzeuge, Fleischer Mosche persönlich, »wenn Sie nämlich einen Staubsauger bräuchten, Frau Shalev, dann würde der Nachbar meiner Gegenschwiegereltern Ihnen gern einen verkaufen, zu einem sehr günstigen Preis, und mit dem könnten Sie sogar Hebräisch reden.«

Meine Mutter sagte: »Nein danke. Ich kaufe keinen Staubsauger. Ich brauche diesen Satz für eine Geschichte, die ich meinem Sohn erzählen möchte.«

»Sehr schön. Eine Frau aus Nahalal, eine Pionierstochter, erzählt ihrem *Jingele* eine Geschichte auf Jiddisch«, freute sich Fleischer Mosche und schrieb ihr den gewünschten Satz auf einen Zettel.

Der Makarower Ladenbesitzer zeigte Onkel Jeschajahu ein paar gute und starke Staubsauger, aber der schnauzte: *»Greßer! Greßer!«* und: *»Schwerer! Schwerer!«*, weil sie ihm nicht groß und schwer genug vorkamen. Der Makarower fragte, ob er einen Industriestaubsauger für sein Möbelgeschäft meine, doch Onkel Jeschajahu verneinte. Es solle schon ein Hausstaubsauger sein, aber der größte und schwerste und stärkste auf dem Markt.

Schließlich kaufte Onkel Jeschajahu den Sweeper von General Electric, und ich nehme an, sowohl er als auch der Verkäufer sprachen das W wie im Deutschen oder Jiddischen aus, ließen den I-Laut tiefer klingen und rollten das R auf russische Weise.

Onkel Jeschajahu bezahlte und bat, ihm den Sweeper in eine stabile Holzkiste zu packen, wie es sich für eine lange und beschwerliche Reise empfiehlt.

»Wo schickst du ihn hin?«, erkundigte sich der Ladenbesitzer.

»Ins Land Israel!«, verkündete Onkel Jeschajahu feierlich.

»Nach Jerusalem...«, murmelte der Verkäufer.

Nun entpuppte sich Onkel Jeschajahu sogar als dreifacher Verräter. Als seien der Kapitalismus, Amerika und der neue Name Sam nicht genug, lästerte er auch noch über Jerusalem.

»Jerusalem wird nicht mal dieser Staubsauger sauber kriegen«, bemerkte er trocken. »Ich schicke ihn in die Jesreelebene. Vielleicht hat mein Bruder, der Pionier, dort noch ein paar Sümpfe trockenzulegen.«

14

Auf Großvater Aarons Seite bin ich der fünfte Enkel, der erste Sohn der ersten Tochter, die ihm seine zweite Frau geboren hat. Vor mir kamen Itamars zwei Söhne und Binjas zwei Töchter.

Auf Großmutter Tonias Seite bin ich der erste Enkel. Schon deshalb freute sie sich sehr über mich, und auch als Antwort auf die Enkel und Enkelinnen, die ihr Mann bereits hatte. Ich mochte sie ebenfalls sehr, lieber als Großmutter Zippora oder Großvater Aaron – Großvater Meir, den Vater meines Vaters, habe ich nicht mehr kennengelernt – und auch lieber als das Zerrbild, das so einige Nachbarn und Verwandte von ihr zeichneten.

Statt unter ihren Forderungen und Klagen zu leiden, genoss ich ihre Liebe. Ich brauchte bei ihr nicht zu putzen. Sie verstellte keine Uhrzeiger, damit ich zu spät zur Schule käme und noch Zeit hätte, den Boden zu schrubben. Sie holte mich nicht mitten im Unterricht aus dem Klassenzimmer, um Teppiche zu klopfen und Wände abzuwischen, und sie drohte mir nie damit, Stücke von mir abzureißen. Mir gab sie nur wenige und vernünftige Anweisungen: dass ich ihr nicht ins Haus kam, ihr nichts schmutzig machte, ihr nichts kratzratzte, dass ich ihr »eine Taube zum Mittagessen« mitbrachte – übrigens hieß das nicht, dass sie sie zu

Tisch bitten wollte – und dass ich ihr nirgends mit leeren Händen hinging. Auf dem Weg zum Misthaufen der Kühe sollte ich jedes Mal einen kleinen Beutel Abfall mitnehmen und ihr auf dem Rückweg Milch, Eier oder abgefallene Pflaumen holen, aus denen sie Marmelade kochen wollte.

All das sind unleugbare Tatsachen und unabänderliche Gefühle und Erinnerungen. Aber abgesehen davon sage ich erneut: In unserer Familie kursieren über jedes Ereignis mehrere Versionen. Manche Versionen leben in Frieden neben-

Micha auf Ah, Großvater Aaron, Großmutter Tonia mit Jair im Leib, Batja, die Zwillinge Menachem und Batscheva, 1940.

einander, andere widersprechen sich so krass, dass sie Streitigkeiten auslösen. Und trotz der vielen Landwirte in unserer Familie bringen wir es nicht immer fertig, die Spreu vom Weizen zu trennen und den Rahm der Geschichten von den mageren Tatsachen abzuschöpfen. Manche unter uns diskutieren auch mehr über die Frage: »Wie viele Reihen hatte unser erster Weinberg?«, als über Themen wie: »Wer war der Lieblingssohn?«, »Wer hat am meisten unter Großmutter Tonia gelitten?« oder über die diversen Liebesaffären. Aus all diesen Gründen fürchte ich, dass auch dieses Buch bei uns einige Debatten und womöglich sogar Tumulte auslösen wird, was in unserer Familiensprache so ausgedrückt wird: »Es wird noch Beleidigungen geben.«

Es gibt einen Präzedenzfall: Als mein Debüt, *Ein russischer Roman,* erschien, organisierten die Onkel und Tanten eine Familienfeier. Ich fuhr damals mit meiner Mutter nach Nahalal, wir beide waren froh und aufgeregt, doch bald stellte sich heraus, dass diese Party auch etwas von einem Standgericht hatte. Einige meiner Verwandten hatten in dem Buch Bruchstücke vertrauter Geschichten und Gestalten wiedererkannt, und ich wurde aufgefordert, mich zu verteidigen und Erklärungen für all die Passagen zu liefern, in denen ich nicht die Wahrheit oder, weit schlimmer noch: die volle Wahrheit gesagt hatte.

Onkel Menachem saß überraschend stumm dabei, rauchte seine wer-weiß-wievielte Noblesse und schwieg höflich. Aber gegen Ende stand er auf und sagte: »Ich habe auch einen Einwand.«

»Zu was?«, fragte ich besorgt, denn Onkel Menachem konnte ganz schön aggressiv und direkt werden.

»Zu der Geschichte, die du da schreibst, von dem Esel, der fliegen kann«, sagte er.

Unter den Figuren in *Ein russischer Roman* gab es auch einen Esel namens Katschke, der nachts aus seinem Stall in Palästina nach London zum Buckingham Palast zu fliegen pflegte, um mit dem englischen König über die Arbeitersiedlungsbewegung und die Zukunft des Zionismus zu diskutieren. Diese Idee hatte ich aus einer Geschichte, die Onkel Menachem mir in meiner Kindheit öfter erzählt hatte und die ich sehr mochte. Sie handelte von der Eselin, die sie noch vor meiner Geburt hatten, der Eselin Ah, die klüger und tüchtiger war als sämtliche anderen Esel im Emek, vielleicht sogar als jeder Esel auf Erden. Alle erzählten voll Bewunderung von ihrem Scharfsinn und ihrer Klugheit, und Onkel Menachem fügte immer hinzu, sie sei dermaßen schlau gewesen, dass sie die Kuhstalltür aufbekam, sogar wenn sie abgeschlossen war.

»Die Sache war so«, erzählte er, »sie hat das Schloss mit einem Stück Draht geknackt und ist auf den Hof rausgegangen, hat dort nach rechts geschaut«, er drehte den Kopf nach rechts, »und nach links geschaut«, er drehte den Kopf mit leicht eseliger Miene zur anderen Seite, »und als sie sah, dass keiner da war, hat sie gleich die Ohren ausgebreitet und mit ihnen gewackelt, genau so, und dann ist sie in ungeheurem Tempo losgerannt...« – er ruderte mit den Armen und durchquerte den Hof in lächerlichem Galopp, in Nachahmung eines Esels, der versucht, sich in die Lüfte zu schwingen – »hat abgehoben und ist davongeflogen.«

»Was hast du denn daran auszusetzen?«, fragte ich. »Wo liegt das Problem bei dem fliegenden Esel in meinem Buch?«

»Ich werde dir sagen, wo das Problem liegt«, antwortete Onkel Menachem streng. »Das Problem ist, dass diese Geschichte nicht stimmt.«

»Ich weiß, dass die Geschichte nicht stimmt«, sagte ich, als das Gelächter verebbt war. »Auch damals, als ich fünf Jahre alt war und du mir diese Geschichte über Ah erzählt hast, schon damals wusste ich, dass sie nicht wahr ist, dass Esel und Eselinnen nicht fliegen können. Aber ich mochte die Geschichte, und deshalb habe ich sie in meinem Buch verwendet.«

»Du kapierst rein gar nichts!«, polterte Menachem. »Damals nicht und heute nicht. Und deshalb konnte dir solch ein großer Irrtum unterlaufen. Ah ist geflogen, und wie sie geflogen ist, aber nicht nach London, um mit dem König von England zu reden! Sie ist nach Istanbul geflogen, zum türkischen Sultan!«

»Als Ah zur Welt kam, gab es keinen Sultan mehr«, bemerkte meine Mutter, und Menachem brauste auf: »Was tut das zur Sache, siehst du denn nicht, dass hier eine Geschichte erzählt wird?«

Onkel Menachem erzählte viele Geschichten, wahre und erfundene, doch als vielbeschäftigter Landwirt schrieb er nichts auf und hatte wenig Zeit zum Lesen. Aber auch wenn es nicht seine Absicht war, erteilte er mir damals eine wichtige Lektion in Literatur, die ich bis heute zu beherzigen suche. Auch in diesem Buch, das eine wahre Geschichte über echte Menschen erzählt, weist und erhellt sie mir den Weg. Ich kannte die Geschichte von Großmutter Tonias Sweeper jahrelang nur in der Version meiner Mutter. Als sich in der Familie herumsprach, dass ich sie aufschreiben wollte, bekam ich umgehend drei weitere Versionen geliefert, von denen ich eine hier noch wiedergeben werde. Die beiden anderen wurden zweifellos aus dem Stegreif erfunden, weil die Chance einer Veröffentlichung winkte. Ich werde mich aber im Wesentlichen an die Version meiner Kindheit, die Version meiner Mutter, halten, die mit der Einwanderung ihres Vaters ins Land Israel und der Auswanderung seines Bruders in die Vereinigten Staaten begann.

Auch dabei benutzte sie meinen kleinen Globus. Manchmal frage ich mich, ob ich ihn für den Erdkundeunterricht bekommen hatte oder zur Veranschaulichung der Familiengeschichten. Sie stellte ihn auf den Tisch, und in einer harmonischen Bewegung drehte sie mit der einen Hand die Erdkugel, während die andere mit dem gelben Bleistift darüber glitt und auf Russland, Europa, den Atlantischen Ozean und die Vereinigten Staaten deutete.

»Hier ist die Ukraine, da stammen sie her. Das hier ist das Schwarze Meer. Großvater Aaron ist zu Fuß von Makarow bis Odessa gegangen – da, von hier bis dort – mit seinen Makarower Freunden, Sne und Benjakov.«

Dieser Benjakov hieß eigentlich Ben Jaakov, Jizchak Ben Jaakov aus dem Kibbuz Deganja, aber meine Mutter und ihre Geschwister imitierten unweigerlich ihre Eltern, wenn sie Geschichten von ihnen erzählten. Großvater Aaron, Nachum Sne und Benjakov – »man nannte sie das Makarower Dreigespann«, sagte sie stolz – kamen in Odessa an. Dort nahmen sie ein Schiff nach Istanbul – »da, das ist die Ausfahrt aus dem Schwarzen Meer« – und von dort weiter zum Hafen von Jaffa, hierher, ins Land Israel.

»Aber der große Bruder meines Vaters, Onkel Jeschajahu« – und schon war ihr Bleistift wieder in der Ukraine und fuhr mit der Eisenbahn von einer Stadt namens Kiew zu einem deutschen Hafen namens Hamburg, überquerte von dort aus den Ärmelkanal und gleich darauf den Atlantischen Ozean – »ist nach Amerika gefahren, um Geschäfte zu machen.«

Sie verzog leicht angewidert das Gesicht. »Geschäfte« – das, was Bankiers, Kaufleute und Hausierer tun – hatten wir mehr als genug in der Diaspora, hier brauchen wir Landwirte und Arbeiter, Lehrer, Kämpfer und Gelehrte. Besondere Verachtung brachte sie »Spekulanten« entgegen, die mit Aktien und Grundstücken handelten. Sie verabscheute sie dermaßen, dass sie mir sogar verbot, Monopoly zu spielen. Das sei nichts anderes als ein Spiel für Immobilienhändler, deren Frauen Werktätige ausbeuten, Arbeiter knechten, Tschinga kauen und Maniküre machen, während die Männer selbst den Grund und Boden der Nation kaufen und verkaufen, darauf Hotels für Spekulanten und andere Kapitalisten errichten und darauf lauern, dass die Preise steigen, während sie immerzu vermieten, investieren, Unsummen verdienen.

»Erde ist zum Säen und Pflanzen, zum Bauen, Pflügen und Ernten da, nicht damit man sie kauft und verkauft und daran verdient, ohne zu arbeiten!«, verkündete sie. Erst ein paar Jahre später, als auch meine Schwester größer geworden war, strich sie Monopoly von der Liste der verbotenen Spiele und spielte, noch etwas später, sogar selbst mit. Betreten und mit Bedauern mussten wir feststellen, dass sie sich als erstklassige, gewiefte Spekulantin mit glücklicher Hand entpuppte, deren Geschäfte sich über das ganze Brett erstreckten und deren Kassen sich mit Kapital füllten, während wir Kinder einen Bankrott nach dem anderen hinlegten und die meiste Zeit im Gefängnis in der Ecke des Bretts saßen.

Doch zurück zu dem Moment, in dem Onkel Jeschajahu im Laden des Makarowers in Los Angeles den Sweeper kaufte. Meine Mutter hatte, anders als ich damals, diesen Sweeper gesehen und wusste ihn genau zu schildern oder – wie man bei den Geschichten, die wir erzählen, richtiger sagen muss – noch genauer als in Wirklichkeit:

Großmutter Tonias Sweeper hatte »ein riesiges, glitzerndes Gehäuse, so groß wie ein Fass«.

Er hatte »vier große, schwarze Gummiräder«, auf denen er von Ort zu Ort fuhr.

Er war »so groß wie eine Kuh, aber so leise wie eine Katze«.

Er hatte einen Saugschlauch, der »schwarz und biegsam, dick und lang« war, und »alle möglichen Saugköpfe«, die sich an den Schlauch anschließen und an den Fingern abzählen ließen:

Einen besonderen »Kopf« zum Reinigen von Böden.

Einen besonderen »Kopf« zum Reinigen von Teppichen.

Einen besonderen »Kopf« zum Reinigen von Gardinen.

Einen besonderen »Kopf« zum Reinigen von Sofas.

Einen besonderen »Kopf« zum Reinigen von Sesseln.

Und er hatte auch einen besonderen »Kopf« zum Reinigen kleiner Schubladen und einen besonderen »Kopf« zum Reinigen großer Schubladen, und einige »Köpfe« hatten sogar Bürsten, und da ich damals noch nie einen Staubsauger gesehen hatte, stellte ich mir diese »Köpfe« wie richtige

Köpfe vor, mit aufgerissenen Saugmündern und dichtem Bürstenhaarschnitt.

Wie gesagt konnte nicht nur Großvater Aaron, sondern auch sein großer Bruder gut Pakete packen. Und so legte Onkel Jeschajahu den Sweeper, umhüllt von einem weichen Stoffsack, in seinen Karton, stellte den Karton in eine Holzkiste, auf ein Bett aus Lappen, Zeitungen und Sägespänen, fixierte ihn mit Riemen und füllte die Zwischenräume zwischen Karton und Kistenwänden mit weiteren Lappen, Spänen und Zeitungen. Danach schloss er den Kistendeckel und wies einen Arbeiter an, sie ringsum mit schmalen, starken Metallbeschlägen zu vernageln.

Als der Arbeiter fertig war, schickte Onkel Jeschajahu ihn in ein Geschäft für Baubedarf, um dort eine kleine Dose schwarze Ölfarbe, einen schmalen Pinsel und Blechschablonen für die Buchstaben A, D, E, V, H, I, T, L, N, O, P, S und U zu besorgen. Und als der Arbeiter zurückkam, ließ er ihn auf der Kiste zwei Aufschriften anbringen.

Die eine, schrieb meine Mutter mir auf einen Zettel, unter die Liste der Lettern, lautete:

SAVTA TONIA

NAHALAL

PALESTINE

Und die zweite:

THIS SIDE UP

Damit der Sweeper nicht falsch herum reiste, in all seinen Köpfen Kopfweh bekam und etwa auch noch entfleuchte.

Als ich diesen Abschnitt der Geschichte zum ersten Mal hörte, war ich sechs oder sieben Jahre alt, und diese dreizehn Lettern waren die ersten Buchstaben des lateinischen Alphabets, die ich kennenlernte. So wurde die Aufschrift, die Onkel Jeschajahu auf die Kiste und meine Mutter auf einen Zettel schrieb, mein Rosettastein, anhand dessen ich englische Wörter lesen lernte.

Mithilfe der Buchstaben des Dorfnamens und des Namens meiner Großmutter – *Savta* ist das hebräische Wort für Oma – und anhand des Wortes »Palestine«, dessen Bedeutung meine Mutter mir erklärte, konnte ich nach und nach die Städtenamen entziffern und vervollständigen, die auf der gläsernen Senderskala unseres alten Rundfunkgeräts standen: BERLIN, SOFIA, ISTANBUL, LONDON, PARIS, ROME und andere mehr. Und da ich all diese Namen auch von dem kleinen Globus kannte, der sie auf Hebräisch verzeichnete, und da einige zu den Reisezielen der Eselin Ah gehörten, beherrschte ich bald auch die übrigen englischen Buchstaben.

Was den Namen und die Anschrift der Adressatin, »Savta Tonia, Nahalal, Palestine«, anbelangte, die exakt so auf der Kiste prangten, so hielt ich es durchaus für möglich, dass auch in Amerika alle Leute Großmutter Tonia kannten, genau wie im Emek und im Dorf. Aber meine Mutter erklärte mir, dass die Berühmtheit ihrer Mutter doch Grenzen hatte. Der Name des Landes und der Name der Dorfes standen auf der Kiste, und sobald die Kiste im Dorf ankam, war die Sache unproblematisch: Hier kannten sie alle, denn so eine wie sie gab es nur einmal.

15

Wenn ein literarischer Held auf Reisen geht, nehmen für gewöhnlich andere Figuren traurig Abschied von ihm oder freuen sich, dass er wegfährt, begleiten ihn zum Bahnhof oder zum Flughafen, oder auch nicht. Dasselbe gilt für die Leser und Zuhörer einer Reisegeschichte, die nicht nur den Verlauf und die Ergebnisse der Reise erfahren möchten, sondern auch deren Gründe – aber die werden nicht immer mitgeliefert.

Die Reise, von der meine Mutter mir erzählte, die Reise des Sweepers ihrer Mutter von Los Angeles nach Nahalal, unterschied sich wesentlich von den anderen Reisen, von denen sie und mein Vater mir erzählten, sowie von den literarischen Reisen, über die ich später las, denen von Jakob und von Lassie, von Odysseus und den Kapitänen Hatteras, Ahab und Grant, denn im Fall des Sweepers ging es ja nicht um eine literarische Gestalt, sondern um ein wirkliches Wesen, und nicht um einen Menschen oder ein Tier, sondern um ein Geschöpf aus Metall und Plastik, Gummi und Stoff. Aber das machte weder die Reise und ihre wiederholte Schilderung weniger aufregend, noch tat es dem Bedürfnis der Erzählerin, sie zu erzählen, Abbruch, oder der Seele, die sie ihrem Helden einhauchte, oder den vielen Einzelheiten, die sie in die Handlung einflocht. Denn sie hatte ihre eigene

Methode, der Familiensaga eine Rippe zu entnehmen, ihr Leben einzuhauchen und daraus Realität zu erschaffen.

Also weiter im Text: Nachdem Onkel Jeschajahu sein Geschenk für Großmutter Tonia gekauft und fachgerecht verpackt hatte, wurde der Sweeper auf einen roten Lastwagen gehievt – in Amerika gibt es viele Laster, darunter viele rote, nicht nur einen einzigen grünen Mack Diesel – und zu einem großen Bahnhof gefahren, der viele Bahnsteige hatte, nicht nur einen wie unsere Bahnstation hier.

Auf dem großen Bahnhof wurde er auf einen langen Güterzug verfrachtet und fuhr die imaginäre Linie, die der gelbe Bleistift von Westen nach Osten bezeichnete, quer durch die ganzen Vereinigten Staaten. Mit im Waggon reisten weitere Pakete und Kisten und Kartons mit weiteren Gegenständen und Waren und Kleidern und Geräten, vielleicht sogar noch weiteren Staubsaugern, aber keiner von ihnen unternahm eine so große und weite Reise, und ganz sicher nicht, um Rache zu üben, sondern nur um sauberzumachen.

In dem großen Hafen von New York – hier, genau da – wurde der Sweeper auf ein riesiges Schiff verladen, und als er am Ende des Kranseils baumelte, ehe er in die dunklen Tiefen unter Deck abgesenkt wurde, hörte er gerade noch Möwen schreien und Schlepper tuten, und wäre er nicht in seiner Kiste eingeschlossen gewesen, hätte er die Freiheitsstatue und die Wolkenkratzer gesehen, auch Passagiere in Hut und Anzug und einen geschniegelten und gebügelten Kapitän mit vier goldenen Tressen am blütenweißen Ärmel.

Von draußen hörte man das Abschiedstuten, das Stampfen von Kolben und Motoren, das melodische Einholen der

Ketten, und dann setzten Bewegungen ein, die dem Staubsauger völlig fremd waren, denn er war ja seiner Natur nach für glatte, horizontale Fortbewegung bestimmt, und nun schlingerte und schlenkerte er im Auf und Ab der Wellen. Zuerst erschrak er, dann beruhigte er sich ein wenig, und schließlich gewöhnte er sich daran und genoss es sogar. Er lauschte dem Absatzklacken der Tanzenden im Ballsaal, schnupperte das weite Meer und den Rauch der großen Schornsteine, und als er erneut Tuten und Möwengeschrei hörte, wusste er – sie waren in einen Hafen eingelaufen. Das war der Hafen Rotterdam in Holland, auf der anderen Seite des Atlantiks, und auch der gelbe Bleistift gelangte dorthin, genau zur gleichen Zeit, obwohl er über den Ozean geflogen war, schneller als jedes Schiff oder Flugzeug.

Hier nahm der Sweeper Abschied von dem geschniegelten, goldbetressten Kapitän, wurde hochgeschwungen und wieder auf einen großen Zug verladen, nicht so groß wie der amerikanische, der ihn von Los Angeles nach New York gebracht hatte, aber immer noch viel größer als der Zug, mit dem wir von Jerusalem nach Haifa fahren.

Mit diesem Zug reiste er in die Hauptstadt von Frankreich – hier, da ist sie, sie heißt Paris, siehst du? –, und Frankreich, musst du wissen, ist das Heimatland von Patapuf und Filifer und von Antoine de Saint-Exupéry – meine Mutter liebte den kleinen Prinzen sehr, ich, zur Freude meines Vaters, etwas weniger –, und die Leute trinken dort Champagner und Cognac und essen Frösche und Schnecken. Und hier, in Paris, hat Nachum Gutman, der das Buch *Lubengulu, König von Zulu* für uns geschrieben hat, Kunst studiert, und hier ist der Sweeper umgestiegen, wie wir auf dem

Bahnhof von Lod umsteigen, und ist nach Marseille gefahren, an die Küste des Mittelmeers, genau hier.

»Und das Mittelmeer ist schon unser Meer«, sagte meine Mutter stolz und erzählte, dass der Sweeper – dieser alte Seebär – an Bord eines kleineren Schiffes kam, mit einem baumlangen Kapitän und einem Koch so dick wie ein Fass, und nun schipperte er durch das ganze Mittelmeer bis Haifa, eben das Haifa, in dem wir auf unserem Weg von Jerusalem nach Nahalal ebenfalls vorbeikommen.

So tat der Sweeper denn unwissentlich, was Onkel Jeschajahu hätte tun sollen: Er wanderte in das Land Israel ein. War er auch aus Rache von einem Bruder an einen andern geschickt worden und nicht, um die nationale Heimstätte des jüdischen Volkes gründlich zu säubern, so war er doch ins Land »aufgestiegen«. Und obwohl er es weder wusste noch spürte, hatte seine Reise auch etwas von einer Pioniertat: Er war der erste Staubsauger in der Jesreelebene, vielleicht sogar in der gesamten Arbeitersiedlungsbewegung, ja womöglich im ganzen Jischuw.

Beim britischen Hochkommissar, im Gouverneurspalast in Jerusalem, gab es vermutlich bereits einen Staubsauger, aber – und dieses Aber wurde mit leichter Geringschätzung und Herablassung ausgesprochen, sowohl was die Hoheit des Hochkommissars als auch was sein Kommissarsamt und seinen Palast betraf – das war ein englischer Staubsauger. Das heißt, er war kleiner und schwächer als Großmutter Tonias amerikanischer Sweeper, wie ließ sich das also überhaupt vergleichen?

Als der Sweeper im Land Israel angekommen war, sagten wir dem Globus dankeschön und auf Wiedersehen und kehrten zum Brawer-Atlas zurück. Auch der gelbe Bleistift verabschiedete sich von den weiten Meeren und den riesigen fernen Kontinenten und wandte sich wieder der Karte »Untergaliläa und die Senken« zu, die er und ich schon gründlich kannten, um auf die Haifaer Bucht zu deuten.

Im Hafen von Haifa wurde der Sweeper auf die Mole gehievt und begriff sofort, dass er sich nicht mehr in New York oder Rotterdam befand, ja nicht mal in Marseille. Er nahm eine starke Hitze wahr und intensive Gerüche, hörte andere Laute und seltsame Worte und erkannte – natürlich – den Staub, den Feind, gegen den er erfunden und gebaut worden war und der jetzt seine Kiste belagerte und schon durch die Lattenritzen eindrang. Er spürte seinen listigen Ansturm, die Berührung Tausender von Körnchen, erschrak aber kein bisschen. Staub, dachte er, ausgerechnet Staub und gleich zu meinem Empfang. Dir werd ich's noch zeigen, sagte er sich insgeheim. Dich werde ich aufsaugen und vernichten. Und der Staub schwirrte und wirbelte, fiel und landete weiter, aber tief in seinem Innern, in seinen Myriaden winziger Innenleben, erschrak er fürchterlich.

Hier, im Haifaer Hafen, erwartete den Sweeper ein weiterer Makarower, dessen Namen meine Mutter nicht kannte. Aber auch er tat, was Makarower in aller Welt füreinander tun: Er half. Er sorgte dafür, dass der Sweeper vom Schiff geladen wurde, er erledigte alles, was zu erledigen ist, wenn ein Elektrogerät von einem Staat in einen anderen kommt, und danach lud er ihn auf einen armseligen Karren, der von einem armseligen Klepper gezogen wurde, und fuhr zur Bahnstation, und der Sweeper dankte im Stillen erneut Onkel Jeschajahu, der ihn umsichtig gepolstert und gründlich verpackt hatte, denn die Fahrt war holpriger als alles bisher Erlebte.

An dieser Stelle sei angemerkt, dass Großmutter Tonias Staubsauger – im Gegensatz zu vielen anderen Reisenden jener Zeit bei ihrem ersten Besuch im Orient – weder Furcht noch Zagen, weder Faszination noch Abscheu empfand und, nach Art großer und starker Geschöpfe, von gelassenem Vertrauen in seine Kraft und von ruhigem Selbstbewusstsein erfüllt war. Was sollen mir Hitze und Holperwege, Schmutz und Staub anhaben, summte er vor sich hin, gebt mir nur Strom, und ich zeige euch, was ich kann.

An der Bahnstation, die heute »Haifa Ost« heißt, wurde er vom Karren gehoben und auf eine Bahn verladen, die heute nur noch in der Erinnerung derer fährt, die von ihr erzählen, der legendären »Emek-Bahn«. Sie pfiff schwach, schlingerte lächerlich und »nannte sich Eisenbahn«, sagte meine Mutter, »obwohl Schildkröten sie mühelos überholten, und bei Steigungen auch Schnecken«.

Die Gleisstrecke folgte dem Bett des Kischon, dem Bach, der Siseras Kampfwagen hinweggespült und die Jesreelebene mit eben den Sümpfen überflutet hatte, die Großvater Aaron und seine Genossen trockenlegten. Und so fuhr denn erstmals in seiner Geschichte – der Kischon wusste gar nicht, wie ihm geschah – nach all den Kriegern und Pionieren, den Kaufleuten und Königen ein Staubsauger an seinen Gestaden.

Der gelbe Bleistift bewegte sich zwischen Kischon und Karmel, zwängte sich am Fuß des Berges Muchraka vorbei und zog hinaus in die weite Jesreelebene. Die Lokomotive stieß vor Freude einen Pfiff und eine Rauchwolke aus, und schon bald stach die Bleistiftspitze in die Station Tel Schamaam bei Kfar Jehoschua, ja so spitz war sie, dass sie im K von Kfar hängenblieb und einen Punkt hinterließ.

»Und hier«, sagte meine Mutter, »in Tel Schamaam, erwartete Großmutter Tonias Sweeper eine Abordnung der Familie: unser Pferd Whity und unser Onkel Jizchak.«

16

Onkel Jizchak habe ich auf diesen Seiten schon erwähnt, ihn und seinen Bruder, Onkel Mosche, vielleicht auch ihre Ehefrauen, Jizchaks Chaja und Mosches Chaja. Sie wohnten in Kfar Jehoschua, dem Nachbar-Moschaw, mit ihren Söhnen und Töchtern, von denen zwei ebenfalls Batja hießen, wie meine Mutter, nach derselben Großmutter Batja aus Rokitno in der Ukraine. Ich habe diese Großmutter nie gesehen, weiß aber, dass sie eine große, schöne und tüchtige Frau war, dass sie wenige Jahre nach ihrer Ankunft im Land starb und in Nahalal begraben liegt.

Meine Mutter hatte Mosche und Jizchak und deren Söhne und Töchter sehr gern, nannte sie aber trotzdem »die *Kischuim*« – die Zucchini. Das überraschte mich sehr. Ich wusste, dass sie Zucchini nicht mochte, und so hörte es sich für mich wie ein Schimpfname an. Auf meine Frage, warum sie sie so nannte, sagte sie, dass nicht nur unsere Verwandten, sondern alle Bewohner von Kfar Jehoschua diesen Spitznamen weghätten. Solle das etwa bedeuten, dass es keine guten Menschen seien, wollte ich wissen, und sie lachte und erklärte mir, dass sei alles wegen des Ks, an dem der Bleistift hängengeblieben war und einen Punkt hinterlassen hatte.

Ich will es hier ebenfalls erklären: Auf der Landkarte, von

der ich schon berichtet habe, der Karte »Untergaliläa und die Senken« im Brawer-Atlas, war nicht genug Platz, um »Kfar Jehoschua« auszuschreiben, deshalb stand dort nur »K. Jehoschua«. Bei den Nahalalern, die immer auf derlei Gelegenheiten lauerten, verwandelte sich das sofort in »Kischua«, und von da war es nicht mehr weit zur Mehrzahlform *Kischuim*, einem Namen, der Geringschätzung, Spott und Überlegenheit ausdrückte.

Viele Nahalaler hatten Verwandte und Freunde in Kfar Jehoschua, und an Wochenenden besuchten die Familien einander. Mal kamen die *Kischuim* nach Nahalal, mal fuhren die Nahalaler nach Kischua. In unserer Familie gab man allgemein der zweiten Möglichkeit den Vorzug. Erstens weil Großmutter Tonia bei ihren Brüdern keine Angst hatte, dass jemand Schmutz hereintragen könnte, daher ruhig und gelassen war und sich anders benahm als daheim. Und zweitens allein schon wegen der Fahrt dorthin, mit Pferd und Wagen durch die Felder. Nachdem auch ich auf die Welt und in die Familie kam, war ich bei diesen Besuchen über die Jahre oft dabei, und heute, nach etlichen Reisen zu fernen und abgelegenen Orten, teils unter echten Feldbedingungen, kann ich sagen, dass ich keine von ihnen so aufregend und abenteuerlich fand wie diese Schabbat-Fahrten zu Onkel Jizchak und Onkel Mosche.

Gleich nach dem morgendlichen Melken warf sich die Familie in Schabbat-Kleidung, schirrte Whity an, legte ein paar leere Säcke zum Sitzen auf den Wagen und machte sich auf den Weg. Erst ging es das lange, sanfte Gefälle zu den Feldern hinunter, zu den zwei Palmen von En Schecha: der aufrechten, die noch heute dort steht, und der gebeugten, die inzwischen abgebrochen und umgefallen ist. Hier bekamen wir wieder einmal Großvater Aarons Geschichten über die Trockenlegung der Sümpfe zu hören und sangen alle sein Lied aus jenen fernen Tagen, als meine Onkel noch so klein wie ich waren und dieselbe Fahrt unternahmen. Menachem hatte damals die Peitsche über der Kruppe des Pferdes geschwungen, und Großvater Aaron hatte ihm vorgesungen:

He ho, Menachem,
mach dem Pferd Beine!
Wenn's nicht laufen will,
gib ihm die Peitsche!

Unterwegs hielt ich Ausschau nach Tieren, meiner wahren Liebe. Immer sah man Mungos, die auf ihre boshafte und geduckte Weise über unseren Weg liefen und im dichten Gebüsch verschwanden. In der Brutzeit gellten uns die schrillen Warnschreie der Spornkiebitze in den Ohren, und Lerchen flogen im torkelnden Sinkflug vor dem Wagen her, täuschten eine Verletzung vor, damit wir ihnen nachjagten und ihre Küken, die stumm und getarnt am Boden hockten, schonten. An Sommertagen huschten schwarzglitzernde Pfeilnattern blitzschnell quer vor uns vorüber, und wenn wir Glück hatten, sahen wir auch den prächtigen Vogel, der früher den lustigen Namen »gehaubter Kiebitz« trug und heute einfach »Kiebitz« oder »gemeiner Kiebitz« genannt wird.

Der Höhepunkt der Fahrt war die Durchquerung des »Wadis«, des Dal-Bachs, der damals noch etwas Wasser führte und in dem Frösche und Flusskrebse lebten und Wildkatzen nach Jungfischen schnappten. Man kann noch heute von Nahalal über die Felder nach Kfar Jehoschua fahren, nun aber auf einer gut befestigen Schotterpiste, die zu einer Niedrigwasserbrücke aus Beton im Wadi führt. Damals gab es dort nur einen Feldweg, und manchmal blieb der Wagen im morastigen Bachbett stecken. Es war immer eine Zitterpartie, ob man heil durchkommen würde, denn wenn der Karren einsank, mussten alle in ihren Schabbat-Kleidern hinunter in den Schlamm, zum Schieben, und selbst dann schaffte man es nicht immer, und einer musste loslaufen und Hilfe holen.

Whity mochte das Wadi auch nicht besonders. Er zögerte immer kurz, bevor er es durchquerte, als wollte er flehen: »Vielleicht lassen wir das und kehren einfach nach Hause zurück?«, oder argumentieren: »Diese Frage ist noch nicht grundsätzlich erörtert worden, Genossen: Warum bin ich der Einzige, der auch am Schabbat arbeiten muss?« Aber bei aller Liebe und Hochachtung, die die Familie für Whity empfand, und bei allem Respekt für seine Mitwirkung am Siedlungswerk – ein Pferd muss seinen Platz kennen. Großvater Aaron schalt ihn. Onkel Jair feuerte ihn mit Gaumenlauten an, die bei fast geschlossenem Mund erzeugt wurden und sich nicht durch Buchstaben wiedergeben lassen. Ich zwitscherte auch was dazu, und Whity erinnerte sich nun wohl der Möglichkeiten, die zwischen den Zeilen von Großvater Aarons altem Lied über Menachem und die Peitsche lagen. Jedenfalls schritt er unwillig voran. Die Vorderbeine wirbelten das Wasser des Baches auf, und schon folgten ihnen die Hinterläufe. Die mächtigen Gesäßmuskeln spannten sich. Die Hufe stachen in den glitschigen Boden der Uferböschung auf der anderen Seite. Alle riefen »vorwärts!« und *»udrub!«*, zur Sicherheit auch auf Arabisch und dann – entweder schafften wir es oder es hieß, runter zum Schieben.

Nach dem Wadi ging es eine lange, flache Steigung hinauf, und bald danach fuhren wir in Kfar Jehoschua ein und bogen links ab. Whity hob freudig den Kopf und legte einen Schritt zu. Er wusste, dass die Reise gleich zu Ende war, aber mir wurde mulmig wegen der nahenden Begegnung mit Onkel Mosche, denn der küsste seine Gäste gern ab und wurde bei uns »der Kuss-Onkel« genannt.

Zugunsten von Onkel Mosche sei gesagt, dass er keinen benachteiligte, sich vielmehr auf jeden Verwandten stürzte, der ihm begegnete. Männer und Frauen, Groß und Klein wurden mit seinen Küssen bedacht, die schmatzend und herzhaft und unentrinnbar waren. Mir fiel ein, was meine Mutter mir bei den vorigen Fahrten nach Kfar Jehoschua gesagt hatte und jetzt gleich wieder sagen würde: »Er ist ein sehr guter Onkel. Lass ihn dir ein oder zwei Küsse geben, das ist schnell überstanden, für dich und für ihn.«

Onkel Mosche und Onkel Jizchak wohnten in benachbarten Häusern. Wie jedes Nachbarhäuserpaar im Moschaw hatten sie eine gemeinsame Zufahrt, die sich am Ende zu den beiden Höfen gabelte. Whity, der den Weg schon kannte, bog von der Straße in die Zufahrt ein, wo sich dann ein spannender Wettstreit abspielte, für den es wiederum zwei Versionen gibt. Nach der einen Version pflegte Onkel Jizchak, der wohlhabendere der beiden Brüder, Whity mit einer schönen Portion Gerste zu versorgen, während Onkel

Mosche ihn, seinen Mitteln entsprechend, bescheidener verköstigte. Nach der zweiten Version war Onkel Mosche ein sehr barmherziger Mensch, der Whity mit einem großzügigen Mahl bewirtete, während Onkel Jizchak knauseriger war. Whity, der als Einziger weiß, welche Version zutrifft, kann die Debatte nicht mehr entscheiden, da er schon tot ist. Aber damals wusste er genau, wo ihn die ersehnte Gerstenportion erwartete, und schwenkte, sobald er die Abzweigung erreichte, in diese Richtung ein.

Großmutter Tonia hingegen lag immer im Streit mit einem ihrer Brüder, jedes Mal mit einem anderen, und über den, der gerade dran war, hieß es unweigerlich: »Er ist nicht mehr mein Bruder.« Sie kümmerte sich nicht um Whitys Mahlzeiten, sondern allein um ihre eigenen Belange und lenkte Whity deshalb bei jedem Besuch in den Hof desjenigen, der an dem Wochenende gerade ihr Bruder war. Aber Großvater, der jeden Groschen zweimal umdrehte und den Hof bevorzugte, auf dem sein Pferd eine gute Gratismahlzeit erhielt, zog entschieden am anderen Zügel.

Einmal geschah etwas Schreckliches: Großmutter zerrte in Richtung Jizchak, Großvater Aaron und Whity in Richtung Mosche, oder umgekehrt – je nach Erzähler und Version –, und da sie eine starke Frau war und es an Entschlossenheit mit den beiden Männern, Großvater und Whity, aufnehmen konnte, blieb die Deichsel an dem Betonpfeiler hängen, der die Weggabelung zu den beiden Höfen markierte, und mein Onkel Jair, damals noch ein kleiner Junge, flog vom Karren, zwischen Hinterhufen und Vorderrädern hindurch, auf den Boden und wurde nur durch ein Wunder weder zertrampelt noch überrollt.

Die Reise war heil überstanden, und wir fuhren in den Hof ein. Die Onkel und ihre Familien kamen uns entgegen, Mosche stürmte mit geschürzten Lippen voraus, Jizchak folgte gemäßigteren Schritts, mit einem freundlichen Lächeln. Sie waren äußerlich und im Wesen sehr verschieden. Mosche hatte dickes, dichtes Haar und ein stürmisch erregtes Herz. Jizchak war ruhiger und bedächtiger als er, und sein Haar lichtete sich schon. Mosche war ein Visionär, brannte vor ideologischem Feuer, korrespondierte mit Levi Eshkol und David Ben Gurion. Jizchak war ein Mann der Tat, der seine Mittel und Gewinne klug und umsichtig investierte. Nicht selten gerieten sie in Streit. Doch während sie mit Großmutter über Familienangelegenheiten stritten, stritten sie untereinander »hauptsächlich über Prinzipien«, und zwar nicht nur über deren Qualität, sondern auch über ihre Quantität, denn »Mosche hatte viel mehr Grundsätze als Jizchak, genau wie Haare auf dem Kopf«.

Meine Mutter erzählte mir, dass sie auch eine besondere Versöhnungsmethode hatten. Sie rannten den ganzen Weg von Kfar Jehoschua nach Nahalal, denn die Zeit war knapp, es stand viel Arbeit an – immer nebeneinander her, ohne jedoch ein Wort zu wechseln, so wütend waren sie. In Nahalal, wo ihre Schwester zu ihnen stieß, hörten sie auf zu rennen und begnügten sich mit zügigem Gehen. Die drei eilten hinauf zum Friedhof, und dort, am Grab der großen und schönen Großmutter Batja, warfen sie sich alles an den Kopf, was sie loswerden wollten: Argumente und Beschuldigungen, Schreie und Tränen, und dann fielen sie einander um den Hals und küssten sich, schlossen Frieden, weinten noch ein bisschen und gingen schnellen Schritts nach Na-

Großmutter Batja und Großvater Mordechai Zvi.

halal zurück. Die Brüder rannten dann wieder nach Kfar Jehoschua, denn die Zeit war knapp, die Arbeit rief.

»Und auch auf dem Rückweg sprachen sie nicht miteinander«, beendete meine Mutter die Geschichte.

»Aber sie hatten sich doch versöhnt«, warf ich verwundert ein.

»Das stimmt«, sagte sie. »Sie hatten sich versöhnt und waren wieder Freunde, aber sie waren inzwischen müde und hatten nicht genug Atem, um gleichzeitig zu rennen und zu reden.«

In Kfar Jehoschua aßen wir immer ein richtiges Schabbat-Frühstück, eine große, späte Mahlzeit mit frischem Brot, Salat, Käse, Oliven und Omelette, und manchmal gab es auch schwabbelnde, quadratische Portionen *Cholodez* – Kalbshaxe in Sülze, mit viel Zitrone und Knoblauch, eine Delikatesse, die ich bis zum heutigen Tag liebe. Das Menü hatte viel Ähnlichkeit mit dem Schabbat-Frühstück in Nahalal, war aber auch wieder ganz anders, und sei es nur darin, wie das Gemüse für den Salat geschnippelt wurde, in der Dicke des Pfannenbodens, der Sorte des Brotes und der Art, wie der Käse hergestellt wurde.

Mosches Chaja und Jizchaks Chaja schnitten das Brot genauso wie Großmutter Tonia – an die Brust gedrückt. Ihre Bewegungen waren kräftig und sicher wie die ihren. Aber ich fürchtete, das Messer könnte sie verletzen, und einmal sagte ich sogar laut: »Pass auf, Großmutter, nimm dich vor dem Messer in Acht.« Alle lachten, und Onkel Jair beruhigte mich und sagte, da würde ich mich irren: Das Messer müsse sich vor Großmutter in Acht nehmen, nicht Großmutter vor dem Messer.

Zum Frühstück gab es Geschichten, politische Diskussionen, Gespräche und Erinnerungen am laufenden Band – über die Moschaw-Bewegung, die untergegangenen Parteien »Der junge Arbeiter« und »Zionsarbeiter«, über ukrainische Muschiks, das heißt Bauern, und die Kulaken, also Großbauern, in den Moschawot, über die damaligen Arbeiterparteien Mapai und Mapam und Achdut Ha-Avoda, über Lohnarbeit und Solidarität, und auch über weniger heikle Themen, zum Beispiel Obstbäume: Beschneiden nach zwei oder drei Augen. Oder den Kuhstall: zwei- oder dreimaliges Melken am Tag. Aber am liebsten debattierten sie darüber, wer in der Familiengeschichte wem was gesagt oder angetan hatte.

Gelächter, Geschrei und Geschichten spülte man mit glühend heißem Tee hinunter, der üppig aus zwei Kannen floss: einer großen mit Wasser und einer kleinen mit starkem Tee, die auf der anderen ritt. »Der Teekrug wird nicht versiegen«, versicherte Großvater Aaron. »Und der Konzentrattopf wird nicht leer werden«, ergänzte Onkel Mosche den abgewandelten Bibelvers. Und beide Kannen lieferten literweise dampfenden Sud, der die Kehlen reinigte und die Debatten weiter anheizte.

Zum Tee gab es zwei Sorten Nachspeisen. Zum einen *Warenje*, ein Gelee mit Fruchtstücken, meist Trauben, darin (»wer hatte denn damals Geld für Erdbeeren?«, kommentierte meine Tante Batscheva, als sie einen frühen Entwurf dieses Buches las). Und zum anderen »einen Heringsschwanz«, was nach Großvater Aarons Ansicht, und auch nach meiner heute, köstlicher ist als alle Süßspeisen der Welt.

Großvater Aaron nannte Salzhering *Seljodka* und erzählte folgende Geschichte darüber: In dem Laden, den seine Familie »dorten«, wie er sagte, im ukrainischen Makarow, führte, »haben wir Artikel für den Körper, Artikel für die Seele und Artikel für dazwischen verkauft«, und als ich fragte, was er damit meine, erklärte er: »Artikel für den Körper waren Äxte, Hacken und Stiefel für die ukrainischen Bauern, und Artikel für die Seele waren Gebetsschals, Gebetsriemen und Gebetbücher für die Juden.«

Dann verstummte er und fixierte mich, damit ich ihn fragte, was die Artikel für dazwischen waren.

»Großvater«, fragte ich, »und was sind die Artikel für dazwischen?«

»Für dazwischen«, sagte er lachend, »das ist *Seljodka*, Salzhering. Der ist für Körper und Seele.«

So aßen und tranken und erzählten und lachten und zürnten und stritten sie – alle außer Großmutter Tonia, die keine Zeit vergeudete und Mosche oder Jizchak zu vertraulichen Gesprächen beiseite nahm, um darüber zu klagen, was man mit ihr gemacht und ihr gesagt hatte. Und dasselbe tat sie auch mit Mosches Chaja und mit Jizchaks Chaja.

Trotz der Küsse, mit denen Onkel Mosche uns überschüttete, aß ich lieber bei ihm als bei Onkel Jizchak. Bei Mosche waren die Gespräche interessanter und lebhafter und die Geschichten sprühender, und er akzeptierte mich auch so, wie ich war, das heißt, er kritisierte mich nicht, weil ich Angst hatte, auf Pferden zu reiten und mit Kälbern zu rangeln, oder weil ich nicht die geschickten Hände eines Moschawniks hatte, ja er schätzte sogar das Interesse, das ich schon damals für Geschichten und Bücher und die Bibel bezeigte.

Obwohl er ein überzeugter Sozialist war, machte er auch keine spitzen Bemerkungen darüber, dass mein Vater ein Städter war und der revisionistischen Untergrundorganisation Etzel angehört hatte, denn er schätzte seine Gedichte, während Onkel Jizchak mir einmal sagte, bei so einem Vater, einem Revisionisten mit zwei linken Händen, würde nie ein echter Moschawnik aus mir werden. Ich war beleidigt, denn als Kind meinte ich, es sei das Höchste, ein Moschawnik zu werden, und jeder Mensch müsse dieses Ziel anstreben. Doch Jahre später, als ich erwachsen und Onkel Mosche schon tot war, besuchte ich einmal Jizchak. Er arbeitete nicht mehr auf dem Hof und in der Bienenzucht, saß zu Hause und widmete viele Stunden der erstaunlich genauen Nachbildung von Leiterwagen und Pflügen und Bauernhäusern, die er aus seiner Jugend in Rokitno in Erinnerung hatte.

Er zeigte mir die Modelle eins nach dem anderen, nannte sie bei ihren alten russischen Namen, die heutige Russen wohl kaum noch kennen und verstehen würden, ließ Erinnerungen aufleben und erzählte Geschichten. Er war auch äußerlich und im Verhalten etwas milder und gewinnender geworden. Die Zeit hatte seinem Gesicht die Farbe geraubt, aber seine Augen glänzten noch blauer als früher und erleuchteten die Blässe seiner Jahre. Das Alter wirkt Wunder am Menschen, im Guten wie im Bösen.

17

Als meine Schwester zwei oder drei Jahre alt war, begann meine Mutter, mit uns von Jerusalem nach Nahalal zu fahren. Von Jerusalem bis Lod und von Lod bis Haifa ging es per Bahn, von dort im Bus bis zur Nahalal-Kreuzung und dann weiter zu Fuß oder per Anhalter, auf einem Pferdewagen.

Diese Fahrten waren unspektakulärer als die mit Motke Chabinski im Tanker des Dorfes und kürzer als die Reise des Staubsaugers, aber immer noch aufregend genug. Mein Vater, der sich mehr Sorgen machte als meine Mutter, bestand darauf, dass wir mit dem Taxi zum Bahnhof fuhren, und ich erinnere mich, dass sie leise über die Geldverschwendung und den »Luxus« stritten. Er begleitete uns auch, um ihr beim Einsteigen zu helfen und sich so von uns zu verabschieden, wie es sich damals vor einer Reise gehörte.

Der Bahnhof befand sich am anderen Ende der Stadt. Wir verließen das Haus bei Sonnenaufgang, fuhren durch unvertraute Stadtviertel, mein Vater löste die Fahrkarten, wir kletterten über ein steiles, dreistufiges Treppchen in den Waggon. Als Erste stieg meine Mutter ein, mit meiner Schwester auf dem Arm, und belegte eilig Plätze auf der linken Seite. Mein Vater folgte mit dem Koffer in der Hand und half mir die Stufen hoch. Er hob den Koffer auf die Ablage über den Sitzen und musterte dann die Gesichter der Mitreisenden, um festzustellen, ob »unangenehme Zeitgenossen« darunter waren. Er flüsterte meiner Mutter etwas Lustiges und Besorgtes zu, gab ihr und uns einen Kuss und stieg aus, winkte uns vom Bahnsteig zu, und wir winkten aus dem Fenster zurück.

Der Pfiff des Stationsvorstehers ertönte, die Lokomotive fauchte, stöhnte, ruckte an, und im Handumdrehen verwandelte sich unser Fenster in einen Bilderrahmen für fremde Landschaftsszenen, als hätten wir eine unsichtbare Grenze überquert und führen durch ein anderes Land.

Die Eisenbahnen meiner frühen Kindheit wurden von einer Dampflokomotive gezogen, und ich erinnere mich an ihr hübsches, freundliches Pfeifen und das lautstarke Protestquietschen, das die Schienenkurven den Metallrädern entlockten. Kein Mensch wusste damals, dass man in Amerika schon etwas erfunden hatte, das sich »Klimaanlage« nannte. Alle machten die Fenster auf, und der Wind wehte Rußpartikel von der Lok in den Wagen.

Zuerst fuhren wir das Bachbett des Refaim hinunter, den ich aus den Geschichten meines Vaters über König David kannte, und dann entlang dem Sorek-Bach, der mir aus den Geschichten um Schimschon in Erinnerung war. Der Refaim bildete damals die Grenze zwischen Israel und dem Königreich Jordanien. Unsere Mutter deutete auf die arabischen Bauern auf der anderen Seite. Sie bestellten dort ordentlich angelegte kleine Gemüsefelder und düngten sie mit dem Jerusalemer Abwasser, das ins Tal hinabfloss.

Der Zug fuhr langsam, und ich freute mich, dass wir auf der linken, ihnen zugewandten Seite saßen. Wir winkten ihnen zu, und einige winkten zurück. Der Schienenstrang verlief genau auf der Grenze. Jeden Morgen fuhr ein einzelner kleiner Arbeitswagen mit ein paar Sprengmeistern die Strecke ab, um nach Minen und Sprengsätzen Ausschau zu halten, und im ersten und im letzten Waggon unseres Zuges saßen bewaffnete Grenzschutzpolizisten. Trotz alledem haben Eisenbahnzüge mit Reisenden etwas an sich, das freundschaftliche Gefühle weckt. Und außerdem sagte unsere Mutter: »Sie sind Bauern wie wir, also winkt ihnen zu.«

Der Mann vom Büffet kam durch den Waggon, er trug seine Waren in zwei großen Eimern und rief sie laut aus: »*Sanwischs*, Getränke, Kaugummi, Kuchen ...«. Aber sie wollte ihm nichts abkaufen. »Wir haben kein Geld dafür«, erklärte sie schlicht. »Und unsere Sandwiches sind viel besser als seine *Sanwischs*.«

Die Sandwiches, die sie gemacht und eingepackt hatte, bestanden aus Schwarzbrot mit Margarine, Omelette, Tomatenscheiben und Petersilienblättchen, und manchmal waren auch Schnitze von ihren selbst eingelegten Gurken dabei. Sie erklärte uns damals etwas sehr Wichtiges, das ich bis heute beherzige: Sandwiches salzt man nicht beim Belegen. »Man nimmt etwas Salz von zu Hause mit und streut es erst kurz vor dem Essen darauf, sonst macht das Salz die Tomaten lappig.« Wir hatten Salz in einem gefalteten Stückchen Zeitungspapier mitgebracht, und jetzt salzten und aßen wir und tranken dazu Himbeersaft aus den Flaschen, die wir sonst in den Kindergarten oder in die Schule mitnahmen.

Bei Hartuv kamen wir aus dem Bergland in die Ebene. Mit einem Schlag weitete sich der Blick. Das Krumme wurde gerade, wie die Bibel sagt. Die Lokomotive tutete und kam schneller voran. Die Räder quietschten nicht mehr, ratterten flott und rhythmisch dahin. Trotz der Verbotsschilder erlaubte mir meine Mutter, Kopf und Arme ein klein wenig aus dem Fenster zu halten, und der Fahrtwind zauberte ein Lächeln auf mein Gesicht. Von der Geschwindigkeit – ich schätze, es waren nicht mehr als siebzig oder achtzig Stundenkilometer – drehte sich mir der Kopf.

In Lod stiegen wir aus unserem Zug und warteten auf einen anderen, der nach Haifa fuhr. Ich stand tausend Ängste aus: Vielleicht hatten wir ihn verpasst? Vielleicht fuhr der Zug nach Haifa woanders ab? Vielleicht kam er, hielt aber nur ganz kurz, und wir schafften es nicht einzusteigen, jetzt, wo Vater nicht da war, um uns mit den Taschen und dem Koffer zu helfen? Vielleicht kam nur unsere Mutter rein, und meine Schwester und ich blieben für immer in Lod?

Aber der Zug fuhr pünktlich ein und hielt gemächlich, und wir stiegen gemächlich ein und fuhren gemächlich nach Haifa. Alles geschah langsamer damals, die Reisen dauerten länger, und unsere Mutter ging von Geschichten zu Rätseln über, sang mit uns ein Lied, von dem ich zwei Zeilen behalten habe wegen der lustigen Is, die sie einfügt hatte: »Die Likimitive pfifft titit, wer nicht sitzt, der kimmt nicht mit.« Sie erfand auch allerlei Spiele – wir mussten raten, wie die Mitreisenden hießen, erklären, warum das ihr Name war, einschätzen, wohin sie fuhren und warum, welchen Beruf sie ausübten und so weiter. Und all das leise, damit keiner etwas mitbekam, und ohne jemanden anzustarren oder gar auf ihn zu deuten. Man darf nicht mit Fingern auf Menschen zeigen. Lass das sofort!

Wir passierten die Stationen Rosch Ha-Ajin und Ajal, sahen jenseits der Grenze die Städte Kalkilja und Tul Karem. Die Schienen verliefen damals östlich der heutigen Streckenführung. Erst nach dem Halt in Binjamina näherte sich der Zug der Küste, und ich freute mich wieder, dass meine Mutter darauf geachtet hatte, uns Plätze auf der linken Seite zu sichern: Unser Fenster füllte sich mit Himmel und Meer, und für ein Jerusalemer Kind war das ein ungewöhnlicher und aufregender Anblick. Dann schoben sich die ersten Häuser von Haifa zwischen uns und den Strand, und ich beneidete ihre Bewohner, die alle Tage Meer und Wellen vorm Fenster hatten.

Die Häuser Haifas rückten enger zusammen, drängten sich, bis sie das Meer verdeckten, die Lokomotive tutete ein paarmal, verlangsamte das Tempo und hielt mit einem großen Ächzer an der Station Plumer-Platz. Und ich beneidete wieder die Haifaer – meine Mutter nannte sie »Haifoer« –, denn der Bahnsteig ihres englischen Bahnhofs war auf Wagenhöhe, man brauchte kein furchterregendes Eisentreppchen auf und ab zu klettern wie in dem alten türkischen Bahnhof von Jerusalem. Wir gingen zu dem kleinen Egged-Busbahnhof und stiegen in den Bus nach Afula. Der setzte uns auf der Landstraße an der Nahalal-Kreuzung ab, und von dort gingen wir zu Fuß.

Eine Reihe verstaubter Kasuarinen säumte die Straße, und zwischen ihnen und der Fahrbahn verlief ein glühend heißer Sandweg. Ich quengelte und klagte über Durst und Müdigkeit und über die schwere Tasche und über die Hitze. Wenn wir zu Fuß von der Wohnsiedlung Kirjat Mosche zu Großmutter Zippora in die Arbeiterwohnsiedlung im Viertel Rechavia gingen, riet mir mein Vater, ein Steinchen im Mund zu lutschen, dann würde die Mundhöhle feucht und der Durst verginge. Meine Mutter hatte eine andere Lösung, die sie sehr lustig fand und ich etwas weniger: Sie legte mir die hohle, leere Hand an die Lippen und sagte: »Trink!« Und dann: »Trink noch mehr, du hast nicht genug getrunken.«

Jetzt sagte sie: »Trink aus deiner Flasche, dazu haben wir sie mitgenommen.«

»Aber der Saft ist schon so heiß wie Tee.«

»Wenn dich das derart stört, bist du gar nicht richtig durstig.«

Sie trug die andere Tasche und den Koffer und auf dem Arm meine kleine Schwester und schritt doch zügig aus, aufrecht wie immer und froh, ins Dorf zu kommen. Ich sagte schon, dass sie so klein wie ihre Mutter war, aber sie hatte einen leichtfüßigen Gang, und so ging sie auch dort, trotz der Last und der Müdigkeit und der brütenden Mittagshitze der Jesreelebene.

»Hör auf zu jammern«, sagte sie. »Bald kommt jemand mit einem Pferdewagen vorbei und lässt uns aufsteigen.«

Tatsächlich tauchte fast immer ein Bauer mit Pferd und Wagen auf und nahm uns mit ins Dorf. Und obwohl es jedes Mal ein anderer Bauer war, geschah immer das Gleiche: Er rief meiner Mutter »Schalom, Batjale« entgegen und ließ das Pferd langsamer gehen, und sie warf den Koffer auf den fahrenden Wagen, setzte dann meine Schwester darauf und sagte: »Bleib sitzen und rühr dich nicht, ich spring gleich auf!« Danach stellte sie meine und ihre Tasche neben sie, und zum Schluss schwang sie sich mit einem Satz, dem drei

Laufschritte vorausgingen, auf den Wagen und nahm neiderregend gewandt darauf Platz. Jedes Mal überraschte mich das von neuem, obwohl ich schon wusste, dass es für jeden, der seinerzeit im Dorf aufgewachsen war, mit Pferden und Pferdewagen gearbeitet hatte, ein vertrauter Bewegungsablauf war.

Ich blieb immer als Letzter auf der Straße – der Bauer schnalzte schon mit der Zunge, um das Pferd anzutreiben, und sie rief mir zu, ich solle mich beeilen: »Lauf! Lauf! Nimm endlich die Beine in die Hand, sonst bleibst du hier allein zurück.« Sie beugte sich etwas vor, streckte mir ein lächelndes Gesicht und zwei Arme entgegen, und ich gürtete meine Lenden und rannte, wie weiland der Prophet Elija neben König Ahabs Wagen, holte mit Mühe das große Hinterrad ein, das fast so hoch war wie ich und sich knirschend ganz nahe neben mir drehte, und hob ihr die Arme entgegen, damit sie mich zu fassen kriegte und zu sich hochzog. Einen Moment Flug, und schon war ich bei ihr, schwer atmend noch vor Angst und Anstrengung, saß aber wie sie, ließ die Beine über den Seitenrand der Ladefläche baumeln, und der Staub schwirrte in raschem Wirbel zwischen meinen Füßen hindurch und trieb mir den Duft von Stroh und Spreu in die Nase.

Meine Schwester beäugte mich spöttisch, und der Bauer fragte, unbeeindruckt von dem kleinen Familiendrama, das sich hinter seinem Rücken abgespielt hatte: »Na, was gibt's Neues bei euch in Jerusalem?«, und erzählte, er habe im *Davar* vom Freitag »ein Gedicht von Jizchak gelesen«, und ließ die neusten Dorfnachrichten folgen: von einem weiteren Strafzettel, den der Verkehrspolizist am *Checkpost* in Haifa jemandem verpasst hatte, und von einem Hund, der sich bei einem Schakal mit Tollwut angesteckt hatte, so dass er eingeschläfert werden musste, und von einer weiteren Flucht meines Großvaters. Meine Mutter gab keine Antwort, aber die Röte wallte ihr vom Hals bis zur Stirn auf.

Wir erreichten die Dorfmitte, stiegen vom Wagen, sagten danke – »sagt's auch dem Pferd« – und gingen zu Großmutters Haus. Da war die Zypressenallee, da war Großvaters spezieller Zitrusbaum, da war Großmutters tropfender Käsebeutel, und da war sie selbst, umarmte uns und rief: »O Batjale, wie gut, dass du da bist, vielleicht könntest du…« –, fügte dieser Begrüßungsformel wie üblich eine dringende Bitte an und begann sofort, sich über all das zu beschweren, was man ihr in der letzten Zeit angetan hatte: »Du weißt noch gar nicht, was er gemacht hat…«

Sie hielt große Stücke auf meine Mutter. Oft bat sie sie um Beistand, und wenn Familienprobleme aufkamen, verschob sie die klärende Aussprache stets auf einen Termin, der mit den Worten umschrieben wurde: »Wenn Batja kommt.« Das heißt, Batja wird kommen, Batja wird urteilen, Batja wird Rat spenden. Noch heute, Jahre nach dem Tod meiner Mutter, sagen wir »wenn Batja kommt«, aus alter Gewohnheit, und lächeln gleich danach verlegen.

»Vielleicht gehen wir ins Haus?«, schlug meine Mutter ihrer Mutter vor, und zu mir sagte sie, ich solle mal nachsehen, was draußen im Hof los sei. Sie wollte nicht, dass ein solches Gespräch im Freien stattfand, und auch nicht in meiner Anwesenheit. Aber Großmutter war das alles egal. Es würde dem Enkel nichts schaden, wenn er erfuhr, was sie seiner Großmutter alles antaten: ihre Nachbarn, ihre Söhne, ihre Brüder, ihr Mann.

Ich verzog mich ein Stück, lauschte aber jedem Wort, das gesprochen wurde. Ich war nicht nur neugierig auf die Geschichten, die Großmutter erzählte, sondern auch auf die Geschichten, die über sie erzählt wurden, vor allem von meiner Mutter und ihrer Schwester Batscheva. Erstens, weil sie mehr als alle anderen über den Putzfimmel ihrer Mutter wussten, und zweitens, weil ich von jeher den Frauen der Familie nähergestanden habe. Ich liebte ihre Geschichten, ihre Gespräche, ihre körperliche Nähe, die Arbeiten, die sie verrichteten, meine Ähnlichkeit mit ihnen und ihre Ähnlichkeit mit mir. Die meisten Männer in der Familie sind so groß wie Großvater Aaron oder sogar noch größer, aber mein Onkel Jair und ich sind klein wie die Frauen der Familie: meine Großmutter, meine Mutter, ihre Schwester, meine Schwester und meine Tochter – nur Großmutter Batja war, wie gesagt, »groß und schön« –, und auch im Körperbau bin ich ihnen ähnlich. Ehe ich in die Pubertät kam, mein Körper sich kräftigte und ich anfing, mit Menachem und Jair auf dem Hof zu arbeiten, fühlte ich mich praktisch zu ihnen gehörig, und das war ein komisches Gefühl.

Neben diesem Zugehörigkeitsgefühl und dem Umstand, dass ich Putzlappen noch heute so auswringen kann wie sie, hat mir dies auch höchst interessante Momente beschert. Während die Jungs der Familie und des Dorfs sich balgten, Traktoren lenkten und reparierten, mit Pistolen schossen, Hunde auf Katzen hetzten oder Pferde ritten, saß ich auf dem Betonweg vor Großmutter Tonias Veranda und hörte mir Geschichten an, und allesamt begannen sie mit »die Sache war so«:

»Die Sache war so. Ich war ein junges Mädchen, das nichts vom Leben wusste...«

»Die Sache war so. Er ›sogte‹ ja, dass er sich in den Jordan werfen würde...«

»Die Sache war so. Deine Mutter saß auf der Plattform und putzte die Schuhe der ganzen Familie, und auf einmal kam eine lange Schlange, kroch auf sie zu, und deine Mutter – hat keinen Mucks gemacht. Hat gewartet, bis sie neben ihr war, und ihr dann die große Schuhbürste auf den Kopf gehauen. Bums! Und hat sie ›umgebrocht‹.«

Sie hatte auch Geschichten auf Lager, die mit »als ich ein junges Mädchen war« anfingen, was ebenfalls eine feste Wendung in unserer Familie wurde, die jeder benutzt, der Erinnerungen aufleben lässt. Und wenn Großmutter »als ich ein junges Mädchen war« sagte, wusste ich: Gleich würden Schnee und Frost, Wölfe, Schlitten und Waldbeeren auftreten, der Wald selbst und der Fluss. Sie erzählte von dem roten und weißen Sand in Rokitno und von den Werkstätten, die Bleiglas daraus herstellten, von ihrer Schulzeit am »Gymnasium«, auf die sie sehr stolz war, und von endlos langen Bahnfahrten, von großen, stattlichen russischen Offizieren, die »mir im Waggon zugezwinkert haben«, von Familienversammlungen rund um den Samowar und dem Genuss Dutzender Gläser glühend heißen Tees, von den Konfitüren und Obstkonserven, die zu Hause zubereitet wurden, den Fässern mit eingelegtem Kohl und den Säcken voll Kartoffeln und Zwiebeln, ohne die man den harten Winter nicht durchstehen konnte. Und sie erzählte auch von der makellosen Sauberkeit, die im Haus ihrer Mutter, Großmutter Batja, geherrscht habe, als wollte sie sagen, dass ihre Sauberkeitsansprüche kein privater Fimmel waren, sondern eine Familientradition, die sie penibel fortführte.

Viele Jahre später, als einige meiner Bücher in russischer Übersetzung erschienen waren, wurde ich nach Moskau eingeladen, um sie einem Publikum vorzustellen, das die Sprache meiner Großeltern sprach. Dort bekam ich ein Kompliment, wie ich es nirgendwo sonst erhalten habe: Obgleich ich nicht Russisch schriebe, sei ich ein russischer Schriftsteller. Ich sagte, das überrasche mich kaum, denn vier große russische Erzähler hätten mich beeinflusst: Nikolai Gogol, Vladimir Nabokov, Michail Bulgakow und Großmutter Tonia, von der man hier in Moskau vielleicht noch nichts gehört habe. Aber genau wie Gogol hat auch sie wunderbare Geschichten erzählt, und wie er ist sie in der Ukraine geboren und aufgewachsen – er in einem Dorf namens Sorotschinzy und sie in einem Dorf namens Rokitno, das sich in ihrem Akzent so klein und hübsch anhörte.

18

Großmutter Tonias interessanteste Geschichten handelten von Onkel Jizchak. Er gehörte zu den ersten Bienenzüchtern im Emek und galt auch als exzellenter Baumeister und Handwerker. Obwohl er kein Diplom-Ingenieur, sondern nur ein »Auch-Ingenieur« war, plante und baute er Häuser und Gebäude, errichtete sogar den Wasserturm von Kfar Jehoschua – eine wahre Meisterleistung. Des Weiteren spielen Jizchak und seine technischen Begabungen noch eine wichtige Rolle in Bezug auf den Helden dieser Geschichte, den Staubsauger, den er mit Whity an der Bahnstation Tel Schamaam bei Kfar Jehoschua abholte.

Großmutter Tonia erzählte, Jizchaks Hang zu Handwerk und Werkzeug sei bereits in zartem Alter zutage getreten. Schon mit zweieinhalb Jahren habe er einen Hammer zur Hand genommen und angefangen, Nägel in die Dielen des Hauses zu schlagen.

»Man hat es ihm verboten, ihn angeschrien, ihn ›bestroft‹ – aber nichts hat gefruchtet ...« Schließlich hatte Großmutter Batja ihm einen Quadratmeter Boden in einer Küchenecke zugeteilt, und in Wochenfrist glänzte die ganze Fläche vor Nagelköpfen, die er dicht an dicht eingeschlagen hatte.

Der jüngere Bruder, Onkel Jaakov, hatte Großmutter

Batjas Größe und Schönheit geerbt, war aber von dunklem Teint wie viele andere Familienmitglieder. Jizchak sah nicht so gut aus wie er, hatte jedoch die meerblauen Augen seiner Mutter. Und einmal, als Onkel Jaakov »ein Mädchen aus Haifa« umwarb, argwöhnten ihre Eltern, er sei womöglich »keiner von uns«, und die Sache war so: »Man musste Onkel Jizchak zu ihnen bringen, um ihnen zu zeigen, dass es auch blaue Augen bei uns in der Familie gibt.«

Um Onkel Jizchak rankten sich noch weitere Geschichten, die weit faszinierender und furchterregender waren. Großmutter erzählte, dass Zigeuner ihn als Dreijährigen entführt hatten. »Sie haben ihn mit Stricken gefesselt und in einen Sack gesteckt, und die Polizei des Zaren Nikolai hat ihn drei Tage später an der Bahnstation von Fastow in dem Sack gefunden.«

Und einmal, an einem Wintertag in Rokitno, ihrem Dörfchen in der fernen Ukraine, als Großmutter und ihre Geschwister kleine Kinder waren, hatte Jizchak sie überredet, am Hahn des Brunnens in ihrem Hof zu lecken, und die Sache war so: Ihre Zunge blieb am eiskalten Metall kleben, und sie konnte sie einfach nicht loskriegen.

Ich empfand physischen Schmerz, erschauerte am ganzen Leib. Ich begriff nicht, wie sie hier auf ihrer Veranda, unter der warmen Sonne der Jesreelebene sitzen und mit mir reden konnte, während sie dort in Schnee und Eis stand, die Zunge am kalten Metall festgeklebt.

»Und was ist passiert?«

»Man hat sie abgelöst.«

»Wie denn?«, fragte ich bang, malte mir in der Phantasie Messer, Gezerre und Geschrei aus.

»Mosche hat mich mit etwas lauwarmem Wasser und einem Holzlöffel gerettet. Aber es ist eine Narbe geblieben. Schau.« Sie streckte mir die Zunge heraus und ließ sie mich aus der Nähe betrachten.

Kurzum, Onkel Jeschajahu hatte nicht umsonst Onkel Jizchak – und nicht etwa Onkel Mosche – gebeten, den Staubsauger auf dem Bahnhof Tel Schamaam in Empfang zu nehmen. Er kannte sie beide und wusste, dass es Fälle gibt, in denen Mitgefühl und Weitblick vonnöten sind, und andere, in denen man lieber auf einen verlässlichen und robusten Mann mit gesundem Menschenverstand und geschickten Händen setzt, der die Kiste vom Zug abladen, auf den Karren stellen und heil nach Nahalal transportieren kann, um den Staubsauber dort fachgerecht und ohne Hilfe auszupacken. Außerdem, sagte mir meine Mutter, war Onkel Mosche ein noch größerer Idealist als Großvater Aaron, und eine verschlossene Kiste aus Amerika hätte seinen Verdacht erregt.

Jizchak war schon seit Monaten in die Angelegenheit eingeweiht. Er hatte von Onkel Jeschajahu einen Brief mit allen Details und mit Bitten erhalten, hatte sich den Inhalt eingeprägt, den Brief im Kuhstall versteckt und keinem Menschen etwas davon verraten. Als der Tag gekommen war, sagte er Großvater Aaron, dass er Whity zum Decken brauche, und das sagte man auch Whity selbst, »denn Whity war ein kluges und liebes Pferd, aber Geheimnisse wahren konnte er nicht«.

Also: »Der Zug fuhr ein, und Onkel Jizchak hob die Kiste mit dem Sweeper auf den Wagen, zurrte sie mit Stricken fest und fixierte sie mit einem *trucker's hitch,* das ist ein Spezialknoten, mit dem Lastwagenfahrer Planen befestigen und Ladungen sichern, und dann sagte er zu Whity: ›Vorwärts!‹, und sie machten sich auf nach Nahalal, über die Felder.«

So fuhren sie, ein Bild, das meine Mutter und ich nicht gesehen haben, aber sie beschrieb es in allen Einzelheiten, und ich werde keine einzige davon vergessen: Ein ferner Wagen, allein auf weiter Flur, das Weiß des Pferdes, das Blau der Augen, das Gelb der Stoppeln, des deutenden Bleistifts und des Brachlands, ein grünes Maisfeld. Und nicht nur wir beide – kein Mensch sah all diese Schönheit. Es war um die heiße Mittagszeit, die Bauern waren vom Feld heimgekehrt, um zu essen und kurz zu dösen. Aber Jahre später, als das Bild sich in Worte verwandelte, grünten die Felder noch satter, und die blauen Augen funkelten wie Saphire. Die Sonne lugte hervor, beschien das Pferd, dass es glänzte.

Onkel Jizchak schenkte alldem keine Beachtung. Erstens sah er das Bild nicht, weil er mittendrin saß. Und zweitens konzentrierte er sich auf andere Dinge. Sein Gehirn unter der Glatze unter der Schirmmütze, ein waches, praktisches und forschendes Gehirn, stellte emsig Vermutungen an. Er wusste, dass sich in der Kiste ein großer amerikanischer Staubsauger verbarg, der für seine Schwester bestimmt war, doch Onkel Jeschajahus Gebot war ihm heilig, und obwohl er noch nie einen Staubsauger gesehen hatte, machte er daher die Kiste nicht auf, um einen Blick hineinzuwerfen.

Whity seinerseits zeigte keinerlei Interesse am Inhalt der Kiste und sagte sich im Stillen, dass er froh gewesen wäre, wenn das mit dem Decken gestimmt hätte und nicht nur ein hässlicher Trick von Onkeln und Schwagern, eine List, die mit seinen Gefühlen spielte und auf seine Kosten ging. So ist das, wenn du das einzige Familienmitglied mit vier Beinen bist, sinnierte er.

Vor dem Wadi sah Jizchak noch einmal nach, ob die Stricke auch richtig fest saßen und die Kiste sicher stand. Der Sweeper, der in Europa und den Vereinigten Staaten schon große Ströme überquert hatte, wusste gar nicht, was es hier zu befürchten gab. Und tatsächlich überwand Whity das schlammige Bachbett diesmal mühelos. Er wusste, wenn er und Onkel Jizchak allein waren, brauchte er das übliche Theater gar nicht erst zu veranstalten.

Der Wagen kam an En Schecha vorbei, der Quelle mit den zwei Palmen, fuhr die lange, sanfte Steigung nach Nahalal hinauf und bog an der südwestlichen Einfahrt, zwischen dem Hof Rachlewski und dem Hof Juda'i, ins Dorf ein. Jizchak wollte Whity schon nach rechts lenken und sofort unseren Hof, den fünften rechts, ansteuern, aber Whity hatte bereits erfasst, dass die Ladung, die er heute auf dem Wagen zog, nicht bloß aus Strohballen oder einem Heuhaufen bestand. O nein. Es war etwas Einzigartiges, anders als alles, was sämtliche Pferde und Maulesel des Emeks vor ihm je transportiert hatten. Und da er beabsichtigte, der Sache auch etwas Spaß abzugewinnen, um sich für das ausgefallene Decken schadlos zu halten, und da er die theatralischen Neigungen dazu besaß, beschloss er, das Ereignis auf besondere Weise zu begehen, mit einer Art Festvorstellung für das gesamte Dorf: Er bog links ab und zog den Wagen mit der amerikanischen Kiste Schritt für Schritt um ganz Nahalal herum, und Onkel Jizchak, der im Allgemeinen resolut und sparsam war und keine überflüssigen Umwege zuließ, verstand seinen Gefährten und ließ ihn machen.

Es war zwei Uhr nachmittags. Die Nahalaler hatten mittlerweile ihr Mittagessen beendet und sich vor der Weiterarbeit wie üblich aufs Ohr gelegt. Aber das Hufgeklapper des Pferdes auf der menschenleeren Straße weckte sie, und alle spürten, dass draußen etwas Besonderes vor sich ging, etwas, das sogar die Erschöpftesten und Prinzipientreusten und Stursten unter ihnen aus ihren Häusern lockte, ja auch diejenigen, die sonst alles, was nicht mit Sicherheit und Landwirtschaft zu tun hatte, geringschätzig abtaten. Sie kamen heraus und beäugten die Kiste, tauschten Blicke, kratzten ihre Schädel und stellten Vermutungen an, und schließlich setzten sie sich in Bewegung und gingen dem Wagen nach, in einer neugierigen Prozession, die zusehends länger und breiter wurde.

Für den Zuschauer am Rande mochte es wie ein merkwürdiger Leichenzug aussehen, nur war da kein Sarg, sondern eine große Holzkiste, versehen mit fremden und faszinierenden Stempeln und Aufklebern von fernen Seehäfen und Bahnhöfen. Und über alldem prangte die erstaunliche und überraschende Aufschrift:

SAVTA TONIA
NAHALAL
PALESTINE

Und nein, kein Irrtum, dort stand auch die noch erstaunlichere Anweisung:

THIS SIDE UP

Zum Glück hatten einige der Gründer Nahalals vor ihrer Ankunft im Land Israel ein paar Jahre in den Vereinigten Staaten zugebracht. Sie begriffen sofort, was geschehen war, hielten den Wagen an, übersetzten für Onkel Jizchak die Aufschrift, und gemeinsam lösten sie die Stricke und drehten die Kiste höchst behutsam um, in der Hoffnung, dass drinnen kein Unglück passiert war – oder gerade doch. Kein Mensch wusste, was darin steckte, aber was immer es sein mochte: Es war von der Bahnstation bei Kfar Jehoschua bis Nahalal mit dem Kopf nach unten und den Beinen nach oben gefahren, wie eine Frühlingszwiebel!

Die Genossen, die Englisch konnten, übersetzten für die, die es nicht verstanden, und erklärten, so mache man das bei den Amerikanern, die trotz all ihrer Fehler auch ein paar gute Eigenschaften besäßen, etwa praktischen Verstand und Gründlichkeit. Aber was in der Kiste steckte – das wusste keiner zu erklären, auch nicht diejenigen, die in den Vereinigten Staaten gewesen waren. Eindeutig enthielt sie etwas Ausgefallenes und Verdächtiges, denn der matte und verlockende Glanz von Luxusgütern schimmerte durch die Lattenritzen. Alle planten insgeheim schon, wie sie reagieren und was sie sagen wollten, wenn sie seine Quelle zu sehen bekämen. Doch einstweilen beschlossen sie, erst zu schauen und dann zu entscheiden, was es dazu zu sagen gab.

Whity, der jede Minute genoss, wollte Nahalal auf der Ringstraße ein zweites Mal umrunden, aber Onkel Jizchak zog die Zügel an, rief Whity »halt!« zu und der ganzen Gefolgschaft: »Bis hierher, Genossen!«, und brachte den Wagen vorm Haus seiner Schwester zum Stehen.

Großmutter Tonia und Großvater Aaron kamen mit ihren Kindern, Micha, Batja und den Zwillingen Menachem und Batscheva, aus dem Haus. Dermaßen überrascht waren sie, dass sie die Vordertür benutzten und nicht, wie es sich gehörte, »die andere Tür«. Onkel Jair war damals übrigens noch nicht geboren, aber wie bei uns üblich, kann auch er das Ereignis in allen Einzelheiten schildern.

Großvater Aaron erblickte die amerikanische Aufschrift auf der Kiste und begriff sofort, dass sein Bruder ihm einen besonders gemeinen Streich gespielt hatte. Er blieb wie angewurzelt stehen, und es war Nachum Sne, sein Freund von dem berühmten »Makarower Dreigespann« der Zweiten Alija, der Onkel Jizchak zu Hilfe kam.

Die beiden packten an, hoben die Holzkiste vom Wagen, trugen sie ums Haus und stellten sie auf die Plattform. Onkel Jizchak, der niemals ohne Werkzeug anzutreffen war und diesmal einen vollen Werkzeugkasten dabeihatte, zog einen großen Schraubenzieher und einen Klauenhammer hervor, und Nachum Sne blieb neben ihm stehen, um jeglicher Gefahr und Bedrohung die Stirn zu bieten. Wer wusste denn schon, was einer solchen Kiste aus Amerika entspringen konnte, welches verlockende und schreckliche Ungeheuer?

Meine Mutter erinnerte sich bestens an jenen Tag und konnte alles aufzählen, was bei der Öffnung der Kiste geschah:

Die Nägel wurden quietschend gezogen, wurden gesammelt und zur Wiederverwendung aufbewahrt.

Die Metallbeschläge wurden zur Wiederverwendung beiseitegelegt.

Die Holzlatten wurden gelöst und zur Wiederverwendung gestapelt.

Das glamouröse amerikanische Licht, das in der Kiste eingeschlossen worden war, als man sie in den Vereinigten Staaten zugenagelt hatte, wurde ein wenig stärker, schickte tastende Strahlen ins Freie, vermischte sich mit dem grellen israelischen Licht ringsum.

»Und was kam zum Vorschein?«, fragte sie.

»Der Sweeper, der Staubsauger«, antwortete ich begeistert.

»Noch nicht. Erst kam ein Karton zum Vorschein.«

Festgezurrt, gebettet in ein schützendes Polster aus zerknüllten amerikanischen Zeitungen, Lappen und Holzspänen, stand da ein großer Karton, verschnürt mit dünnem, starkem, weißem Bindfaden, und auf diesem Karton – Belustigung schwang jetzt in Mutters Stimme mit – war eine nicht genau erkennbare Figur aufgedruckt, die jedoch eindeutig verkehrt herum war! Mit dem Kopf nach unten und den Beinen in der Luft, wir sagten es ja schon – wie eine Frühlingszwiebel.

»Na, na ...«, spotteten alle, die auf dem Weg nach Erez Israel nicht durch die Vereinigten Staaten gekommen waren, und auch Onkel Jizchak atmete erleichtert auf. Offensichtlich waren die Amerikaner doch nicht so gründlich, und auch sie konnten Fehler machen. Von Amerika bis nach Kfar Jehoschua war der Staubsauger falsch herum gereist und von Kfar Jehoschua bis zu uns nach Nahalal richtig herum! Denn so war Onkel Jizchak: Englisch war nicht seine Stärke, aber als »Auch-Ingenieur« stellte er alles so hin, wie es sich gehörte.

Er zog das scharfe Okuliermesser hervor, das Großvater Aaron ihm einst geschenkt hatte, nachdem er ihm beigebracht hatte, wie man Obstbäume okuliert. Er schnitt die Riemen auf, die den Karton fixierten, drehte ihn um, und alle stöhnten erschrocken auf, denn jetzt war die aufgedruckte Figur zu erkennen. Dem Anschein nach eine gewöhnliche amerikanische Hausfrau, in Wirklichkeit – der Teufel in Frauengestalt: die Lippen rot geschminkt, ein rotes Kleid mit weißen Tupfen am Leib, schmale Taille, üppiger Busen und kecker Po, dazu rotlackierte Nägel. Allen war sonnenklar: Sie machte auch Maniküre!

So riesig war die Kiste, dass die abgebildete Frau fast lebensgroß war, das heißt, Großmutter Tonia überragte. Und das Wichtigste – sie war nicht allein. In den Händen hielt sie den langen, dicken Schlauch eines imposanten Geräts, das gehorsam zu ihren Füßen lag. Nicht alle erkannten, was es für ein Gerät war, aber sie begriffen, dass es in dem Karton hauste. Und erst recht verstanden sie, dass alles, was sie bisher über Amerika gedacht hatten, dieser wohlgeformten Frau nicht einmal an die schlanken Fesseln reichte. Schier alles an ihr zeugte von Verwöhntheit und Gefallsucht, Leichtsinn, Hedonismus und der Vergötterung des Privateigentums. Man sehe und staune: Was für ein Luxusartikel mochte das Gerät sein, das dieser Frau ein derart beschämendes Lächeln auf die roten Lippen zauberte?

Dorfgenossinnen und -genossen, Rinder und Hühner, schattenspendende Zierbäume und üppig tragende Obstbäume – alle waren gleichermaßen entrüstet. Hohnrufe erklangen: »Aufgedonnerte Dame!« und sogar Wut- und Empörungsschreie: »Eine Schande! Ein Skandal und eine Schande!« Aber heute verstehe ich, was meine Mutter seinerzeit nicht erzählte: Auch Genossen sind Männer, und wie es bei Männern so geht, regten sich bei einigen schon angenehme Vermutungen über diese Taille und darüber, was sie einer Hand bedeuten könnte, die sonst nur Arbeit kannte. Und die Genossinnen musterten die aufgedruckte Frau zwar verächtlich, fragten sich aber auch: Wie ist es, so eine Frau zu sein? Einige empfanden Neid: Warum sie? Andere leckten sich unwillkürlich die Lippen und wischten sie ab. Und vor allem: Niemand ging weg. Niemand wandte die Augen ab. Rechtschaffen entrüstet waren sie, aber sie warteten auf die Fortsetzung.

Nur Großmutter Tonia war nicht entrüstet. Erstens hatte sie sich noch nie um die Satzung und die Prinzipien der Moschaw-Bewegung geschert. Zweitens war die Kiste an sie adressiert und ihr Inhalt für sie bestimmt. Und die aufgedruckte Frau erschien ihr auf Anhieb als geistesverwandt, als eine Verbündete. Auch diese Frau richtete ihre ganze Energie auf Sauberkeit, aber sie hatte Geräte und Utensilien und Möglichkeiten zum Reinemachen, die hier in Palästina noch unvorstellbar waren.

Und noch etwas fühlte sie, eine geheime und bezaubernde Empfindung, an deren Rändern, wie die Stickborte einer teuren Tischdecke, die Erkenntnis flimmerte, dass auch sie so eine Frau hätte sein können, froh und glücklich, womöglich sogar geschminkt und lackiert und im Tupfenkleid, wenn sie nur einen doppelten Verräter wie Onkel Jeschajahu geehelicht hätte, vielleicht sogar Onkel Jeschajahu selbst, und nicht seinen Bruder Aaron, und mit ihm nach Amerika gefahren wäre statt in dieses harte und schmutzige Palästina.

Auch Onkel Jizchak wälzte Vermutungen und Fragen, wollte den Karton öffnen und endlich sehen, was und wer darin steckte. Aber Großmutter Tonia erwachte aus ihren Träumen, fasste sich wieder und wies ihn an, ihr als Erstes all die Lappen, die den Karton polsterten, herauszuklauben und zu bringen. Auch wenn ein hochmodernes Gerät aus Amerika eingetroffen war, würde sich für einen Lappen immer noch Verwendung finden, und diese amerikanischen Lappen, das hatte sie gleich erkannt, waren von weit besserer Qualität als die lappigen Lappen des Landes Israel.

Jizchak sammelte die Lappen und übergab sie ihr, und sie war hochzufrieden. Was in dem Karton steckte, wusste sie noch nicht, aber *ein* Geschenk aus Amerika hatte sie schon bekommen.

19

Den größten Teil dieser Geschichte hörte ich in Jerusalem, zusammen mit anderen Geschichten, die meine Mutter über ihre Familie im Dorf erzählte. Aber einige ihrer Einzelheiten erfuhr ich erst, als wir an den Ort der Handlung zogen, nach Nahahal.

Dieser Abschnitt meines Lebens – kurz, aber bedeutsam – begann, als ich neun Jahre alt war. Meine Mutter hatte damals genug vom Hausfrauendasein. Auch die Hypothek auf die Wohnung war eine Belastung, und ein einziges Lehrergehalt reichte kaum aus, um die Familie zu ernähren. In Nahalal gab es seinerzeit ein Lehrerseminar mit einem kurzen, kompakten Studienplan, und so zogen wir um. Meine Mutter besuchte das Seminar, und mein Vater unterrichtete an der Landwirtschaftsschule im Dorf.

Die Aussicht, in der Nähe von Großmutter Tonia, Großvater Aaron und den Onkeln Menachem und Jair zu wohnen, begeisterte mich. Ich liebte sie, den Hof, die Kühe und Kälber, Whity, die Felder, die Hühner und vor allem die Küken in der Brüterei. Sogar die angriffslustigen Gänse, die nach mir pickten, mochte ich. Sie alle hatten eine doppelte Präsenz in meinem Bewusstsein: eine starke erzählerische Präsenz, die meine Mutter mir eingeprägt hatte, als wir noch in der Stadt wohnten, und eine reale Präsenz, die bei unseren häufigen Besuchen im Dorf kultiviert worden war und sich jetzt, nach unserem Umzug, verstärkte.

Meine Eltern mieteten das zweite Stockwerk im Haus der Familie Karassik, unweit der Großeltern. Die Wohnung hatte nur zwei Zimmer und eine kleine Diele, aber die Räume waren größer als in unserer Jerusalemer Siedlungswohnung. Das Zimmer, das meine Schwester und ich uns teilten, blickte nach Südosten über weite Felder, und wir hatten einen großen, sonnenüberfluteten Balkon, den man auch durch das Fenster über meinem Bett erreichen konnte.

Wir kamen am Anfang der Sommerferien nach Nahalal, und zu meiner großen Freude und Überraschung hatte sich das Verhältnis zwischen meinem Vater und meiner Großmutter verbessert, das heißt – es war erträglich geworden. Sie kam uns sogar häufig besuchen. Hörte mein Vater sie die Treppe hochsteigen, verkündete er: »Meine Schwiegermutter ist im Anzug«, sagte es aber nicht ärgerlich, sondern schmunzelnd.

Und noch etwas Gutes geschah: In Nahalal durften meine Schwester und ich unseren ersten Hund haben, einen Terriermischling, den wir von Freunden bekamen. Wir gaben ihm den originellen Namen Lucky. Er war ein munterer und kluger Welpe, der zu einem echten Mitglied der Familie heranwuchs. An einem Wintertag zog unsere Mutter ihm zum Spaß einen blauen Wollpullover an, den sie für meine Schwester gestrickt hatte. Wir alle lachten, aber Lucky war bis auf den Grund seiner Seele beleidigt. Er flüchtete ins Freie, den blauen Pullover am Leib, und meine Mutter hastete ihm nach. Sie verfolgte ihn lange durch Schlamm und Regen, begleitet von einem Rudel aufgeregter und schadenfroher Dorfhunde, bis sie – den nassen und verdreckten Pullover schwenkend – mit Siegermiene zurückkehrte. »Das hat uns gerade noch gefehlt«, prustete sie, »dass man im Dorf von uns sagt, wir würden Pullover für Hunde stricken.« Sie lachte zwar, aber man merkte, der Halbsatz »dass man im Dorf von uns sagt« war ernst gemeint.

Sie versuchte, mich für die Landwirtschaft zu begeistern, aber ohne nennenswerten Erfolg. Onkel Menachem hatte ihr hinterm Hühnerhaus fünf Ar Land zugeteilt, auf dem sie Gurken, Paprika, Auberginen, Knoblauch, Zwiebeln und Tomaten für die Familie säte. Sie ging täglich, nach dem Unterricht im Seminar, dort arbeiten, und nach ein paar Tagen bat sie mich, mitzukommen und ihr zu helfen.

Ich ging gern mit. Wir machten uns ans Jäten, Grubben und Hacken, aber nach einer Viertelstunde richtete ich mich auf, stützte mich auf die Hacke und sagte: »Jetzt arbeite du mal weiter, und ich erzähl dir Geschichten.«

Sie brach in schallendes Gelächter aus, aber die anderen schüttelten den Kopf über mich und riefen die Gurkensaat meines Vaters in Erinnerung. Ein paar Jahre später packte ich mit Menachem und Jair ernsthafter an und genoss es sogar. Aber damals, als Neunjähriger, ließ ich den Fleiß vermissen, den man von einem »Bauernsohn aus Nahalal« erwarten durfte. Mir reichten die morgendlichen Besuche im Kuhstall vollauf, in den wir, meine Schwester und ich, zum Milchholen geschickt wurden.

Im Kuhstall lief immer laute Musik. Onkel Menachem hatte dort einen Lautsprecher installiert, der mit einem Kabel an das Radiogerät im Haus angeschlossen war. Er sagte, die Musik wirke sich vorteilhaft auf Menge und Qualität der

Milch aus. Jedes Mal, wenn er von der »Stimme Israels« zum Armeesender oder umgekehrt wechseln wollte, steckte er zwei Finger in den Mund und stieß einen langen Pfiff aus. Seine Frau Pnina hörte es im Haus und schaltete auf den gewünschten Sender um. Beim Melken diskutierten Menachem und Jair, machten anderer Leute Stimmen und Gebärden nach und erzählten Geschichten und Witze über ihre Eltern, ihre Nachbarn, übereinander und über alle Dorfbewohner.

Zum großen Vergnügen meiner Mutter lernte ich von ihnen jede Menge Familienausdrücke, die meist auf Großmutter zurückgingen, und benutzte sie auch. Am liebsten mochte ich den Satz »ich bebe am ganzen Leib«, den sie verwendete, wenn sie große Wut ausdrücken wollte, und die bereits erwähnte Wendung »als ich ein junges Mädchen war« sowie »ich bin an Leib und Seele kaputt«.

Besonders liebte ich den Satz, den sie jedes Mal anbrachte, wenn jemand gestorben war. »Sie ist nicht mehr«, sagte sie dann, auch wenn der Heimgegangene ein Mann war, und fügte hinzu: »Es war ein schrecklicher Tod.« Das waren keine grammatikalischen oder medizinischen Irrtümer, sondern ihre eigenen Spracherfindungen, die die Familie begeistert übernahm. Bis heute sagen wir »sie ist nicht mehr«, egal ob es sich bei dem Verstorbenen um einen Mann oder eine Frau oder auch um ein Auto mit Totalschaden handelt, und die Peniblen setzen hinzu, »es war ein schrecklicher Tod«, selbst wenn die Person in gesegnetem Alter friedlich entschlafen ist.

Einige Ausdrücke meiner Großmutter kursierten bald auch unter Freunden der Familie, und ein Satz von ihr ist sogar ein weltweiter Klassiker geworden. Es handelt sich um: »Redst du mit mir?«, was sie immer dann sagte, wenn einer ihrer Feinde sie anzusprechen wagte. Man stelle sich unsere Aufregung vor, als wir Jahre später den Film *Taxi Driver* sahen, in dem Robert De Niro vor dem Spiegel steht, Pistolenzücken übt und sich ebendiesen Satz in ähnlichem Tonfall vorsagt: *»You talkin' to me?«*

Ich persönlich war nicht überrascht, denn ich wusste, wie dieser Satz von Nahalal ins ferne Hollywood gelangt war, aber die ganze Familie war aus dem Häuschen. Alle riefen alle an, um in Großmutter Tonias Tonfall zu fragen: »Hast du's gesehen? Hast du *Taxi Driver* gesehen?« Denn Großmutter hatte schon lange vor Robert De Niro *»you talkin' to me?«* gesagt, wenn auch auf Hebräisch mit russischem Akzent. Und anders als der Taxifahrer, der den Satz im stillen Kämmerlein, vor dem Spiegel und mit gezückter Pistole übte, sagte sie ihn mitten im Dorf, ihren Gegnern direkt ins Gesicht, und mit leeren Händen. »Redst du mit mir?«, fauchte sie mit eisiger Verachtung, machte auf dem Absatz kehrt und ging stolz davon, den Kopf so hoch erhoben, wie ihr kleiner Wuchs und die kurzen Beine es erlaubten.

Nach der Schule und dem Mittagessen ging ich zu Jair, der mir von allen Onkeln von jeher am nächsten steht. Jair ist acht Jahre älter als ich, und wir betrachteten uns mehr als Brüder denn als Onkel und Neffe. Er wurde als Nachzügler zu einer Zeit geboren, als die Beziehung zwischen seinen Eltern schon ziemlich zerrüttet war. Seine älteren Geschwister waren bereits verheiratet und aus dem Haus, und so fehlte ihm die Unterstützung, die sie einander als Kinder geboten hatten. Aber er hatte und hat heute noch einen Rettungsring in Gestalt eines gesunden Sinns für Humor, und wir unterhielten und behandelten uns wie ein großer und ein kleiner Bruder.

Einmal suchte ein mysteriöser Räuber die Brüterei unserer Küken heim und begnügte sich nicht damit, seinen Hunger zu stillen, sondern tötete aus reiner Blutgier Dutzende Küken. Jair besaß damals ein 0.22er Luftgewehr, das unter dem Namen Two-Two lief, und war ein hervorragender Schütze. Er beschloss, dem Raubtier einen Hinterhalt zu stellen – unter Verdacht standen ein Mungo oder eine Wildkatze –, und lud mich ein, mitzumachen.

Bei Einbruch der Dunkelheit trafen wir uns vor der Brüterei und legten uns mucksmäuschenstill auf die Lauer. Jair untersagte mir, zu reden oder die geringste Bewegung zu machen, um ja nicht den Argwohn des Räubers zu erregen. Nach etwa einer Stunde schlief ich ein, und nach einer weiteren Stunde schreckte mich ein einzelner Gewehrschuss auf. Jair hatte den Mörder, im Stockdunkeln, direkt zwischen die Augen getroffen! Wir eilten hin. Es war eine große, gelbliche Katze, wohl eine verwilderte Hauskatze oder eine Kreuzung aus einer Wildkatze und einem Hauskater, die draußen auf den Feldern herumgestreunt war.

Am Morgen stellte Jair den Kadaver auf einer Kiste mitten im Hof aus – »damit alle Katzen, Mungos und Schakale sehen, dass mit uns nicht zu spaßen ist«, erklärte er mir. Die Katze lag dort ein oder zwei Tage, dann warf man sie an einen Feldrain, den Vögeln des Himmels und den Tieren der Erde zum Fraß, und fortan wurden in unserer Brüterei keine Küken mehr gerissen.

Seinen Mittagsschlaf hielt Jair in einer Hängematte im Freien, eine Gewohnheit, die seine Mutter sehr freute. Diese Hängematte, die zwischen zwei Zitrusbäumen hing, war ein großes, altes Eisenbett mit einer verschlissenen Matratze, an dessen Ecken er Ketten angelötet hatte. Auf diesem Bett schaukelten und dösten wir nach dem Essen. Der Bauch war voll und der Körper matt, die Erde strahlte Wärme ab, und das Rund von Nahalal glühte wie eine riesige Bratpfanne.

Um diese Zeit herrschte Friedhofsruhe im Dorf. Hunde hechelten im Schatten. Hühner kippten in den Ställen um. Unerfahrene Jungvögel, die ausgerechnet jetzt fliegen wollten, fielen vom Himmel und zerschellten auf dem staubigen Boden. Menschen schliefen tief, sammelten Kraft für die Aufgaben des Nachmittags: Bewässerungsleitungen verlegen, Grünfutter vom Feld einbringen, das abendliche Melken. Sogar Großmutter Tonia unterbrach das Putzen für geschlagene zwei Stunden.

Wir lümmelten dort, in meinen Augen wie Huckleberry Finn und Tom Sawyer, und sobald Großmutter Tonias leise, trillernde Schnarcher zu hören waren, stand Jair auf und stahl sich in die Küche. Er schüttete Sahne, Kakao und Zucker fix in eine große Tasse und sah zu, dass er wegkam, ehe seine Mutter aufwachte, ihn erwischte und Stücke von ihm abriss. Wieder auf der Hängematte, schlug er die Mischung blitzschnell mit der Gabel, bis eine glatte, feste Creme entstand, die wir dann Löffel um Löffel aßen.

Ich war jung und bin alt geworden und habe nicht noch einmal solch eine Süßigkeit in den Mund bekommen. Abgesehen von der Geschmeidigkeit der Sahne, der Sinnlichkeit des Kakaos und der Süße des Zuckers und der Sünde,

Großmutter Tonia, Onkel Jair, Großvater Aaron.

die sich zu einer köstlichen Konsistenz vermischten, hatte die Sache auch einen Geschmack von Freiheit und Rebellion. Wie die Priester, die zu biblischen Zeiten den Fleischmarkt für die Gläubigen im Tempel kontrollierten, so herrschte die Generation der Dorfgründer über alles Süße, das in Schubladen weggeschlossen oder auf obersten Regalen versteckt wurde. Sie untersagten sogar den Verkauf von Süßigkeiten im Dorfladen. Nicht nur wegen der Lebensmittelknappheit und nicht nur aus Sparsamkeit, sondern auch aus ideologischen Gründen – um die Seele der Jugend nicht zu verderben, sie nicht von der Arbeit und von der Vision abzulenken oder gar süchtig zu machen. Einmal kam es sogar vor, dass ein Genosse einen fliegenden Eishändler aus dem Dorf jagte, ihm zu allem Übel noch Petroleum in den Eiskasten goss, damit er es ja nicht wagte, noch einmal mit seinem Dreckzeug bei uns aufzukreuzen.

Großmutter Tonia hielt nichts von derlei Prinzipien. Was

Ideologie anbelangte, glich sie überhaupt mehr ihrem Bruder Jizchak als ihrem Bruder Mosche. Sie dachte stets praktisch und nicht ideologisch, ihr ging es um die Familie, nicht um die Bewegung. Großvater Aaron hingegen erteilte seinen Enkeln gern bei jeder Gelegenheit moralische Lehren, tat dies aber zum Glück häufig anhand einer Geschichte. Wenn wir ihn um etwas Süßes baten, erzählte er, in seiner Jugend in Makarow hätten sie nicht einmal Zucker gehabt, von richtigen Süßigkeiten ganz zu schweigen. Vermutlich wollte er uns Scham und Reue über unsere sträfliche Genusssucht einimpfen. Aber zu seinen Gunsten sei gesagt, dass er dabei selbstironisch war, und anders als allerlei professionelle Lamentierer, die gern von dem Reichtum und Status schwärmen, den sie und ihre Vorfahren angeblich in der Diaspora besessen und aufgegeben hatten, um ins Land Israel zu übersiedeln, erzählte er nun gerade von Not und Armut.

»Wir waren so arm«, erklärte er, »dass wir unseren Tee allesamt mit einem einzigen Würfel Zucker süßen mussten.«

»Habt ihr ihn zerbrochen und aufgeteilt?«, fragte ich.

»Nein«, antwortete Großvater Aaron, »wir haben ihn an einem Faden von der Decke gehängt und beim Teetrinken angeschaut.«

Unsere begehrteste und liederlichste Süßspeise war das Eis aus Tel Chanan, in der Nähe von Nescher. Onkel Micha hatte damals schon Tante Zippora geheiratet und wohnte mit ihr in Kirjat Chaim. Auf jeder Fahrt zu ihnen machten wir bei ›Eiskrem Tel Chanan‹ halt, begierig wie ein Talmudstudent, der in einer fremden Stadt auf eine käufliche Frau aus ist. Onkel Menachem hatte damals ein Auto, einen Triumph Standard, ein armseliges, kleines Fahrzeug, das Platz für vier Zwerge bot. Aber er zwängte sich selbst, seine Frau Pnina, den ältesten Sohn Sohar – der im Alter meiner Schwester war und Jahre später im Jom-Kippur-Krieg fiel –, die Tochter Gila – damals ein Baby –, meine Mutter, meine Schwester, mich und Onkel Jair hinein, und manchmal kamen auch noch Großmutter Tonia und Großvater Aaron mit. Sein Stapelsystem war simpel. Zuerst stiegen die Erwachsenen ein und rückten so eng zusammen wie möglich, dann rutschten ihnen die Kinder auf den Schoß, gewissermaßen als ein zweites Stockwerk.

Am Dorfausgang standen immer Leute, die auf eine Mitfahrgelegenheit warteten, und Menachem hielt bei ihnen an und rief: »Kommt rein, Genossen, steigt ein, es ist jede Menge Platz bei uns im Auto…« Mit der linken Hand hielt er das Lenkrad, mit der rechten die Zigarette und den Schaltknüppel, und auch meine Mutter, die damals noch keinen Führerschein hatte, beteiligte sich aktiv am Fahren. Sie streckte den rechten Arm durchs Fenster nach oben, um einen kleinen Benzinkanister auf dem Wagendach abzustützen, von dem ein dünner Schlauch direkt zum Vergaser führte. Da die Benzinpumpe des Standard nicht immer funktionierte, mussten wir die Schwerkraft zu Hilfe nehmen. So fuhren wir, und kein Mensch klagte über Platzmangel, denn wir alle wollten Onkel Micha und Tante Zippora besuchen und unterwegs in Tel Chanan Eiskrem essen. Alle außer Großvater Aaron, für den dieses Eis bloß ein weiterer entsetzlicher Luxus war.

Zwei Jahre und zwei Monate wohnten wir in Nahalal. Die vierte und fünfte Klasse, die ich dort absolvierte, war die schönste Zeit meiner Kindheit und Jugend, und die Grundschule von Nahalal die beste Schule, die ich je besucht habe. Dort unterrichteten hervorragende, aufgeschlossene Lehrer, die die Stunden oft im Freien abhielten: im Wadi, in Tel Schimron beim Friedhof, im Wäldchen und auf den Feldern. Aber vor allem genoss ich die Nähe zu der großen und stürmischen Familie meiner Mutter mit all ihren Farben, Geschichten, Erinnerungen, Ausdrücken, Nöten, Beleidigungen, Freuden, Abrechnungen und Gefühlen. Als wir nach Jerusalem, in die grauen Siedlungsblocks zurückkehrten, zu den Irren, Blinden und Waisen der Stadt, kam mir dort alles düster und krank und armselig vor nach den grüngoldenen Tagen im Dorf – in Sonne und Natur, mit bloßem Körper an der frischen Luft, mit nackten Füßen auf warmer Erde. Kind und Hund tollten unbefangen und fanden viele Türen, hinter denen Geheimnisse und Geschichten hausten.

20

Onkel Jizchak öffnete den Karton und hob etwas Großes und Schweres heraus, das in einem dicken, weichen Sack steckte. Das Funkeln wurde immer stärker, brach förmlich durch das Gewebe. Die Zuschauer traten raunend näher, machten sich bereit für das Licht, das gleich hervorquellen würde, wenn Onkel Jizchak den Stoff wegzog und das Ding enthüllte.

Onkel Jizchak schritt auch unverzüglich zur Tat. Er zog und legte bloß und enthüllte, und Großmutter Tonias Sweeper präsentierte sich den Blicken des Dorfes. Münder klafften. Augen starrten. Nicht alle erfassten, was sie da sahen. Manche dachten, es handle sich um ein neuartiges Spritzgerät oder eine besonders ausgeklügelte Melkmaschine, wie sie nur Amerikaner erfinden konnten, eine Art Melkautomat, der auf der Weide hinter den Kühen herfährt. Aber die meisten Zuschauer begriffen sofort, dass sie einen weiteren kapitalistischen Luxusgegenstand vor sich hatten, und zwar einen der schlimmsten Sorte, dessen einziger Zweck Müßiggang und Verwöhnung war. Das gleißende Chromglitzern, die Rundungen des Gehäuses, die großen Räder, die auf Scheu vor Arbeit und Anstrengung schließen ließen – all das vertrug sich nicht mit den Prinzipien des Moschaws und seinen Werten, und die Genossen bissen die Zähne zusammen und unterdrückten eisern jedes aufkeimende Verlangen.

Aber die Herzen pochten dennoch. Auch diese ganz und gar auf Prinzipien gegründete Gesellschaft konnte nicht verleugnen, was jeder insgeheim spürte: dass sich die Wahrheit nicht verbergen lässt. Dass vor lauter Erde und Arbeit und Milch und Vision ihrem Leben der Glanz, die Annehmlichkeit, der Genuss abhandengekommen waren. Dass diese Hände, die pflügten und mähten und bauten und melkten, zuweilen auch das Verlangen verspürten, müßig zu sein, zu genießen, eine schlanke Taille zu umschließen. Dass die Fingernägel sich schmerzlich danach sehnten, lackiert und gepflegt zu werden. Dass die Augen, die den ganzen Tag nach Feinden und Schädlingen Ausschau hielten, nach Bestätigung dafür, dass der eingeschlagene Weg der richtige war, die den Himmel nach dem kleinsten Regenwölkchen absuchten, dass diese Augen jetzt brannten und sich lustvoll und genüsslich schließen wollten, wie die Augen meiner Mutter Jahre später, als sie sich endlich ein allwöchentliches Laster gönnte – ein Gläschen Drambuie am späten Freitagnachmittag, nach dem Kochen und vor dem Essen –, und manchmal am Schabbatmorgen ihre Lieblingsdelikatesse – echte Anchovis.

Ausgerechnet sie, Spross einer Dynastie von Salzheringessern und eine Meisterin in der Salzheringzubereitung, mochte am liebsten Anchovis. In unserer Kindheit kaufte sie nie Anchovis, weil sie für uns zu teuer waren, stattdessen besorgte sie sich im Kramladen der Siedlung einen Anchovis-Ersatz in einer gelben Blechtube mit rotem Verschluss. Sie bestrich eine dünne Brotscheibe dünn mit dieser Sardellenpaste, belegte sie mit hauchdünnen, fast durchscheinenden Tomatenscheiben und verkündete, bevor sie hineinbiss, mit gespielter Feierlichkeit und näselnder Stimme: *»Anchois«*, als wollte sie sagen: Wir Muschiks, die *Seljodka* essen, wir Bauernsprösslinge aus Nahalal kosten jetzt echte Anchovis am Hof des Königs von Frankreich. Passt bitte auf, Kinder, dass ihr euch die seidenen Hosen und die Spitzenkragen nicht schmutzig macht.

Jetzt, da sie sich endlich echte Anchovis leisten konnte, aß sie sie auf Weißbrot, trank türkischen Kaffee dazu und genoss das Ganze, in ihren eigenen Worten, »wie dreißig Schweine«. Aber meinem Gaumen schmeckten echte Anchovis nie so gut wie jener Ersatz, denn sie nannte meine Mutter nicht *Anchois.*

Die Dorfbewohner starrten den Staubsauger an, und der Staubsauger betrachtete sie. Er sah werktätige Menschen, Arbeitskleidung und starke Hände. Ihr Äußeres zeugte von einem kargen Leben, von einfacher Nahrung und einem klaren Weg. Solche Bauern, wusste er, gab es auch in seinem Geburtsland, in den Vereinigten Staaten, aber dort führten sie dieses Leben notgedrungen, während es hier, wie er gleich erkannte, frei gewählt war, auf ein klares Ziel gerichtet. Dort gingen sie mit gebeugtem Rücken und erloschenen Augen ihrem Tagewerk nach, hier begegnete er aufrechten hebräischen Bauern voller Stolz und Selbstbewusstsein.

Im ersten Moment wollte der Staubsauger am liebsten den Rückzug antreten, sich wieder in den angenehm weichen Stoff hüllen, in den Karton steigen und die hübsche Amerikanerin über sich zuklappen, für die – ob sie nun auf den Füßen stand oder auf dem Kopf wie eine Frühlingszwiebel – und ihresgleichen er bestimmt war. Doch dann erblickte er Großmutter Tonia: keine schmale Taille und keine geschminkten Lippen und keine manikürten Hände und kein verlockend rotes Lächeln. Aber sie stand nicht wie eine Salzsäule vor ihm, sondern löste sich aus dem Kreis ihrer Familie und schritt auf ihn zu. Der Staubsauger hatte seine Herrin und Verbündete gefunden – gemeinsam würden sie Schmutz und Staub bekämpfen.

Sie berührte ihn und spürte, trotz des kühlen Metalls, eine angenehme Wärme. Sofort wischte sie ihren Fingerabdruck mit dem Tuch über ihrer Schulter ab und lächelte zufrieden. Dann ergriff sie den dicken, schlangenhaften Schlauch, biegsam und hart zugleich, mit glitzerndem Metallende, und kaum hatte sie ihn in die Luft gehoben, rollte ihr der Sweeper auf seinen großen, leisen Rädern mühelos entgegen.

So prompt und ergeben war diese Bewegung, dass ein ängstliches und staunendes Raunen durch die Menge ging. Auch Großmutter Tonia wich leicht erschrocken zurück, behielt jedoch den Schlauch in der Hand, und so fuhr der Staubsauger ihr nach. Sie wandte sich lächelnd nach rechts und er, wie ein Balletttänzer, ebenfalls, und als sie sich nach links drehte, folgte er ihr wiederum höchst anmutig.

Dieses Bild hatte etwas Hübsches und Freundliches, aber auch etwas Abstoßendes und Erschreckendes. Wieder ging ein Raunen durchs Publikum, und Großmutter Tonia rief: »Die Vorstellung ist zu Ende, Genossen. Es steht viel Arbeit an!« Und schon machte sie kehrt und ging ins Haus, und der Sweeper folgte ihr wie ein großes Haustier, das eben erst seinem Besitzer die Treue geschworen hat, oder – wozu

Metaphern anhäufen, wo die Wirklichkeit so eindeutig ist – wie ein Staubsauger, der begriffen hat, dass das seine Herrin und dies sein Haus ist, in dem er künftig arbeiten und saubermachen wird.

Jetzt erst, in den eigenen vier Wänden, ließ sich Großmutter auf einen Stuhl niedersinken und atmete tief durch. Großvater Aaron schwieg. Seine Miene war finster, und seine Hände bebten. Er blickte auf das riesige Gerät und erfasste die Rache seines älteren Bruders in ihrer vollen Tragweite. Und ich erlaube mir die Vermutung, dass er im Sturm der Prinzipien und Gefühle, der in seinem Herzen tobte, auch die Summe überschlug, die auf seiner nächsten Stromrechnung erscheinen würde.

Onkel Jizchak hingegen begann den ersten Einsatz des Staubsaugers vorzubereiten. Zunächst vergewisserte er sich, dass Onkel Jeschajahu ein Modell erworben hatte, das mit dem Stromnetz der britischen Mandatsverwaltung kompatibel war. Danach suchte und fand er in dem Karton eine kleine Schachtel, auf der die gleiche Frau im gleichen Tupfenkleid, mit angemalten Lippen und Fingernägeln abgebildet war, aber viel kleiner als ihre Zwillingsschwester, und auch darin befand sich ein Stoffsäckchen, und in dem Säckchen lagen allerlei Stecker und Adapter – ein Beweis für die amerikanische Gründlichkeit im Allgemeinen und für die des doppelten Verräters im Besonderen, der befürchtet hatte, die Steckdosen Palästinas könnten zu dem amerikanischen Stecker nicht passen, und auf keinen Fall wollte, dass sein ausgeklügelter Plan an Kleinigkeiten scheiterte.

Alles war bereit: das Haus, das in Nahalal in der Jesreelebene erbaut worden war, und der Strom, der aus Naharaim in der Jordansenke kam, und die Hausherrin, die aus Rokitno in der Ukraine stammte, und der Staubsauger, den man aus Los Angeles in den Vereinigten Staaten geschickt hatte, und der Staub des Emeks, der von jeher da war und, wie der Staub von Haifa, in all seinen Myriaden winziger, schwebender Herzen Furcht empfand.

Jizchak wollte den Staubsauger auseinandernehmen, anschauen, verstehen, wie das alles funktionierte, ihn wieder zusammensetzen, seiner Schwester erklären, was es zu erklären gab, und ihn zum ersten Mal anschalten. Aber sie widersprach. »Das ist mein Sweeper. Er ist einsatzbereit, und ich weiß, wie man ihn anschaltet«, sagte sie. »Es ist ganz einfach. In Amerika ist alles einfach. Nur bei uns ist alles ungeheuer kompliziert.«

Sie steckte den Stecker des Staubsaugers in eine Steckdose ihres Hauses und drückte – wie selbstverständlich – mit dem Fuß den großen Schalter auf seinem Rücken. Der Staubsauger gehorchte, antwortete ihr mit einem leisen, selbstsicheren Brummen. Großmutter Tonia packte den Schlauch, und die beiden brachen zur Arbeit auf. Als Großvater Aaron sah, wie sie ihren neuen Zornes- und Zauberstab über ihre alten Feinde schwang, wie seine Frau und der Sweeper, den ihr sein Bruder geschickt hatte, durch die Zimmer wanderten und den Schmutz beseitigten, erklärte er, er habe Kopfweh und entfleuchte, kam jedoch diesmal nur bis zum Obstgarten.

»Ist sie ihm ›nachgejogt‹ und hat ihn ›geschnoppt‹?«

Meine Mutter sah mich zufrieden an. Das Kind lernte die

Geschichte der Familie und ihre Sprache. »Wieso ›nachgejogt‹? Sie hat den Schlauch auf ihn gerichtet, und der Sweeper hat ihn zurückgesaugt.«

»Stimmt nicht. So war es nicht.«

»Gut, er hat ihn nicht ganz eingesaugt, aber ihn zum Stehen gebracht und zurückgeholt, und so hat sie ihn wieder ins Haus gekriegt und in die Küche gesetzt.«

»Setz dich hierhin, Aaron«, sagte sie, und Großvater setzte sich und wusste, dass er geschlagen war.

»Und was ist dann passiert?«

»Keine Ahnung. Als ich schlafen ging, saßen sie immer noch wortlos da.«

In jener Nacht schliefen sie beide nicht. Sie lagen nebeneinander, starrten mit offenen Augen in die Finsternis. Er vor lauter Frust und Wut. Sie vor lauter Freude. Er: Der doppelte Verräter hat gesiegt. Sie: Das Haus wird so blitzsauber wie noch nie.

Am Morgen schaltete Großmutter wieder den Sweeper an, und diesmal saugte sie den Fußboden mit der flachen Düse. Als sie fertig war, prüfte sie das Ergebnis: Sie wischte den Boden mit einem Putzlappen auf, wrang ihn über einem Eimer aus, tauchte die Hände ins Wasser, hob sie hoch und betrachtete die Tropfen sorgfältig gegen das Licht. Sie waren klar wie Quellwasser, völlig rein. Meine Großmutter war glücklich. Aber später, als sie ihren neuen Sweeper mit einem Lappen polierte, beunruhigte sie auf einmal etwas. Etwas Undeutliches, ein kleines Problem, das sich nicht ausblenden ließ. Etwas trübte, um ein Bild aus ihrer Welt zu verwenden, die Reinheit ihrer Freude.

Neben dem Glück – oder genauer, neben dem Glück und

unter ihren Rippen – pochten Warnsignale. Ein Gefühl, das viele kennen, aber nicht immer präzise zu deuten wissen, es tritt auf, wenn der Körper eine Sache noch vor dem Hirn begreift. Die Leistung des Sweepers war zu perfekt. Die absolute und mühelose Sauberkeit, die er hinterließ, erregten ihren Verdacht. Irgendetwas an diesem neuen und fremden Gerät bereitete ihr Sorgen.

21

Die menschliche Erinnerung erwacht und erlischt, wie sie will. Sie verdunkelt oder beleuchtet Ereignisse, vergrößert oder verkleinert die handelnden Personen, erniedrigt und erhöht nach Belieben. Wenn man sie ruft, entschlüpft sie, und kehrt sie wieder, dann wo und wann es ihr passt. Sie hat keinen König, keinen Polizisten, keinen Katalog und keinen Gouverneur. Geschichten vermengen sich, Tatsachen treiben neue Sprossen. Situationen, Wörter und Gerüche – oh, die Gerüche – landen in heilloser grandioser Unordnung in den Speichern der Erinnerung. Nicht in chronologischer Reihenfolge, nicht nach Größe oder Wichtigkeit oder auch nur alphabetisch geordnet.

Als ich anfing, dieses Buch zu schreiben, durchstöberte ich mein Gedächtnis und das einiger Familienmitglieder. Ich wollte genau wissen, wie Großmutter Tonias Sweeper aussah und einschlägige technische und faktische Details in Erfahrung bringen, aber es gelang mir nicht. Meine Mutter war schon tot, und ich wusste auch zu ihren Lebzeiten, dass die Geschichten, die sie erzählte, nicht in allen Einzelheiten verlässlich waren. Sie erfand gern und gekonnt dazu und betrachtete Tatsachen lediglich als ein kleines und langweiliges Hindernis, das man überspringen oder als Sprungbrett benutzen konnte. Und was mich angeht – ich habe diesen

Sweeper zwar mit eigenen Augen gesehen, aber nur ein einziges Mal und unter sehr speziellen Umständen, über die ich jetzt nur so viel sagen möchte: unter Umständen, die die Wahrnehmung wie das Gedächtnis zu beeinflussen geeignet sind.

Die übrigen Familienmitglieder erzählten, wie bei uns üblich, ihre eigenen Versionen, hinter denen zuweilen ein handfestes Interesse, zuweilen auch nur das Bedürfnis stand, sich von den anderen abzuheben. Deshalb suchte ich in objektiven Quellen nach Großmutter Tonias Sweeper. Ich habe kein Modell gefunden, auf das ich mit Sicherheit verweisen könnte, dafür aber ein paar interessante Tatsachen.

Der erste Staubsauger kam 1869 auf die Welt, Jahrzehnte bevor einer seiner Nachfahren zu meiner Großmutter gelangte. Es war ein Handgerät, nicht besonders effektiv, das sich auf dem Markt nicht durchsetzte. Später, zu Beginn des 20. Jahrhunderts, wurde in England ein riesiger und lauter mechanischer Staubsauger erfunden, der auf einem Pferdewagen von Haus zu Haus gekarrt und von einem Verbrennungsmotor angetrieben wurde. Man parkte ihn vor dem Haus des Kunden, eine Reinigungsmannschaft verlegte lange Schläuche in die Zimmer und setzte ihn in Betrieb.

Auch das Königshaus bestellte ihn gelegentlich, aber nicht eigentlich zum Saubermachen – im Buckingham-Palast hatte man mehr als genug Personal und Lappen für diesen Zweck –, sondern als eine Art Spektakel für Gäste. Während diese durch die Salons und den Park streiften, Gurkensandwiches verspeisten und Champagner oder Pimm's nippten, erschien dieses monströse Geschöpf auf dem Hof, streckte seine Schläuche in den Palast und begann zu saugen. Mir ist nicht bekannt, ob es gut putzte, aber zweifellos lieferte es fesselnden Gesprächsstoff für den gelangweilten Adel.

Den ersten elektrischen Staubsauger erfand 1907 ein Reinigungsarbeiter aus Ohio namens James Spangler, dessen chronisches Asthma sich beim Fegen noch verschlimmerte. Spangler montierte einen Besenstiel, einen elektrischen Ventilator und einen Kissenbezug zusammen, die mit vereinten Kräften das bisschen Staub aufsaugten, das sie von den Teppichen aufwirbelten. Er bot den Apparat zum Verkauf an, und eine seiner ersten Kundinnen war eine Verwandte von ihm. Sie hieß Mrs. Hoover und war verheiratet mit Mr. Hoover, einem Sattler und Lederwarenproduzenten, der kommerzielles Interesse an Spanglers Gerät zeigte. Er kaufte ihm das Patent ab, bot ihm eine Geschäftspartnerschaft an, verbesserte den Staubsauger und entwickelte eine revolutionäre Verkaufsmethode: zehn Gratis-Probetage im eigenen Heim. Sein Erfolg war so durchschlagend, dass innerhalb weniger Jahre Staubsauger in aller Welt als Hoover bezeichnet wurden – überall, außer an einem Ort: in unserer Familie. Bis auf den heutigen Tag nennen wir jeden Staubsauger fälschlicherweise »Sweeper«, mit russischem Akzent natürlich.

Doch nicht nur der Staubsauger ist interessant, sondern auch der Staub, den er bekämpft und der seinem Dasein Grund und Bedeutung verleiht. Ich habe herausgefunden, dass der Großteil des Hausstaubs – fünfundsiebzig Prozent – aus abgestorbenen Hautzellen und ausgefallenen Haaren der Hausbewohner und ihrer Haustiere besteht! Menschen sollten also tatsächlich lieber draußen bleiben, auf der Veranda sitzen und sich dort häuten, nicht bei Großmutter im Haus, auf dem geputzten Boden.

Allerdings ist zu bedenken, dass dieser Befund für amerikanischen Staub gilt, für Häuser, deren Fenster geschlossen bleiben, während mit Filtern ausgerüstete Klimaanlagen ihnen saubere Luft zuführen und die Hausfrau Maniküre macht. Aber in Großmutter Tonias Haus – einem einstöckigen Bauernhaus im Nahen Osten mit Holzläden und Fliegengittern, inmitten von Hof und Feldern – drang noch ganz anderer Staub, nämlich winzige Partikel echter Erde, ein Umstand, von dem Mr. Hoover nichts ahnen konnte.

Schon viel ist über das schwierige Verhältnis des hebräischen Pioniers zu seinem Heimatboden geschrieben worden, aber bei Großmutter Tonia lagen die Dinge noch komplizierter. Sie wusste, was der Zionismus gern übersah: dass die Erde des Landes Israel nicht nur Erbbesitz unserer Vorväter und jungfräuliche Scholle ist, nicht nur ein fester Grund für die Füße wandernder und verfolgter Juden. Unter bestimmten – und keineswegs seltenen – Umständen ist sie nichts als Dreck.

Die Erde der Jesreelebene ist schwer und fett, und sie kennt zwei Aggregatzustände: im Sommer Staub und im Winter Morast. Das heißt, so oder so ist sie Schmutz. In der Frühzeit des Dorfes waren die Straßen nicht asphaltiert, auch die Höfe noch nicht mit Basalt gekiest und erst recht nicht betoniert. Der winterliche Morast war tief und schwer, so schwer, dass Beine bis zu den Knien und Räder bis zur Nabe einsanken, Stiefel darin verlorengingen und Kleinkinder auf »Schlammschlitten« gezogen wurden, die man aus Brettern und Blechbeschlägen zimmerte. Der Schlamm setzte sich hartnäckig an allem fest und reiste so von Ort zu Ort – bis hinein ins Haus. Noch Jahre später, in meinen Kindheitstagen in Nahalal, nahmen wir im Schulranzen ein Paar Hausschuhe mit, die wir am Eingang der Schule gegen die Stiefel tauschten. Und noch heute, im Zeitalter von Asphalt und Beton, findet man vor jedem Haus in jedem Dorf des Emeks die Waffen für den Kampf gegen den Schlamm: Fußmatten, Stiefelknechte, Sohlenabstreifer.

Im Sommer verdorrte die Erde, und sobald die Wege von Pferdehufen und Arbeitsschuhen und Wagenrädern zermahlen und die Felder von Pflugscharen und Eggenzinken aufgerissen waren, verwandelte sie sich in Staub – in eine listige und entschlossene Infiltrantentruppe von Staubkörnchen, flankiert von Blütenstaub, Futterpartikeln aus Kuh- und Hühnerställen, Spreu, Kükenflaum, Rinderhaaren, winzigen Kügelchen Kuhmist und dem Dung der »Dreckstauben«, und dieses ganze große Heer ritt auf Windes Schwingen und suchte eine Bresche, um einzudringen und alles schmutzig zu machen.

Als mehr schnelle und schwere Fahrzeuge, wie Traktoren und Autos, angeschafft wurden, gab es noch mehr Staub. Großmutter Tonia begann, sich mit den Fahrern anzulegen und stellte sogar einen Sprinkler an der Straße vor unserem Haus auf, denn von den beiden Übeln bevorzugte sie den Schlamm. Der Schlamm ist klebriger und schwerer und augenfälliger, der Staub dagegen ist listiger und verstohlener, und er hat auch etwas Leichtes und Anmutiges an sich.

Ich weiß noch, dass ich als Kind gern den goldenen Reigen der Staubkörnchen in den Strahlen der Morgensonne betrachtete. Unser Kinderzimmer in Jerusalem ging nach Norden, da konnte man diesen Tanz nicht beobachten. Aber das Kinderzimmer der Wohnung in Nahalal ging nach Osten, und die Fenster des Zimmers, in dem ich während meiner Besuche bei Großmutter Tonia schlief, blickten nach Norden und Osten, und so konnte ich sie sehen, goldschimmernd in den ersten Sonnenstrahlen, die durch die Ladenritzen drangen.

Dieses Schauspiel gehörte zu den faszinierendsten Bildern meiner Kindheit, es war eine höchst angenehme Weise, den Tag zu beginnen. Wie gesagt, musste ich bei Großmutter noch vor Sonnenaufgang aufstehen, aber am Schabbat ließ sie mich länger schlafen. Und einmal, als ich noch im Bett lag und den goldenen Tanz der Staubkörnchen beobachtete, kam sie in mein Zimmer, und statt mir die mittlere Matratze unterm Hintern wegzuziehen, lud sie mich ein, mit ihr Tee zu trinken, und nicht etwa auf der Veranda, sondern tatsächlich in der Küche. Aber ich war in mich selbst versunken. »Gleich«, sagte ich, »wenn sie aufhören zu tanzen.«

»Tanzen? Wer soll aufhören zu tanzen?«, fragte meine Großmutter misstrauisch. Sie war immer auf der Hut – dass man ihr Dreck hereintrug, dass man ihr entfleuchte, dass man ihr eine Frau oder einen Mann heiratete, die schon Kinder aus einer früheren Ehe hatten, dass man ihr Flecken machte, Spuren hinterließ, die Wände kratzratzte. Und jetzt tanzte man ihr plötzlich? Dieser Tanz – um wen und um was es auch immer gehen mochte – schien ihr nichts Gutes zu verheißen.

Jung und naiv, wie ich war, ahnte ich nicht, was passieren

würde. »Schau, Großmutter«, sagte ich und deutete in die Luft.

Sie schaute und erschrak: »Ich hab hier doch gestern erst saubergemacht, und schon ist das Haus wieder voller Staub.«

Das gemeinsame Teetrinken war abgeblasen, verflogen die Hoffnung auf eine Geschichte zum Teegebäck: »Ah, nu, steh auf, genug im Bett herumgestänkert, ich muss saubermachen, auch wenn heute Schabbat ist.«

22

In den folgenden Tagen trat ein weiteres Problem auf: Als der Staubsauger im Dorf eintraf, war ein nachmittäglicher Wind durchs Emek geweht, und als Onkel Jizchak Großmutter Tonia die Lappen aus Amerika übergab, waren die amerikanischen Zeitungen, die die Kiste mit ausgepolstert hatten, fortgeflattert und verschwunden. Kein Mensch hatte darauf geachtet, aber ein paar Tage später hingen ein paar Seiten in den Ästen von Großvater Aarons speziellem Zitrusbaum, der mittlerweile schon Mais, Artischocken und Bohnen trug.

Großvater Aaron zog sie hastig aus den Zweigen und warf geistesabwesend einen Blick darauf. Er konnte kein Englisch, aber er brauchte bloß die Bilder und Anzeigen anzusehen, um die Größe der Gefahr zu erkennen. Er wandte sich an den Dorfrat, und sofort wurde ein Suchtrupp gebildet, der klare Anweisungen erhielt: Er musste diese Zeitungsblätter samt und sonders auffinden, einsammeln und vernichten, bevor sie den Schaden anrichteten, zu dem sie imstande waren.

Das war keine leichte Aufgabe. Der Wind hatte die Blätter in alle Himmelsrichtungen verweht. Einige lagen in den Straßengräben oder in den Regenrinnen der Hühnerhäuser, andere hatten sich in den schwankenden Wipfeln der Washington-Palmen, selbst der allerhöchsten unter ihnen, verfangen. Wieder andere wurden, säuberlich zusammengefaltet, in den Zeitschriftenbänden von *Die Epoche* und *Das Feld* entdeckt oder versteckt in Strohbündeln in den Scheunen. Die Gefahr war rechtzeitig erkannt und gebannt worden. Die Menschen, und speziell die jüngere Generation, kehrten zu ihren guten Lesegewohnheiten zurück: zu den Büchern in der Bibliothek und ihren Häusern, der Tageszeitung *Davar* und dem Dorfblatt.

Großmutter Tonia hatte von dem ganzen Trubel gar nichts mitbekommen. Erstens, weil derlei sie weder interessierte noch kümmerte, und zweitens, weil sie mit ihrem neuen Spielzeug beschäftigt war. Tatsächlich erfüllte das Geschenk des doppelten Verräters seinen Zweck: Es rächte und reinigte. Großvater Aaron ärgerte sich über die neue amerikanische Präsenz in seinem Haus, wusste aber keinen Rat. Großmutter Tonia freute sich, und es war klar, dass sie auf den Sweeper nicht verzichten würde. Und auch der Sweeper hatte das Gefühl, dort angelangt zu sein, wo jeder Sweeper gern wäre: im Heim einer zufriedenen Kundin. Die Arbeit war zwar schwer und der örtliche Staub gröber und härter als der feine, gefilterte Staub Amerikas, aber er wurde damit fertig. Und was die Hausherrin anbelangte, so war sie zwar penibel, wusste seine Fähigkeiten und Leistungen aber zu würdigen.

Doch wie bereits angedeutet, braute sich unter der Oberfläche schon die Katastrophe zusammen, und das Schicksal begann zu lächeln, wie es immer lächelt, wenn es die Pläne der Menschen durchkreuzt, ehe es dann in sein sprichwörtliches Gelächter ausbricht. Wie immer gab es auch diesmal

Warnzeichen, und wie immer waren die Menschen nicht in der Lage, sie zu erkennen, oder zumindest nicht gleich. Großmutter Tonia, mit ihrem scharfen Verstand und ihrem misstrauischen Wesen, witterte sie zwar, war aber dem Zauber des Staubsaugers erlegen.

Erst ein paar Nächte später begriff sie, was in ihrem Haus vor sich ging, direkt vor ihrer Nase. Auch in jener Nacht konnte sie, bei aller Müdigkeit, nicht einschlafen. Sie erhob sich von ihrem Lager, wanderte im Haus umher, und schließlich ging sie zu dem Sweeper, hob die Decke, die sie über ihn gebreitet hatte – auch Staubsauger werden staubig, falls einer der Leser es nicht gewusst haben sollte –, betrachtete ihn, und er glitzerte im Dunkeln und lächelte ihr entgegen wie ein beflissener Diener. Mit ihrem Schultertuch strich sie über ihn, etwas zwischen Streicheln und Wischen, und ging wieder ins Bett, fand jedoch immer noch keinen Schlaf. Lange überlegte und grübelte sie, bis ihr Gefühl sich in Worte kleidete. Sie begriff, was ihr zusetzte – eine einfache Frage: Wo steckte der Staub, den ihr Staubsauger aufgesaugt hatte? Wo war der weggeputzte Dreck?

Beim herkömmlichen Putzen sah sie den Feind mehrere Phasen der Niederlage und des Rückzugs durchlaufen: Er wurde aufgewischt, fortgespült, zusammengekehrt, eingesammelt, auf die Kehrschaufel geladen, in den Mülleimer geworfen oder auf den Misthaufen der Kühe getragen. Putzte sie den Boden, trübte der Dreck das Wasser im Eimer. Wischte sie ein Möbelstück ab, klebte er deutlich sichtbar am Lappen. Doch kaum hatte der Sweeper das Zimmer abgefahren, war der Schmutz wie durch Zauberhand verschwunden und ward nicht mehr gesehen.

Ihre alten Freunde und Helfer – der Besen, der Lappen, die Bürste, der Eimer, die Kehrschaufel, der Mülleimer, der Misthaufen – taten alles offen, vor ihren Augen, in einem Geiste, den man heute als »Transparenz« bezeichnet. Doch hier schien Zauber am Werk zu sein – einmal wisch und einmal weg, vages Summen und leises Brummen, und schon war alles sauber und lächelte sie an.

Dieses Mysterium beunruhigte sie. Noch nie war sie einem so modernen, komplizierten und rätselhaften Gerät so nahe gekommen. Nicht dass sie die Moderne ignoriert oder gar gefürchtet hätte – Gott behüte. Wir sprechen von einer Frau, die als Kind Wasser aus einem ukrainischen Brunnen geschöpft hatte und nun im Land Israel ein Haus mit fließendem Wasser und Strom bewohnte. Aber im Stall saß man noch auf der *Taburetka,* dem Schemel, neben der Kuh und melkte von Hand, und die Dinge waren klar: Man spürte die Zitze zwischen den Fingern, sah den Milchstrahl spritzen, hörte den Pegel der weißen Flüssigkeit im Melkeimer steigen. Der Mais wurde mit der Sichel geschnitten, die Luzerne mit der Sense gemäht oder, wenn es hoch kam, mit einer pferdegezogenen Mähmaschine. Man sah die Halme zu Boden fallen, roch ihren Saft, der die Finger grün färbte, rechte sie zusammen und lud sie auf die Forke, spürte ihr Gewicht in den Armen. Kurzum – dieser amerikanische Sweeper vollführte ein fremdartiges und unerklärliches Zauberkunststück, das den Naturgesetzen und dem gesunden Menschenverstand zuwiderlief: Er ließ den Dreck verschwinden.

Großmutter Tonia hatte, wie gesagt, ein »Gymnasium« besucht und konnte seitenweise russische Lyrik zitieren, aber jetzt, mit dieser geheimnisvollen amerikanischen Errungenschaft konfrontiert, fühlte sie sich wie ein Kind auf einer Insel im Stillen Ozean, als das erste europäische Schiff mit mächtigen Masten, prächtigen Segeln und stolzem Bug vor ihren Gestaden aufkreuzte und einen Kanonenschuss abfeuerte. Ein fernes Krachen, eine kleine Rauchwolke. Kein Mensch verstand, was geschah, die Kanonenkugel wurde nicht mal gesichtet, doch eine Sekunde später stand das Küstendorf in Flammen.

Wohin war der Dreck verschwunden? Sie erwog und verwarf einige Möglichkeiten, die sie zum Teil dermaßen entsetzten, dass sie sie gar nicht erst in Worte fasste. Aber sie war eine sehr praktische Frau ohne mystische Anwandlungen, die mit ihrem gesunden Menschenverstand den Massenerhaltungssatz intuitiv erfasste, speziell bei einer Masse von Dreck. Deshalb brauchte sie nicht mehr als einige Stunden des Rätselns und Nachdenkens, und einige Schlüsse vom Allgemeinen auf das Besondere und vom Besonderen auf das Allgemeine, um zu einem klaren Ergebnis zu gelangen: Der Schmutz musste im Sweeper selbst sein! Eine andere Möglichkeit gab es nicht. Man musste ihn aufmachen und nachsehen.

Sie beäugte ihn von der Seite, damit er ihre Verdächtigungen und Pläne nicht durchschaute, denn falls ein solches Geschöpf merkte, dass es unter Verdacht stand, konnte es sich völlig unerwartet verhalten: den ganzen Unrat in seinen Eingeweiden mit einem Schlag ausspeien und blitzschnell in die Felder entfleuchen. Vielleicht wäre das sogar das Beste, denn der Staubsauger befand sich im Haus, und das Haus war ihr Haus, woraus folgte, dass auch der Dreck darin in ihrem Haus war. Dem Auge verborgen und doch bei ihr, in ihren eigenen vier Wänden. Und Dreck ist Dreck. Schmutz. Unrat. Wer weiß, was er jetzt ausheckte, während er dort lauerte, versteckt in dem neuen Sweeper und auf Böses sinnend.

So ging sie auf und ab, fand keine Ruhe, und ihre linke Wange lief wutrot an. Und da sie sich nicht traute, den Sweeper eigenhändig aufzumachen und auseinanderzunehmen – was würde sie darin finden? Wie sollte sie reagieren? Wie würde er reagieren? Könnte sie etwas kaputtmachen? Und wie sollte sie ihn wieder zusammensetzen? –, rief sie Jizchak aus Kfar Jehoschua herbei.

Ihr Bruder kam, hörte sich ihre Klage an und prustete vor Lachen.

»Natürlich im Sweeper«, sagte er, »wo denn sonst, Tonitschka? Er hat das ganze Haus saubergemacht, den Dreck eingesammelt, und jetzt muss man ihn aufmachen, alles herausholen und in den Mülleimer werfen.«

»Wenn Dreck in ihm steckt«, sagte Großmutter Tonia, »dann ist er dreckig.« Und sie wiederholte nachdrücklich: »Er ist dreckig!«, als erhebe sie Anklage oder überbringe sich selbst eine Hiobsbotschaft.

»Das macht doch nichts, Tonitschka«, beschwichtigte Jizchak sie. »Ab und zu muss man ihn halt auch ein bisschen putzen, wie jede Maschine.«

»Ihn auch putzen?«, fragte sie verblüfft. »Ich hab doch das ganze Haus geputzt. Jetzt soll ich ihn auch noch putzen?« Und sie ereiferte sich: »Das heißt, zweimal denselben Dreck wegmachen! Warum hat man mir das nicht gleich gesagt?«

Und plötzlich war sie nicht nur auf den Staubsauger wütend, und nicht nur auf ihren Mann, und nicht nur auf ihren Schwager, den Onkel Jeschajahu, und nicht nur auf ihren Bruder, der sie die ganze Zeit Tonitschka nannte, anstatt ihr zu helfen, sondern auch auf die Amerikanerin auf dem Karton, diese aufgetakelte Hausfrau, die sie für ihre Verbündete gehalten hatte. Alle hatten sie betrogen, jeder auf seine Weise.

»Das ist ein hochmodernes Gerät«, sagte Jizchak. »Es reinigt nicht nur, sondern sammelt den Dreck auch ein. Es ist Lappen und Besen und Kehrschaufel und Mülleimer in einem.«

Sein Ton wurde feierlich. »Der Sweeper ist der Mähdrescher des Haushalts. Er mäht und drischt und worfelt und trennt und sammelt ein. Aber jetzt muss man ihn aufmachen, den Dreck rausholen und wegwerfen.«

Gerade diese beruhigende Analogie irritierte sie noch mehr. Denn der Mähdrescher ließ ja nichts verschwinden. Der Weizen wurde in seine Bestandteile zerlegt, und diese zeigten sich vor aller Augen: Säcke voller Körner, Wolken aus Spreu und Ballen von Stroh. Nichts verschwand draußen, und nichts blieb drinnen versteckt. Und außerdem – wie ließ sich das vergleichen? Die Mähdrescher kurvten draußen, auf den ohnehin staubigen Feldern herum, aber der Sweeper befand sich drinnen, in ihrem sauberen Heim.

»Er ist dreckig«, wiederholte sie. »In meinem Haus steht ein Gerät voller Dreck.«

»Man kann es auch so sehen, Tonitschka. Aber was macht das denn? Der Mülleimer steht auch im Haus, und da ist auch Dreck drin.«

»Bei deiner Chaja steht er im Haus!«, brauste Großmutter Tonia auf. »Bei mir steht er draußen, vor der Veranda. Und ein Mülleimer ist ein Mülleimer! Und so heißt er auch: Mülleimer. Doch hier, bei mir im Haus, steht ein Gerät, das saubermacht und sich auch entsprechend bezeichnet, als Sweeper, aber es ist dreckig!«

Jizchak erkannte, dass er einen grundsätzlicheren und weitreichenderen Fehler begangen hatte als gedacht, dass hier zwei völlig unterschiedliche Weltanschauungen aufeinanderprallten. Er hätte ihr gleich zu Anfang erklären müssen, wie das Gerät arbeitete, Schritt für Schritt, vom Stadium des Saubermachens bis zum Stadium der Schmutzentleerung, hätte darauf bestehen müssen, es noch vor dem ersten Einsatz auseinanderzunehmen und ihr vorzuführen.

Er versuchte, das jetzt nachzuholen, aber dieser Zug war abgefahren. In Sachen Schmutz war seine Schwester höchst misstrauisch. Sie kannte alle seine Gewohnheiten, ob er nun ruhte oder schwirrte, wusste wie er lauerte, überlistete, sich einschlich und versteckte, vorwärtskroch, sich anhäufte und vermehrte, durch jede Ritze drang, vom Wind verweht wurde, festklebte. Sie begriff, dass der doppelte Verräter noch einen weiteren Verrat hinzugesetzt hatte: Das Putzgerät, das er ihr geschickt hatte, war nichts als ein trojanisches Pferd, ja schlimmer noch – ein Kollaborateur.

Hier möchte ich klarstellen, dass der Vergleich mit dem Trojanischen Pferd von mir stammt und nicht von Großmutter Tonia. Trotz ihrer näheren Bekanntschaft mit so einigen Pferden, in der Ukraine wie in Palästina, und trotz der Bildung, die sie im »Gymnasium« erworben hatte, fürchte ich, dass das trojanische Pferd nicht zu ihrem Analogienschatz zählte. Außerdem bin ich keineswegs sicher, dass die Ilias und die Odyssee ihr gefallen hätten. Zum einen hätte sie sicher nicht, wie Penelope, zwanzig Jahre gewartet. Gleich als Odysseus zu seinen Vorhaben in Troja entfleucht war, hätte sie ihm nachgesetzt und ihn heimgeholt. Und zweitens hätte Odysseus sich unter ihrer Fuchtel auch nicht mit seinen »Huren« getroffen, mit Circe und Calypso. Ganz zu schweigen von den zahlreichen Bewerbern, die um Penelopes Hand anhielten. Sie konnte sich nicht vorstellen, dass so viele Männer eine Frau begehrten, die einen Sohn aus erster Ehe hatte.

Da sie nicht Jizchaks technische Begabung besaß, forderte sie ihn jetzt auf, den Sweeper auf der Stelle zu öffnen, damit sie seine Geheimnisse ergründen konnte. Jizchak, erfreut über die Gelegenheit, zu zerlegen, zu studieren und zusammenzusetzen, holte schon seine Werkszeuge hervor und beugte sich über den Staubsauger, aber sie stieß ihn weg: »Nicht im Haus!«, fauchte sie. »Auf der Plattform, auf einer alten Zeitung, oder besser noch auf dem Betonweg!«

Die drei gingen nach draußen: die wütende Großmutter Tonia, der glückliche Onkel Jizchak und der dreckige Sweeper, dessen böse Machenschaften umgehend ans Tageslicht kommen würden. Jizchak warnte seine Schwester vor dem, was sie gleich zu sehen bekäme, und schon spielten seine flinken und geschickten Hände mit ein paar Klammern und Flügelschrauben – und der Sweeper öffnete sich. In seinem Innern sah man allerlei Düsen und Walzen und Treibriemen und Transmissionen, und Staub und Dreck, und in der Mitte – hässlich, abstoßend und ekelhaft wie ein geblähter Krötenkadaver – ein prallvoller Stoffbeutel.

»Da ist er drin«, sagte Jizchak.

»Mach ihn auf«, befahl Tonia. »Ich will ihn sehen.«

»Ich halte das für keine gute Idee, Tonitschka«, sagte Jizchak. »Da drin steckt der Dreck, den er aufgesaugt hat. Man muss das wegwerfen. Wir sollten uns das wirklich nicht anschauen.«

»Mach ihn auf.«

Onkel Jizchak öffnete den Beutel und schüttete seinen abstoßenden Inhalt auf die ausgebreitete Zeitung. Großmutter Tonia musterte den Dreck und stocherte sogar mit der Fingerspitze darin. In dem gewöhnlichen grauen Staub sah man ein paar tote Insekten und einige, die noch krabbelten, verblüfft und abgekämpft. Da waren Menschenhaare, winzige Essenskrümel – jemand hatte entgegen dem ausdrücklichen Verbot im Innern des Hauses gegessen –, und während sie sich noch fragte, wer der Verbrecher sein könnte, fand sie auch einen abgeschnittenen Fingernagel. Jemand hatte sich im Haus die Nägel geschnitten und sie auf den Boden fallen lassen! Großmutter Tonia nahm das Stück Fingernagel. Sie würde feststellen, wem es gehörte, würde den Schuldigen ausfindig machen und Stücke von ihm abreißen.

Doch nun geschah etwas Schreckliches. Ein jäher Windzug kam auf und wirbelte vor ihren Augen das Häufchen Staub in die Luft. Sie schrie vor Entsetzen: Ein Teil dieses Drecks, wenn nicht alles, würde in ihr Haus zurückfliegen.

Auch Jizchak erfasste die Tragweite des Vorfalls. »Das hätte eigentlich nicht passieren sollen«, versuchte er sie zu beruhigen. »Diesen Beutel entleert man direkt in den Mülleimer, und den Eimer bringt man zum Misthaufen.«

»Vielleicht hätte es nicht passieren sollen«, sagte Großmutter Tonia, »aber es ist passiert. Und jetzt muss man alles wieder aufsammeln und auch noch den Sweeper selbst putzen.«

Sie nahm ihren treuen Lappen von der Schulter, das einzige Familienmitglied, auf das sie sich verlassen konnte, und seufzte: »Ah, nu, Jizchak, schau selbst, wie er aussieht. Es ist nicht nur, was im Sack drin war, es klebt auch ringsum. Der Sweeper selbst ist dreckig. Ich muss ihn putzen. Guck dir an, wie viel Schmutz und Staub hier ist, und da und da und da.«

Tatsächlich waren auch auf den Innenteilen des Sweepers Staubkörnchen und ein paar Dreckkrümel zu sehen.

»Das ist sein Leben, Tonitschka«, sagte Jizchak lächelnd. »Traktoren werden schmutzig von Schlamm und Motoröl, Pinsel von Farben. Die Sense setzt Rost an beim Mähen der Luzerne. Fischhändler riechen nach Fisch, und Staubsauger werden staubig.«

»Ich muss ihn putzen«, wiederholte Großmutter Tonia, und Jizchak hörte die Enttäuschung und Verzweiflung in ihrer Stimme. Sie forderte ihn auf, das ganze Gerät augenblicklich in seine kleinsten Bestandteile zu zerlegen, was den Einsatz einer Reihe verschiedener Schraubenzieher und Zangen erforderte und ihm ungeheuren Spaß machte.

Er legte die Teile in der Reihenfolge, in der er sie abmontiert hatte, auf dem großen, alten Leintuch aus, das seine Schwester auf die Plattform gebreitet hatte, und sie putzte jedes einzeln auf die altbewährte Weise – erst feucht, dann mit Seife, dann wieder feucht und zuletzt trocken – und nicht mit neumodischen Tricks und Methoden, die für

Amerikaner taugen mochten und für Verräter, die Amerikaner geworden waren. Sie reinigte die Teile, deckte sie ab und bat Jizchak, sie wieder zusammenzusetzen.

»Wenn du das jedes Mal machen willst, wenn du diesen Sweeper benutzt hast«, sagte er, »dann ist er wirklich überflüssig. Er soll dir helfen, nicht dir das Leben schwermachen, und ich kann nicht zweimal die Woche antanzen, um ihn auseinanderzunehmen und wieder zusammenzusetzen. Ich werde einen Käufer dafür finden. Ich habe einen reichen Freund, einen Bauunternehmer aus Haifa, der wird ihn mit Freuden für seine Frau kaufen.«

Aber Großmutter Tonia verzichtete nie auf etwas – nicht auf ihren Bauernhof, nicht auf ihre Scholle, nicht auf die Sauberkeit in ihrem Haus und nicht auf ihren Mann. Sie würde man nicht zu ihren Lebzeiten beerben. »Der Sweeper bleibt hier!«, verkündete sie.

Und dann passierte noch etwas, dessen Folgen sich erst Jahre später abzeichnen sollten. Jizchak montierte den Sweeper zusammen, prüfte und studierte jedes Einzelteil, und als er an einen der Dichtungsringe gelangte, richtete er sich plötzlich auf und sagte: »Tonitschka, ich fürchte, an diesem Dichtungsring ist etwas nicht in Ordnung.«

»Nicht in Ordnung?«, gab sie erschrocken zurück. »Was denn jetzt noch?«

»Keine Sorge. Jetzt ist er in Ordnung, und er wird auch noch lange intakt bleiben, vielleicht sogar niemals Probleme machen. Aber eines Tages, in vielen Jahren, wird dieser Dichtungsring nicht mehr richtig abdichten, und dann könnte etwas Staub entweichen.«

»Entweichen? Staub? Wohin?«

»Es ist nicht sicher, dass überhaupt was entweicht, und selbst wenn, dann nur ganz wenig.«

Großmutter Tonia stand auf. Ihr Entschluss, diesen treulosen Sweeper einzusperren und nicht mehr zu benutzen, war in diesem Moment endgültig gefallen.

Jizchak hatte den Staubsauger fertig zusammengesetzt, und sie ergriff den Schlauch und ging zur Hintertür. Der Sweeper fuhr ihr leise und gehorsam nach, ohne zu ahnen, welches Schicksal ihm blühte. Sie betrat das Haus, durchquerte das Esszimmer und steuerte das verbotene Badezimmer an. Der Sweeper folgte ihr, neugierig und aufgeregt – was gab es dort wohl noch zu saugen? –, doch schon wurde ihm der Stoffsack, in dem er gekommen war, übergestülpt, zwei kräftige Arme hoben ihn an und stellten ihn in den Karton, Onkel Jeschajahus starker, weißer Bindfaden wurde darum geschlungen und fest verknotet, darüber kam eine Zwangsjacke in Form eines alten Leintuchs, ein Bruder der Leintücher, die die Möbel in den verschlossenen Zimmern abdeckten, über all das wurde eine Wolldecke gebreitet, und schon verließ seine Herrin das Bad und schloss die Tür hinter sich.

Finsternis, wie im Schiffsbauch und in den Güterwagen. Stille. Das Klicken eines Schlüssels im Schloss. Das Klicken einer Schlüsseldrehung. Die Tür war abgeschlossen.

23

Im Jahr 1935 oder 1936, als der Staubsauger meiner Großmutter in einer der Fabriken von General Electric in den Vereinigten Staaten hergestellt wurde, hatte er wohl kaum geahnt, welche Reisen, Abenteuer und Wechselfälle des Schicksals ihn erwarteten. Und gewiss hatte er nicht vorausgesehen, was ihm nun geschah. Vermutlich hatte er angenommen, dass sein Leben wie das aller seiner Brüder vom Fließband verlaufen würde: durchs Fabriktor zum Auslieferungslager und dann, nach kurzer Wartezeit, der Transport zu einem Ladengeschäft, wo er im Karton in einem Hinterzimmer stehen oder in den Geschäftsräumen oder gar im Schaufenster verlockend ausgestellt werden würde, um einen Käufer zu finden, in einen Haushalt zu gelangen, seine Besitzer kennenzulernen und mit der Arbeit anzufangen.

Das Leben eines durchschnittlichen Staubstaugers verläuft recht eintönig. Er wird ein bis zwei Mal wöchentlich von derselben Person angeschaltet – manchmal ein Mann, aber meist eine Frau –, und genau wie diese führt er ein monotones Leben, fährt immer wieder durch dieselben Zimmer und saugt die gleichen Partikel auf. Nur hin und wieder erlebt er eine kleine Aufregung: ein Krümel unbekannter Art, ein fremdes Haar. Oder eine große Aufregung:

Heute wird der Beutel geleert! Oder sogar – welche Überraschung – ein neuer Teppich wurde angeschafft!

Zuweilen stellt ein Kind Experimente mit ihm an: Lässt sich damit ein Hund entstauben? Ein schwirrender Papierflieger einfangen? Eine bedauernswerte Küchenschabe schnappen, die unter dem Waschbecken Zuflucht gesucht hat? Manchmal trennen sich Paare, dann bleibt er meist bei ihr, und der Ehemann verschwindet aus dem Leben der beiden und sucht sich eine neue Frau, die schon einen Staubsauger besitzt, den sie behalten hat, als sie ihrerseits ihren Mann verließ.

Dem Sweeper meiner Großmutter wurde ein weit fesselnderes Leben zuteil. Zunächst nahm er nicht den üblichen Weg von der Fabrik zum Laden und von dort ins Haus eines Käufers um die Ecke, sondern machte jene große Reise über Meere und Kontinente, Wellen und Berge, Straßen und Schienen und, ganz zum Schluss auf einem Bauernwagen, gezogen von einem weißen Pferd – blaue Augen, das Gelb von Bleistift und Stoppelfeld, grüne Flur.

Er hatte das alles genossen, sogar einigen Stolz empfunden. Aber jetzt, im Dunkel des Badezimmers, begriff er, dass ein einfaches Leben mit überschaubarer Routine manchmal vorzuziehen ist – das Leben, das alle anderen Menschen und Staubsauger führten. Warum war er nicht in Amerika geblieben?, fragte er sich. Warum hatte man ihn nicht zu einer normalen amerikanischen Hausfrau im Tupfenkleid, mit rotem Lippenstift und manikürten Nägeln geschickt? Zu einer Frau, die so amerikanisch war wie er und wusste, wie ein amerikanischer Staubsauger funktioniert. Ja was denn? Sollte er etwa nicht dreckig werden? Natürlich wurde er dreckig. Das war sein Beruf. Er rackerte sich ab und machte sich schmutzig, um ihr ein sauberes Heim, gepflegte Hände und ein lächelndes Gesicht zu bescheren.

Und nicht nur das: Auf seiner Reise ins Land Israel hatte der Sweeper gewusst, wo er hinfuhr, zu einer Hausfrau, die auf ihn wartete, und zu einem Haus, das er saubermachen würde, doch nun, eingesperrt im Badezimmer, bedrängten ihn Furcht und Ungewissheit, gefolgt von Verzweiflung, und schließlich von Einsicht und Erkenntnis. Der Sweeper verstand, dass er das Tageslicht nicht wiedersehen würde.

Im Badezimmer saßen noch weitere Häftlinge von Großmutter Tonia ein: drei jungfräuliche Geschirrservice, prächtige, spitzenbesetzte Tischdecken, die nie über einen Tisch gebreitet worden waren, und neue Bettwäsche, in der nie jemand geschlafen, geträumt und geliebt hatte. Aber keiner von ihnen hatte so gesündigt wie er und war zu lebenslanger Haft verurteilt.

Draußen ging das Leben weiter. Bäume trugen Frucht. Hennen legten Eier. Kühe gaben Milch. Salzheringe wurden eingelegt und verspeist. Wände und Böden wurden abgewischt, feucht und trocken, mit Seife und Petroleum. Schlamm heftete sich an Schuhe, Dreck an Finger. Staub flog durch die Luft, versuchte einzudringen, schaffte es bei den Nachbarn und wich vor Großmutter Tonia zurück.

Zeit verging. Enkel und Enkelinnen wurden geboren und wuchsen heran, wuschen sich am Trog an der Wegbiegung, hörten von ihren Eltern Geschichten: Hier steht der spezielle Zitrusbaum, den euer Großvater gepflanzt hat. Heute trägt er nur Pampelmusen, aber einst sind Anchovis und Tomaten darauf gewachsen. Hier ist die Viper gekrochen, die ich mit dem Besen erschlagen habe. Mit der Schuhbürste? Wer hat euch das denn erzählt? Da drüben war immer unsere kluge Eselin Ah angebunden, die nachts abgeschwirrt ist, um Könige und Schlösser zu besuchen. Wo sie am liebsten hingeflogen ist? Zu dem König, der ihr die meiste Gerste gegeben hat.

Und es gab auch Beleidigungen. Fernab, in Amerika, war Onkel Jeschajahu sogar noch beleidigter als damals, als er seine Dollar-Almosen zurückbekam. Die Gerüchte gelangten auch diesmal an ihr Ziel, und die Nachricht, dass ausgerechnet Großmutter Tonia, der er die Rolle der Verbündeten zugedacht hatte, sein Geschenk verschmähte und es nicht benutzte, war ein schwerer Schlag für ihn. Er wusste, dass die Pioniere in Palästina Revolutionäre waren und nach Art solcher Leute fanatisch und kompromisslos sein konnten. Und da er ein stolzer und selbstbewusster Amerikaner war, wusste er auch, dass es sich um Sozialisten handelte, das heißt, um gefährliche Zeitgenossen. Aber jetzt begriff er, dass Großmutter Tonia, auf ihre Art, eine noch größere und sturere Idealistin war – und, wenn man ihn fragte, noch erheblich gefährlicher.

Jahre vergingen, Erinnerungen verblassten und wurden erfunden, beliebte Geschichten trieben neue Versionen hervor, und die ganze Zeit steckte der amerikanische Sweeper in Nahalal im verschlossenen Badezimmer. Und jedes Mal, wenn wir Großmutter besuchten und die Erlaubnis erhielten, ihr Haus zu betreten, und an den abgeschlossenen Türen der verbotenen Zimmer vorbeikamen, sagte meine Mutter: »Hier steht das Mobiliar meiner Mutter.« Und vor der Badezimmertür: »Und dahinter ist ihr Sweeper.«

Die Luft stand. Die wenigen Staubpartikel im Badezimmer sanken zu Boden. Jenseits der Tür erklangen Geräusche: Möbelrücken, Besenrascheln, Wasser, das aus einem ausgewrungenen Lappen rann, das laute Ticken des Weckers, Streit zwischen Großmutter Tonia und Großvater Aaron, seine immer selteneren Lieder, ihre immer häufigeren Vorwürfe, die Eule draußen auf den Zypressen und als Antwort darauf das nächtliche Schnarchen der beiden – ihres leise und trillernd, seines anschwellend, bis es vor sich selbst erschrak, aufhörte und neu begann.

Ein Jahr und noch eines und noch eines. Vierzig Jahre lebte der Sweeper in finsterer und einsamer Haft, in seine Totenschleier gehüllt, sauber wie am Tag seiner Geburt, noch ehe er Staub gekannt. Seine Achsen schwiegen, sein Gebläse ruhte, der dicke Schlauch lag da wie ein Schlangenkadaver. Manchmal, so sagte mir meine Mutter, öffnete Großmutter diese Tür. Ein Spalt von Licht und Hoffnung tat sich dann auf, ein schneller Blick, Durchzählen der Häftlinge, für den Fall, dass einer entfleucht sein sollte, Sauberkeitsprüfung – hatte ein Staubkorn es fertiggebracht, die verschlossene Tür zu durchdringen? Und gleich ging die Tür wieder zu. Dunkelheit und Stille, vierzig Jahre lang. Nur wenige Häftlinge haben so lange gesessen, ohne jegliche Unterbrechung. Ich kenne das Zeitempfinden eines Staubsaugers nicht, aber vierzig Jahre sind vierzig Jahre. Eine lange Zeit.

Und dann, eines Tages, oder, genauer, eines Abends, glaubte der Sweeper, die Sprache zu hören, die er einst gehört hatte, ehe er hier gelandet war, vor so vielen Jahren. Durch die Wand drangen Worte in seiner Sprache und seinem Akzent, und es war die Stimme einer Frau. Einer jungen Frau. Eindeutig einer Landsmännin.

Ein paar Stunden später wurde die Tür geöffnet, ein Schalter klackte, und das Licht ging an. Großmutter Tonia löste den weißen Bindfaden, mit dem der Staubsauger aus seinem Heimatland gekommen war, nahm die Wolldecke und das alte Leintuch ab, hob ihn aus der Kiste und befreite ihn aus dem Sack. Er schaute sie an und staunte. Vierzig Jahre waren vergangen. Er und die aufgedruckte amerikanische Frau waren so jung wie zuvor, aber sie war so gealtert, dass er sie kaum wiedererkannte. Nur den Lappen über ihrer Schulter erkannte er sofort, obwohl dieser schon siebenhundert Waschgänge hinter sich hatte. Es war einer der erstklassigen amerikanischen Lappen, die damals mit ihm hierhergekommen waren.

Großmutter Tonia fuhr mit diesem Lappen über seinen glänzenden Leib, sah sich selbst im Zerrspiegel seiner Rundungen, ergriff den großen, dicken Schlauch und zog leicht daran.

Wie eh und je folgte der Sweeper seiner Herrin. Seine leisen Räder gaben kein einziges Quietschen von sich. Sie wandte sich um und ging mit ihm hinaus.

24

Von meinem dreizehnten Lebensjahr an verbrachte ich die Pessach-, Laubhüttenfest- und Sommerferien in Nahalal, um auf dem Hof zu arbeiten und meinen Onkeln bei allen ihren Aufgaben zu helfen. Das blieb so bis zu meiner Einberufung zum Wehrdienst.

Als Jugendlicher war ich fleißiger als in meiner Kindheit. Ich drückte mich nicht mehr vor der Arbeit und bot auch nicht mehr an, denen, die wirklich arbeiteten, Geschichten zu erzählen, zumal Menachems und Jairs Geschichten interessanter waren als meine. Sie brachten mir alle Tätigkeiten auf dem Hof bei. Ich lernte melken, manuell wie maschinell, junge Kälber füttern, den Kuhstall ausmisten, Feldfrüchte ernten und verladen sowie das Sperma von Truthähnen gewinnen und die Truthennen damit besamen – zwei widerliche Aufgaben, deren Details ich den Lesern ersparen möchte. Ich sammelte die gelegten Eier ein und säuberte sie gemeinsam mit den Tanten, und ich lernte die begehrteste aller Fertigkeiten – Traktorfahren und die Handhabung der damit verbundenen Maschinen und Geräte, ja auch das, was aus einem einfachen Bauernsohn einen hochgeachteten Menschen macht: Rückwärtsfahren mit Anhänger, und noch schwieriger – rückwärts mit einem Anhänger am Zugpendel.

Ich begann mit einfachen Verrichtungen: Futterkrippen

Großmutter Tonia unterwegs zur vorzüglichen Dusche
im Kuhstall, Anfang der dreißiger Jahre.

reinigen und Bewässerungsleitungen verlegen. Danach lernte ich, Whity anzuschirren, und jeden Morgen, wenn die Onkel sich ans Melken machten, wurden wir beide losgeschickt, um Futterrüben für die Kühe zu holen. Futterrüben, die mit der Zuckerrübe verwandt sind, haben eine sehr kräftige Wurzel und schmecken Kühen besonders.

Wir verließen den Hof, fuhren vorbei an dem Weinberg, der ein paar Jahre danach aufgegeben, und an dem Zitrushain, der noch später abgeholzt werden sollte. Es war früh am Morgen, die Luft war noch kühl und frisch, Tau hing an den Blättern der Grapefruitbäume. Tropfen, die herabfielen, wurden vom Erdboden sofort aufgesogen, und wo sie auf ein dürres Blatt trafen, war ein überraschend lautes Rascheln, fast schon ein Knallen zu hören.

Die Erde erwärmte sich im Schritttempo des Pferdes. Die Sonne rollte die Dunstschleier von den Feldern. Ein Schwarm Distelfinken, allesamt Frühaufsteher, wirbelte jäh in einer buntbewegten Wolke durcheinander. Heute sehe ich diese Vögel kaum noch. Sie werden gefangen, sterben aus und verschwinden, ebenso wie die großen Starenschwärme, die damals in breiten Schlangenlinien die Sonne verdunkelten, und die Singdrossel, die ich früher täglich sah und hörte, wenn sie Schnecken auf dem Gehweg aufknackte, und der Heckensänger, dessen rostroter Schwanz mir im Eukalyptuswald von Nahalal zublinkte – und die jetzt auch schon nicht mehr ist, von der Erde vertilgt, aber nicht aus der Erinnerung.

Das Rübenfeld lag am »Grundstückshang« – so nennt man in Nahalal das Feldstück einer jeden Familie – bei den verlassenen englischen Flugabwehrposten, die einst den nahen Militärflugplatz bewachten. Der nachsichtige und gutmütige Whity war alt geworden. Den Tag von Pninas und Menachems Hochzeit, als ich ihn im Kuhstall mit Eiern bewarf, hatte er vermutlich längst vergessen und wenn nicht vergessen – vergeben. Er trottete gemächlich dahin, spürte, dass die Hand, die die Zügel führte, nicht so resolut und erfahren war wie die von Menachem oder Jair, nutzte es aber nicht aus. Er kannte die Arbeitsteilung zwischen uns. Am Anfang war es leicht für mich und auch für ihn: Es ging gemütlich, mit leerem Wagen, zum Feld hinunter. Dort, auf dem Feld, begann der harte Teil für mich – das Ausreißen und Aufladen der schweren Rüben. Dann kam der harte Teil für ihn – das Ziehen des vollen Wagens zurück zum Hof, und danach war ich wieder dran und musste die Rüben im Rindergehege abladen.

Zu dieser Zeit kauften Menachem und Jair ihren ersten Traktor: einen kleinen Ferguson, den ich fahren und einsetzen lernte. Der Ferguson war unkomplizierter, flinker und stärker als Whity und hatte auch nicht die Angewohnheit, nachts abzuhauen, um sich Traktorinnen zu suchen. Nach und nach wurde der alte Gaul arbeitslos – was ihn keineswegs bekümmerte – und zu guter Letzt beschlossen meine Onkel, ihn in den Ruhestand zu schicken. Seine letzten zwei Jahre verlebte er bei den Kühen, nahe ihrem Futtertrog, und lag ihnen mit seinen Geschichten aus der britischen Mandatszeit in den Ohren.

Damals rückte ich Großmutter Tonia etwas ferner. Ich war kein Kind mehr und verbrachte meine Zeit lieber mit Jungen und Mädchen meines Alters oder mit meinem Onkel Jair als mit ihr. Einmal zankten wir uns sogar ein wenig über ihr deutsches Bierglas. Ich bat sie erneut darum, und sie wiederholte: »Ihr werdet mich nicht zu meinen Lebzeiten beerben.« Aber ehrlich gesagt hatte unsere Beziehung auch vorher schon Höhen und Tiefen. Wir sind niemals ernsthaft in Streit geraten – an sich schon eine Leistung, wenn es um sie ging –, aber häufig hörte ich Leute über sie lästern, und manchmal empfand ich die Scham, die ein Kind verspürt, wenn über einen Erwachsenen seiner Familie hergezogen wird. Und wie meine Mutter in ihrer Kindheit schämte ich mich auch dieser Scham selbst. Das galt jetzt, als ich heranwuchs, erst recht, und ihre Vorwürfe und Fimmel machten mich nervös und ungeduldig. Aber bald darauf entdeckte ich eine neue gute Eigenschaft an ihr, die uns zu Verschworenen machte. Es stellte sich nämlich heraus, dass sie in Dingen zwischen Mann und Frau liberaler und offener war als der Rest der Familie.

Später erzählte mir meine Mutter, dass sie immer schon so gewesen war, dass sie und ihre Schwester Batscheva die einzigen Mädchen im ganzen Dorf waren, die von ihrer Mutter aufgeklärt wurden und etwas über die Monatsregel und all die übrigen Dinge erfuhren, die in jener Generation sonst gar nicht angesprochen wurden und ihre Freundinnen daher völlig überrumpelten. Ich selbst entdeckte, dass man zu Großmutter Tonia mit einer Freundin kommen und ein Zimmer und ein »Lager« erhalten konnte, problemlos, ohne Naserümpfen, ohne Fragen und Verhöre. Sie sagte vor dem Schlafengehen sogar lächelnd »viel Spaß« statt »gute Nacht«.

Ja mehr noch, als ich wieder einmal ihre Gastfreundschaft in Anspruch nahm, warf Großmutter Tonia einen Blick auf meine Freundin, nahm mich unter einem Vorwand beiseite und sagte mir in ruhigem, aber kritischem Ton: »Das ist dieselbe, mit der du letztes Mal da warst.«

»Sie ist meine Freundin, Großmutter«, sagte ich. »Gefällt sie dir nicht?«

»Was heißt hier gefallen?«, erwiderte sie. »Ich möchte, dass du mich jedes Mal mit einer neuen Freundin besuchst.«

Und auf meine verblüffte Miene hin fügte sie hinzu: »Du bist ein junger Bursche. Ein junger Bursche sollte die Mädels wechseln wie die Socken.«

Wer sich fragt, ob ich mir hier keine übertriebene künstlerische Freiheit herausgenommen habe, dem sei versichert, dass das Zitat echt ist. So hat sie es gesagt.

»Dann hast du sie wohl deshalb in deine vorzügliche Dusche im Kuhstall geschickt«, erwiderte ich, »damit sie künftig nicht mehr mitkommen will.«

Großmutter Tonia ignorierte das und sagte: »Du bekommst hier immer ein Zimmer mit einem Lager, da braucht ihr nicht auf den Feldern rumzukugeln.«

Auch von Großvater Aaron, dem ich schon vorher nicht so nahe wie ihr gestanden hatte, entfernte ich mich damals. Er war alt geworden und in sich gekehrt, beschäftigte sich mit der Herausgabe irgendeines Gedenkbands. Nachmittags schlief er gern unter einem Baum oder las ein Buch oder eine alte Zeitung, und gelegentlich raffte er sich zu selbsterfundenen Arbeiten auf: Er sammelte Drahtenden und Bindfäden ein, schüttelte alte Futtersäcke aus und faltete sie zusammen, stapelte Bretter. Einige der hebräischen Wörter für diese Dinge betonte er, nach jiddisch-aschkenasischer Weise, auf der ersten statt auf der zweiten Silbe, wie den *Máschke*, den Schnaps, den ihm die Chassidim aus Kfar Chabad brachten, und den Nachnamen meines Vaters, den er Shálev statt Shalév aussprach. Diese Verrichtungen boten ihm nicht nur eine nützliche Beschäftigung, sondern entsprachen auch der Grundhaltung des Moschaws: nichts wird weggeworfen. Jedes Ding hat seinen Daseinszweck und seine Verwendung. Man kann es recyceln, verfüttern, zum Düngen benutzen und für tausend weitere Zwecke verwenden.

Das galt besonders für Drahtenden. Wie alle Moschawniks sammelte Großvater Aaron sie auf dem Hof vom Boden auf und steckte sie in die Tasche, aus einem einfachen Grund: So ein Stückchen konnte, behüte, in den Futtertrog gelangen und von einer Kuh verschluckt werden. Aber abgesehen davon ist so ein Drahtende der beste Freund des Bauern. Man kann damit das Pferdegeschirr flicken, die

Hühnerstalltür verschließen, den Zaun ausbessern, einen verstopften Sprinkler wieder flottmachen. Auch die Geschichtenerzähler der Familie wussten wahre Wunderdinge davon zu berichten: Onkel Arik, der Mann von Tante Batscheva, hatte seinen Traktor mit einem Drahtende generalüberholt, und Ah, unsere kluge Eselin, hatte mit einem Drahtstückchen das Schloss des Kuhstalls geknackt, war in den Hof getrabt, hatte mit den Ohren gewackelt, hier, genau so, und war losgeflogen, um den russischen Zaren in Moskau zu besuchen. Als Ah zur Welt kam, gab es keinen Zaren mehr? Macht nichts.

25

Meine Geschichte nähert sich ihrem Ende und, wie ich meine, auch ihrem Höhepunkt. Und da ich diesen Teil nicht von meiner Mutter oder sonst wem gehört, sondern selbst miterlebt habe, bin ich sicher, dass die Sache so gewesen ist und alles daran stimmt. Aber zunächst sollte ich die andere Version der Ankunft des Sweepers bei meiner Großmutter im Dorf erzählen. Ich gebe sie hier nur der Fairness halber wieder, damit es keine Beleidigungen gibt und ich nicht mit noch mehr Verwandten Ärger kriege als ohnehin schon sauer auf mich sind.

Nun, die Sache war so: Nach der Staatsgründung, Anfang der fünfziger Jahre, kam Onkel Jeschajahu auf Familienbesuch nach Israel. Er hatte hier eine Schwester und einen Bruder, die er über vierzig Jahre nicht mehr gesehen hatte, sie hatten mittlerweile Söhne und Töchter und Enkel und Enkelinnen bekommen, die er noch gar nicht kannte, und trotz alledem, was wir über ihn und seinen doppelten Verrat dachten und sagten, hatte die Gründung des Staates Israel ihn zutiefst ergriffen.

Onkel Jeschajahus Hauptziel war es, sich mit seinem Bruder Aaron zu versöhnen, aber er wollte auch seine Verwandten beeindrucken, ihnen zeigen, dass er ebenfalls Leistungen und Erfolge vorweisen konnte. Wenn er auch keine

Sümpfe trockengelegt, keinen Moschaw aufgebaut und keinen Staat gegründet hatte, so kam er doch nicht mit leeren Händen. Er brachte viele Geschenke mit, große und kleine, die von Wohlstand und Großzügigkeit zeugten und seine Rückkehr in den Schoß der Familie erleichtern sollten.

Anlässlich von Onkel Jeschajahus Besuch versammelte sich die Familie in Herzlia, bei Tante Sara, seiner und Großvater Aarons Schwester. Dort herrschte eine aufgeregte Atmosphäre. Nicht alle Tage kam die Familie so einträchtig zusammen, und – zugegeben – auch die Aussicht auf die Geschenke tat das Ihre. Tatsächlich ließ Onkel Jeschajahu keinen zu kurz kommen und hatte nicht geknausert. Er brachte Delikatessen mit, die damals, in den Jahren der Knappheit, bei uns nicht zu bekommen waren: allerlei Dauerwürste und Pulverkaffee und Obstkonserven und Schokoladentafeln und Kondensmilch, und auch Küchenutensilien und Kleidung und Spielzeug und weiteren Luxuskram, den Großvater Aaron kritisch musterte, aber nicht kommentierte, um keinen neuen Streit vom Zaun zu brechen.

Doch es gab auch große Geschenke, wirklich große, die gesondert eintrafen. Wie unser Stammvater Jakob seinem Bruder Esau einst Rinder, Schafe und Ziegen schickte, um ihn vor dem Wiedersehen versöhnlich zu stimmen, hatte Onkel Jeschajahu ein paar riesige hölzerne Umzugskisten vorausgeschickt, die vor ihm ankamen, vollgepackt mit Geschenken für seine Schwester, seinen Bruder, seine Schwägerin, die Neffen und Nichten. Großmutter Tonia verwöhnte er besonders, da er sich mit ihrem Mann aussöhnen wollte. In einer großen Kiste, die im Haifaer Hafen ankam, befand sich der Frigidaire, ebender Kühlschrank, dem Großmutter später die Sahne entnahm, die sie mir jedes Mal in den Mund schob, wenn ich zu Besuch kam und ihr »miserrrobel« aussah. Und da Onkel Jeschajahu wusste, dass sie die Wäsche in einer riesigen Wanne wusch, die anfangs auf einem Feuer unter dem Granatapfelbaum und später auf einem Primus-Kocher – seinerzeit der Gipfel des technischen Fortschritts – erhitzt wurde, hatte er auch eine Waschmaschine, Modell Easy, mitgeschickt: ein plumpes amerikanisches Monstrum auf drei Beinen, das zwei Trommeln hatte, eine mit »Agitator« zum Waschen und eine mit »Zentrafuga« – so nannte es Großmutter – zum Schleudern.

Und auch ein Sweeper kam an – weder groß noch glänzend noch von General Electric, ohne leise Räder oder bürstenbesetzte Köpfe, sondern ein hundsgewöhnlicher Staubsauger, klein und langweilig und radlos, dessen Gehäuse mit grauem Vinyl beschichtet war, Marke Electrolux.

Kurzum, keine fachgerecht gepackte Holzkiste, kein goldbetresster amerikanischer und kein baumlanger französischer Kapitän, keine langen Züge und nix mit Emek-Bahn, weißem Pferd, grünem Feld, rotem Tupfenkleid. Nein! Bloß ein kleiner und bescheidener Sweeper, der mit Onkel Jeschajahu einreiste, und nicht in den dreißiger Jahren, sondern nach dem Unabhängigkeitskrieg!

Diese langweilige Version halte ich für unglaubwürdig. Erstens, weil es nicht das erste Mal wäre, dass abweichende Versionen des einen oder anderen Kapitels der Familiengeschichte die Wahrheit strapazieren. Und zweitens, weil ich hier eine anerkannte Regel befolge, die nicht aus dem Gebiet des Rechts oder der Literatur stammt, sondern aus der

Welt der Wissenschaft: Wenn es für ein Phänomen mehrere plausible Erklärungen gibt, sagen die Forscher, ist die einfachste zu wählen. Und davon abgeleitet: Gibt es von einer Geschichte mehrere Versionen, die sich richtig anhören, wählt man bei uns in der Familie die schönste. Und was könnte schöner sein als die Einwanderung des Sweepers ins Land Israel in einer Holzkiste mit einem Pappkarton darin und darauf eine attraktive, lächelnde Frau, die kopfsteht wie eine Frühlingszwiebel, dazu Feld und Pferdewagen, Blau und Gelb, und all dies offenbart sich den verblüfften Augen sämtlicher Dorfbewohner? Ein ermüdender Tag im Zollamt des Haifaer Hafens ganz gewiss nicht.

Aber weit wichtiger ist die Tatsache, dass ich eines Nachts, viele Jahre später, diesen Staubsauger mit eigenen Augen gesehen habe. Er war von General Electric, sein Herstellungsjahr stimmte mit der Version meiner Mutter überein, er hatte große, leise Räder und war sogar noch größer und glänzender als in ihrer Geschichte.

26

Die Sache war so: Eines Tages, im Jahr 1970, ich war damals ein junger Student, betrat ich das Postamt am Machane-Jehuda-Markt in Jerusalem. Ich wollte einer Freundin zwei Bücher schicken, die damals in einem Krankenhaus in den Vereinigten Staaten arbeitete. Wir hatten uns zwei Jahre vorher kennengelernt und angefreundet. Sie war Krankenschwester im Ha-Emek-Krankenhaus in Afula gewesen, in dem ich nach meiner Verwundung während des Militärdiensts mehrere Monate lag.

Ich stellte mich am Schalter an. Vor mir stand eine sonnengebräunte junge Frau in weißer Baumwollbluse, kurzer Hose und Sandalen. Sie war anders als die übrigen Leute in der Warteschlange, stammte eindeutig nicht aus Machane Jehuda, nicht aus Jerusalem und nicht einmal aus Israel. Ihre Sandalen waren zwar »biblisch«-israelisch, aber brandneu, und der eine Riemen hatte ihr die Ferse aufgescheuert, wo sich schon eine rührende kleine Blase gebildet hatte. Die Spange, die ihren Pferdeschwanz im Nacken zusammenhielt, war außergewöhnlich. Ihre Shorts waren Männerhosen, aber nicht die damals in Israel allgegenwärtigen blauen Turnhosen Marke Ata mit den Taschen, die unter den Hosenbeinen hervorlugten, sondern ausländische Trekkinghosen aus grünlichem Stoff mit vielen aufgenähten Taschen.

Heutzutage sehen die jungen Leute in der westlichen Welt einander oft ähnlich und tragen ähnliche Klamotten, so dass sie manchmal fast uniformiert wirken. Aber damals gab es vielfältige Unterschiede.

Sie verströmte auch einen anderen Geruch, an den ich mich lebhaft erinnere. Ich habe einen guten Geruchssinn und ein gutes Gedächtnis für Gerüche, und die bewusste junge Frau duftete für mich nach Meerwasser und den großen, orangegelben Pfirsichen, die, glaube ich, »Somerset« hießen und inzwischen vom Machane-Jehuda-Markt und von allen anderen Märkten verschwunden sind. Auch nach ihnen sehne ich mich sehr.

Ihr Gesicht konnte ich nicht sehen, aber sie bot auch von hinten einen schönen Anblick. Sie hatte einen hübsch geformten Nacken und kräftige Beine, und vor ihr auf dem Boden stand ein auf Englisch adressiertes Paket. Jedes Mal, wenn die Schlange vorankam, schob sie es mit der Sandalenspitze wunderbar lässig ein Stückchen vorwärts.

Anscheinend bemerkte sie meine Anwesenheit, vielleicht auch meine Bemühungen, die Anschrift auf ihrem Paket zu entziffern, denn unvermittelt drehte sie sich um und fixierte mich. Ich sah mit Freuden, dass auch sie, wie ich, eine Brille trug. Wir tauschten ein kurzsichtiges, kleines Lächeln. Ich sagte »Schalom«. Sie erwiderte in amerikanischem Englisch: »Ich bin Touristin«, fügte in amerikanisch gefärbtem Hebräisch hinzu: »Ich spreche kein Hebräisch«, und kehrte mir wieder den Rücken.

Die Schlange kam schleppend voran. Ich hatte ausreichend Zeit, das Paket zu ihren Füßen zu beneiden, ihre hervortretenden Nackenwirbel zu betrachten und mir deren Brüder – Hals-, Brust- und Lendenwirbel – vorzustellen, einen nach dem anderen, tiefer und tiefer, bis hinab zum Steißbein mit den Schwanzwirbeln, jenen kleinen evolutionären Überbleibseln, die im Fleisch versinken und nicht mehr beweglich sind. Deren Aufgabe ist, nach Aussage von Anatomie- und Evolutionsexperten, völlig unklar, aber mir war sie in jenem Moment sonnenklar.

In diesem Augenblick wurde mir traurig ums Herz. Ich bedauerte, nicht zu den Männern zu gehören, die kühn und gewandt genug sind, um jederzeit ein nettes Gespräch anknüpfen zu können. Aber das Glück lachte mir, denn als die Hübsche an den Schalter trat, bot sich eine Gelegenheit. Der schnurrbärtige kleine Postbeamte konnte kein Englisch. Die junge Frau konnte, wie sie mir vorher selbst gesagt hatte, kein Hebräisch. Sie drehte sich wieder um und fragte, ob ich ihr Übersetzungshilfe leisten könne.

Ich half ihr, das Paket aufzugeben, und als sie fertig war, ging sie hinaus, und ich mit.

Sie lachte: »Du hast vergessen, dein Paket abzuschicken.«

Ich war verlegen: »Ich schick es ein andermal ab. Es ist nicht dringend.«

»Geh wieder rein und schick es ab«, sagte sie, »ich warte hier auf dich.«

Sie stellte sich in den Mauerschatten, und ich ging wieder ins Postamt. Nach den üblichen israelischen Streitereien – »ich war eben schon hier« und »frag den, der hat's gesehen« – gab ich mein Bücherpaket auf, eilte hinaus und hoffte, dass sie noch da stand, dass sie nicht gegangen war.

»Das wär's«, sagte ich, »ich hab's abgeschickt.«

»An wen?«, fragte sie.

»An eine Freundin von mir«, antwortete ich. »Sie ist in den Vereinigten Staaten.«

»Was macht sie da?«

»Sie ist Krankenschwester«, erklärte ich, »sie arbeitet in einem Krankenhaus in Los Angeles. Und an wen geht dein Paket?«

»An meinen Freund, er ist auch in Los Angeles.«

»Prima«, sagte ich, »dann fahren unsere Pakete vom Machane-Jehuda-Markt bis dahin gemeinsam.«

»Und vielleicht treffen sich mein Freund und deine Freundin auf dem Postamt in Los Angeles«, meinte sie, »und er hilft ihr, an ihr Paket zu kommen, wie du mir geholfen hast.«

Das sei durchaus möglich, sagte ich, und ohne dass wir es aussprachen, fanden wir beide, dass man diesem eventuellen, unangebrachten Treffen – zwischen meiner Freundin und ihrem Freund – gleich hier und jetzt etwas entgegensetzen müsse.

Sie fragte mich, ob ich ein preiswertes Lokal kenne, in dem sie etwas essen könnte, und da wir am Rand des Marktes waren, nahm ich all meinen Mut zusammen und schlug ihr vor, gemeinsam in eins der Grillrestaurants in der Agrippas-Straße zu gehen. Damals war das fettige, landestypische Gericht namens »Jerusalemer Mix« gerade erst erfunden worden, und die junge Frau – jetzt stellte sie sich auch vor – sagte, sie würde es gern probieren.

Als sie ihren Namen, Abigail – Ebigeel, in ihrer Aussprache – nannte, reichte sie mir die Hand, und ihr fester Händedruck gefiel mir, ebenso wie zuvor schon die Art, wie sie das Paket mit dem Fuß vorwärtsgeschoben hatte, und ihre direkte Redeweise. Wir gingen ins Lokal, aßen und unterhielten uns. Ihre Mimik war lebhaft und voller Humor, und sie hatte eine Eigenschaft, die ich an Menschensöhnen und -töchtern liebe: eine starke Ausstrahlung.

Sie erzählte mir, sie mache zur Zeit ihren Master in Sonderschulpädagogik, sei fünfundzwanzig Jahre alt, in Chicago geboren und als Kind mit ihren Eltern nach Los Angeles gezogen. Auch der Freund, dem sie das Paket geschickt hatte, studierte dasselbe Fach, und im nächsten Sommer wollten sie heiraten. Ich erzählte ihr, ich sei auch Student, zweiundzwanzig Jahre alt, jobbe nachts als Ambulanzfahrer für den Roten Davidstern und pflege tagsüber weiße Mäuse im Psychologielabor der Hebräischen Universität, und auch ich würde wohl eines Tages heiraten, aber nicht die Freundin, der ich das Paket geschickt hatte.

Ich fragte, wo sie in Jerusalem wohne, und sie antwortete, in einem Hospiz in der Altstadt. Sie war erst vor einer Woche nach Israel gekommen, schon in Tel Aviv gewesen und wollte sich jetzt Galiläa ansehen. Kühn schlug ich ihr vor, gemeinsam zu reisen. Sie sagte ja, einverstanden, aber wie und wohin? Ich erwiderte, wir würden den Überlandbus nehmen, könnten bei meiner Großmutter schlafen, die in einem Dorf in der Jesreelebene wohne, und würden dann weitersehen. Ich hätte viele Freunde im Norden.

»Wir schlafen bei deiner Großmutter?«, fragte sie entgeistert. »Bei deiner Großmutter?!« Sie lachte: »Ich hab noch nie einen Jungen getroffen, der mich zu seiner Großmutter eingeladen hat.«

»Ebigeel«, erwiderte ich, »ich kenne die Jungs nicht, mit

denen du bisher ausgegangen bist, aber was Großmütter angeht, bin ich bereit, es mit allen aufzunehmen. Meine Großmutter ist eine außergewöhnliche Großmutter, und sie wird sich freuen, dass ich mit einem Mädchen komme.«

Ich wusste, wovon ich redete. Meine Großmutter war – trotz und auch wegen all ihrer Fimmel – eine höchst eigenwillige Persönlichkeit und konnte, wenn sie wollte, auf ihre ausgefallene Weise auch interessant und sogar charmant sein. Sie war natürlich älter geworden, hatte aber nichts von ihrer Erzählkunst eingebüßt, und an einem guten Tag vermochte sie jedes Mädchen, das ich mitbrachte, zu fesseln und zu faszinieren – bis auf das eine Mal, als sie meiner Begleiterin Eimer und Lappen in die Hand drückte und sie aufforderte, beim Putzen zu helfen.

»Unabhängig von mir – allein schon wegen meiner Großmutter lohnt es sich zu kommen«, sagte ich Abigail.

Wir verabredeten uns für zweieinhalb Stunden später am Busbahnhof. Ich hastete zum Roten Davidstern, um die Schicht zu tauschen, zur Universität, um mich von den Mäusen zu verabschieden, zu der Studentenwohnung, in der ich lebte, um meine Tasche zu packen. Wir trafen uns am Fahrkartenschalter, fuhren nach Haifa und von dort im Bummelbus nach Afula. Den ganzen Weg unterhielten wir uns, und an der Auffahrt nach Tivon schlug sie unvermittelt vor, die Brillen zu tauschen – »nur für einen Moment« –, um zu schauen, wie wir durch die Brille des anderen sahen und aussahen.

Das war ein süßer, erregender Augenblick der Ähnlichkeit und Verschiedenheit, des Prüfens und Vertrauens, eine

Art erster Kuss, zunächst verschwommen, dann klarer, der den echten Küssen vorausging. Wer als Brillenträger eine Brillenträgerin liebt, weiß wovon ich rede, und wer nicht – auf den will ich keine müßigen Worte verschwenden. So oder so war mir in diesem Augenblick klar, dass auch Abigail ihre Freude an dem Übernachtungsarrangement bei meiner Großmutter haben würde.

Wir stiegen an der Nahalal-Kreuzung aus und gingen zu Fuß zum Dorf. Der angenehm vertraute Duft von Spreu, Kasuarinen und Staub hing in der Luft. Ein Bauer hielt mit dem Traktor an und lud uns ein, mitzufahren. Wir setzten uns Schulter an Schulter nebeneinander auf den Anhänger, die Oberarme verlängerten die Berührung bis zu den Ellbogen. Ihre Haut duftete nicht nur nach Pfirsichen und Meer, sondern fühlte sich auch ausnehmend glatt an. Unsere Gesichter näherten sich einander, wir küssten uns zum ersten Mal. Es war ein lächelnder, bebrillter Kuss, kurz und züchtig. Der Bauer und sein Traktor bekamen nichts davon mit.

Von der Dorfmitte gingen wir zu Großmutter Tonias Haus. Erst jetzt erklärte ich Abigail, was sie dort erwartete.

»Es ist nicht so einfach, bei meiner Großmutter zu Gast zu sein«, begann ich.

»Was ist das Problem?«

»Sie hat einen Sauberkeitsfimmel«, sagte ich.

»Macht nichts«, erwiderte sie, »hat meine Mutter auch.«

Ich lächelte höflich. »Abigail«, sagte ich, »glaub mir, du verstehst nicht, worum es geht, um welche Dimension und welches Niveau von Sauberkeit.«

»Meine Mutter kratzt die Fugen zwischen den Küchenkacheln mit Zahnstochern aus, und zwar eigenhändig, weil sie der Putzfrau nicht traut«, gab sie zurück.

»Abigail«, sagte ich, »du kommst der Sache näher, aber du und deine Mutter liegen immer noch weit abgeschlagen auf dem zweiten Platz. Meine Großmutter wäscht die Wände ab, und auf jede Türklinke und jeden Fenstergriff legt sie einen kleinen Lappen, damit man nicht mit schmutzigen Fingern dranfasst.«

»Meine Mutter«, konterte Abigail, »desinfiziert die Dusche nach jeder Benutzung.«

Ich prustete los. »Bei euch duscht man in der Dusche? Bei meiner Großmutter ist das verboten. Wir haben einen Schlauch an der Wand des Kuhstalls, und das ist eine vorzügliche Dusche, wenn ich das anfügen darf.«

»Meine Mutter«, sagte sie, »fährt immer noch einen Buick aus den fünfziger Jahren, aber den Staubsauger wechselt sie jedes Jahr, weil das neue Modell womöglich besser saubermacht und noch drei Staubpartikel mehr aus dem Teppich saugt.«

»Abigail«, sagte ich, »aus Liebe und aus Rücksicht auf dich hatte ich das Thema Staubsauger nicht anschneiden wollen, aber da du selbst damit angefangen hast, sollst du wissen, dass auch meine Großmutter einen Staubsauger besitzt.«

»Ah ja?«, fragte Abigail verwundert, was bedeuten sollte: Na und? Viele Leute haben einen Staubsauger. Dafür braucht man keinen Sauberkeitsfimmel.

»Sie hat einen Staubsauger, benutzt ihn aber nicht«, erklärte ich.

»Weil er nicht richtig funktioniert?«

»Weit schlimmer. Sie benutzt ihn nicht, weil er davon schmutzig wird.«

»Was?!«

»Du hast richtig gehört. Weil er sich mit Staub und Dreck füllt und dann ebenfalls saubergemacht werden muss.«

»Du hast gewonnen«, gestand sie zu.

»Und was die vorzügliche Dusche im Kuhstall angeht«, sagte ich, »die wirst du heute Abend noch selbst ausprobieren. Alle Kühe werden dir zuschauen, und ich komm auch gucken.«

27

Die Sonne sank bereits, als wir das Haus meiner Großmutter erreichten. Ich erklärte Abigail, dass man nicht durch die Vordertür eintreten durfte. Also gingen wir außen herum zur anderen Tür. Ich erklärte ihr, dass man keinen Fuß vom Weg auf die Erde setzen durfte, um keinen Dreck ins Haus zu tragen. An der Hintertür erklärte ich ihr, dass man nicht einfach aufmachen und eintreten durfte. »Großmutter... Großmutter...«, rief ich von draußen.

Sie kam heraus, und ihr Gesicht leuchtete auf. »Wie gut, dass du da bist«, sagte sie und warf einen prüfenden Blick auf die neue Freundin, die ich mitgebracht hatte. Ich küsste sie auf beide Wangen, und sie freute sich. Ich war kein Teenager mehr, und unser Verhältnis war wieder inniger. Wir setzten uns auf die Veranda. Sie stellte sofort fest, dass ich »miserrrobel« aussah, sagte aber, sie hätte keine Sahne da, um mich damit zu füttern, und beklagte sich über Menachem, der ihr wegen irgendeines Streits keine Sahne abgegeben hatte. Darauf folgten gleich weitere Beschwerden. Großvater war zu Binja entfleucht und schon einige Tage dort, Jair war nach Haifa gefahren, ohne ihr etwas zu sagen, dabei wusste er doch, dass sie ein paar Dinge aus der Stadt brauchte, die er ihr hätte mitbringen sollen. Batscheva besuchte sie nicht oft genug, und Batja, »ausgerechnet sie, deine Mutter«, war zu Itamar nach Chanita gefahren.

»Großmutter«, unterbrach ich ihren Redestrom, »ich hab getan, was du gesagt hast, ich bin mit einer neuen Freundin gekommen, und du erkundigst dich nicht mal nach ihrem Namen. Darf ich vorstellen: Sie heißt Abigail, sie ist aus Amerika, sie kann kein Hebräisch, und unsere Familienangelegenheiten interessieren sie nicht.«

»Aus Amerika ...«, sagte meine Großmutter anerkennend und erhob sich seufzend von ihrem Platz. Ich sah, dass sie hinkte. Ihr kräftiger, kleiner Körper war schwächer geworden.

»Wir essen gleich zu Abend und unterhalten uns ein bisschen«, sagte sie. »Danach bereite ich euch das Lager.«

Abigail, die nicht mit allen erfreulichen Bedeutungen des hebräischen Worts für »Lagerstatt« vertraut war, aber begriff, warum meine Großmutter aufstand, sagte auf Englisch: *»I'll help you«*, und erhob sich ebenfalls.

»No, please sit«, sagte meine Großmutter, wobei sie drei der neun englischen Wörter benutzte, die sie kannte – vornehmlich aus der Zeit, als die britischen Soldaten vom Militärflugplatz zu ihr kamen, um, in Verstoß gegen die Satzung der Moschaw-Bewegung, etwas von ihrem herrlichen Käse zu kaufen. Die anderen sechs Wörter waren übrigens: *van, two, three, stop, sweeper* und *yes.*

Sie wandte sich an mich: »Übersetz bitte. Sag ihr, dass es nicht nötig ist.«

»Im Moment braucht sie keine Hilfe«, sagte ich zu Abigail, »aber wenn du ihr gefällst, kannst du ihr morgen beim Putzen helfen.«

Großmutter Tonia bereitete uns ein einfaches und köstliches Abendessen zu: eine Schüssel mit kalten, gekochten Kartoffelscheiben, geviertelten harten Eiern, Rettich- und Zwiebelscheiben, alles mit einer leichten, säuerlichen Soße angemacht. Auf einem anderen Teller lagen Gurken- und Tomatenstücke. Sie schnitt uns Brot ab, den Laib an die Brust gedrückt, und aus dem Kühlschrank holte sie, als Krönung, ihren selbsteingelegten Salzhering, der in Öl schwamm, mit einem Spritzer Essig und mit Wacholderbeeren, vielen Zwiebelringen und zwei Lorbeerblättern.

Sie lief zwischen Tisch und Kochplatte hin und her, und jedes ihrer Glieder war, wie ich sah und hörte, verkrümmt und schmerzte und ächzte: ihre Finger – vor lauter Wringen, Polieren und Melken. Ihre Beine – von der Jagd nach ihrem Mann und nach dem Lebensunterhalt. Ihr Rücken – vom Alter und vom Schleppen, von den schweren Zeiten und der Knochenarbeit. Doch trotz der Schwäche und der Gliederschmerzen, über die sie klagte, war sie guter Laune.

»Dieser Mann«, sagte sie beim Auftragen zu Abigail, »sein famoser Großvater, den alle bemitleiden, entfleucht alle Augenblick, ins Erholungsheim oder zu irgendeiner Arbeit, und ich hab den Betrieb allein auf dem Buckel. Jetzt ›sog‹ ihr bitte auf Englisch alles, was ich dir ›gesogt‹ hab.«

Ich übersetzte Abigail jedes Wort, und sie lächelte. Das überraschte mich nicht. Ich wusste ja schon, dass es keine wirkungsvollere Methode gab, um eine Frau zu werben, als sie meiner Mutter oder meiner Großmutter vorzustellen, die sie, je auf ihre eigene Weise, bezauberten.

»Großmutter«, sagte ich, »vielen Dank für das Essen. Es schmeckt wunderbar.«

»Das sehe ich«, sagte sie. »Wenn deine Onkel mir Sahne abgegeben hätten, sähen du und das Essen noch besser aus. Aber der Salzhering hilft offenbar – und wohl auch dein Mädel.«

Und sie bat: »›Sog‹ ihr auch alles, was du mir ›gesogt‹ hast, und erklär ihr, dass du mir normalerweise keine Komplimente für mein Essen machst.«

»Das kommt, weil du mir normalerweise auch nicht so gutes Essen auftischst«, erwiderte ich. »Diesmal hab ich anscheinend eine mitgebracht, die dir wirklich gefällt, und du hast dir besonders viel Mühe für sie gegeben.«

Tatsächlich hatte Großmutter Tonia zwei ihrer absoluten Spezialitäten aufgetragen, denn ansonsten war sie eine ziemlich mittelmäßige Köchin. Sie brachte einen ganz annehmbaren Braten zustande, und ihre Pflaumenmarmelade und ihr Pflaumenkuchen waren, wie gesagt, köstlich. Aber ihre besten Gerichte erforderten keine große Kochkunst und hatten den unschätzbaren Vorteil, dass sie sich außerhalb der Küche zubereiten ließen, ohne die Kochplatte und die Arbeitsfläche schmutzig zu machen. Dazu gehörten zum einen das Weißbrot, das sie sogar zu Pessach buk, und zum anderen der Salzhering und der Kartoffelsalat mit harten Eiern, Rettich und Zwiebeln, die sie uns jetzt vorgesetzt hatte.

In unserer Familie sehnt sich keiner nach der Kochkunst irgendeiner Großmutter zurück, nicht einmal nach solchen Oma-Klassikern wie Hühnersuppe. Die Hühnersuppe meiner Mutter war besser als die ihrer Mutter, und die Hühnersuppe meiner Schwester ist besser als die unserer Mutter, aber die Zubereitung von Großmutter Tonias Hühnersuppe war eine aufregende Angelegenheit, denn sie begann unweigerlich mit dem Befehl: »Geh auf den Hof und bring mir...«, und hier nannte sie die Farbe oder den Namen einer Henne.

Bei den Nachbarn, erklärte sie mir, kochte man Hühnersuppe nur nach dem bekannten Grundsatz: »wenn der Moschawnik krank ist oder das Huhn.« Bei ihr nicht. Sie hielt die Legehennen auf dem Hof unter ständiger Beobachtung und wusste, welche mehr legte und welche weniger. Eine Henne, die wenig legte, wurde als »eine Henne, die sich nicht anstrengt« bezeichnet, und wenn sie weiter faul und verstockt blieb, landete sie auf dem Schabbat-Tisch.

Die Hennen wohnten auf dem Hof und legten in Holzkisten, die Großvater Aaron ihnen mit Stroh auspolsterte. Auch ein paar Gänse lebten dort. Sie waren größer und schwerer als ich in meiner Kindheit, und sehr angriffslustig. Nach Gänseart setzten sie mir nach, die Hälse vorgereckt und die Flügel drohend ausgebreitet, und versuchten, mich mit ihren flachen, gezahnten Schnäbeln zu beißen, was jeden Gang zum Kuhstall zu einem beängstigenden Abenteuer machte.

Ich war kein besonders sportliches Kind, und die Hennen waren viel flinker als ich, aber Großmutter Tonia gab mir eine lange, dünne Eisenstange mit einem runden Haken am Ende und brachte mir bei, die zum Tode verurteilte Henne damit an den Beinen zu packen. Trotz ihrer angeblichen Dummheit begriffen die Hühner den Zusammenhang zwischen der Stange und dem Folgenden und stoben, sobald sie uns beide auf dem Hof erblickten, in alle Richtungen auseinander.

Verdreckt, schwitzend und aufgeregt gelang es mir schließlich, die Henne, die sich nicht anstrengte, einzufangen. Ich hielt sie an den Beinen, kopfüber, und sie versuchte laut gackernd loszukommen, hob den Kopf und schnappte nach meiner Hand. Aber ich hatte gelernt, sie am Hals zu packen, und rief Großmutter zu, sie solle schnell kommen, ich hätte sie erwischt. Großmutter nahm sie mir ab, zückte ein Rasiermesser und schnitt ihr die Gurgel durch.

Es war ein grässlicher Anblick, faszinierend und entsetzlich zugleich. Großmutter ließ die geschlachtete Henne zu Boden fallen, und die rannte nun im Hof herum, Blut spritzte ihr aus dem Hals, bis sie schließlich zusammenbrach, noch einmal kurz zappelte, ein letztes Mal zuckte und erstarrte – und schon ging es ans Rupfen, Zerlegen und Kochen. Am Schabbat aßen wir die Suppe, die Großmutter daraus kochte, aber, wie gesagt, kein Mensch sehnt sich danach.

Kurzum, die Kochkünste der vorigen Generationen fehlen uns nicht. Aber nach jenen einfachen Gerichten – dem Salzhering, dem harten Ei, den Kartoffeln mit Zwiebeln und Rettich – sehne ich mich sehr, und obwohl sie leicht zuzubereiten sind, gelingen sie mir nicht genauso. Manchmal kochte Großmutter auch *Cholodez* – Kalbshaxe in Sülze –, und ganz selten, bei besonderen Anlässen, gab es dazu ein Gläschen *Máschke* – so nannte Großvater Aaron den billigen Brandy, der dann serviert wurde, Marke Medicinal oder 777.

Und siehe da, diesmal gab es eine Überraschung. Beim Anblick des Essens zog Abigail einen kleinen Flachmann aus dem Rucksack, stellte ihn auf den Tisch und sagte ein russisches Wort, das in keine Sprache übersetzt werden muss: »Wodka.«

Großmutter Tonia war so begeistert, dass sie mir zuflüsterte: »Die wechsel mal nicht wie die Socken. Die kannst du wieder mitbringen.« Und dann sagte sie, »einen Moment«, stand auf und verschwand.

Ich war überrascht, dass sie sich für Hochprozentiges interessierte, das war mir neu.

»Wo ist sie hin?«, flüsterte Abigail.

»Keine Ahnung«, flüsterte ich zurück.

Im Innern des Hauses hörte man einen Schlüssel drehen und eine Tür aufgehen, und schlagartig füllte sich die Luft mit einem merkwürdigen alten Geruch, der angenehm und unangenehm zugleich war, dem vertrauten Geruch von damals, als sie mich gebeten hatte, Stühle aus den verbotenen Zimmern zu holen, ohne ihr die Wände zu kratzratzen. Ich wusste, dass sie das Allerheiligste geöffnet hatte, und überlegte sogar, ob Abigail ihr so gut gefiel, dass sie uns das große, alte Doppelbett mit dem hohen, braunen Metallkopfende überlassen wollte.

Das nun doch nicht. Aber Großmutter Tonia kehrte mit drei dickwandigen Gläschen zurück und erklärte, wenn es Wodka gebe, müsse man ihn richtig trinken.

Wir tranken, ich in drei vorsichtigen Schlückchen und die beiden Frauen, die alte wie die junge, in einem Zug und mit ruckartig zurückgeworfenem Kopf. Noch nie hatte ich Großmutter Tonia so trinken sehen. Ich begriff, dass ihre Welt größer und tiefer war, als ich ahnte, dass ich nur deren sichtbare oberste Spitze kannte. Sie knallte das leere Glas so hart auf den Tisch, dass es sich wie eine Fortsetzung ihres russischen Akzents anhörte, heftete den Blick auf Abigail und sagte zu mir: »Frag sie, was sie macht.«

»Das brauch ich nicht zu fragen. Ich weiß, was sie macht«, sagte ich. »Sie studiert in Amerika, Pädagogik.«

»Und wie alt ist sie?«

»Drei Jahre älter als ich.«

Meine Großmutter war auf einmal besorgt: »Hat sie Kinder?« Sie wollte diese Frage schon in diesem frühen Stadium klären, ehe das Familienschicksal auch die nächste Generation ereilte.

»Nein.«

»Hast du sie gefragt?«

»Ich sag dir doch, sie hat keine. Und außerdem kommt es nicht drauf an. Sie hat einen Freund, den sie im nächsten Sommer heiraten will.«

»Sag ihr, sie soll hier bei dir bleiben. Sie ist tüchtig und nett.«

»Worüber redet ihr?«, fragte Abigail.

»Frag sie, was ihr Vater macht«, wechselte Großmutter das Gesprächsthema.

»Abigail«, meine Großmutter möchte wissen, was dein Vater macht.«

»Mein Vater«, sagte Abigail und wandte den Blick von mir zu Großmutter Tonia, »ist Vertragshändler für General Electric in Los Angeles. Das heißt, eigentlich ist mein Vater einer der größten Vertragshändler für General Electric an der ganzen Westküste.«

28

Das hat sie gesagt?«, fragte meine Mutter. »Mein Vater ist einer der größten Vertragshändler für General Electric in Los Angeles? Sie hat zu dir gesprochen, aber meine Mutter angeschaut?«

Es war ein besonderer Augenblick, eine wunderbare Premiere. Ich erzählte meiner Mutter eine Geschichte über ihre Mutter und nicht sie mir.

»Die Sache war so«, antwortete ich ihr stolz, im familientypischen Tonfall.

»Und Mutter? Was hat sie gesagt?«

»Gar nichts. Aber mir war, als hätte ich etwas in ihren Augen aufleuchten sehen, oder vielleicht kommt es mir nur jetzt so vor, wegen allem, was danach passiert ist.«

Habe ich richtig gesehen? War da ein Funkeln in den Augen meiner Großmutter? Ich weiß es nicht, aber selbst wenn, dann erlosch es gleich wieder. Ich sagte ihr, dass es schon spät sei, dass wir müde von der Reise seien und noch duschen wollten, und zu meiner Überraschung erklärte sie, wir könnten die Dusche im Haus benutzen.

»Bist du sicher?«, fragte ich.

»Zu ihren Ehren, nicht zu deinen.«

»Ich fände es besser, wenn wir im Kuhstall duschen«, sagte ich. »Unter deiner vorzüglichen Dusche.«

»Worüber redet ihr?«, fragte Abigail.

»Über das, was ich dir vorhin erzählt habe, dass man bei meiner Großmutter im Kuhstall duschen muss«, antwortete ich.

»Worüber redet ihr?«, fragte meine Großmutter.

»Sie sagt, es geht schon. Sie möchte dir die Dusche nicht schmutzig machen«, erwiderte ich.

Großmutter Tonia lächelte, zwinkerte mir beinah zu, stand auf und brachte uns zwei derbe, alte Handtücher und eine Petroleumlampe, denn »es gibt keinen Grund, alle elektrischen Lichter im Stall anzumachen und sämtliche Kühe aufzuwecken«.

»Ich hab's dir ja gesagt«, flüsterte ich Abigail fröhlich zu, »und du wolltest es nicht glauben. Hast gedacht, ich würde bloß Geschichten erzählen. Und jetzt gehst du bei den Kühen duschen.«

Es war eine warme und klare Nacht. Der volle Mond hatte schon ein Drittel seines Aufstiegs am Himmelszelt geschafft. Die Kühe schnaubten in ihrem Stall. Ich hängte die Petroleumlampe an einen Nagel und erzählte Abigail eine Geschichte, die jeder in Nahalal kannte, die Geschichte von dem Alten, der seine Petroleumlampe an eine Fliege an der Wand gehängt und seine Scheune abgefackelt hatte.

Sie lachte schallend, legte ihre Kleider ab und hängte sie ebenfalls an einen Nagel. Und dann drehte sie sich vor der Kuhstallwand, während ich sie mit dem Schlauch abspritzte.

»Los, zieh dich aus und komm her«, sagte sie. »Es gibt einen Haufen Platz unterm Schlauch und genug Fliegen an der Wand auch für deine Klamotten.«

Als wir, in die Handtücher gewickelt, ins Haus zurückkehrten, sagte Großmutter, sie hätte uns schon das Lager bereitet, und dieser hübsche Ausdruck löste sich mit einem Schlag von meinen harmlosen Kindheitserinnerungen und dem netten kleinen Lied von Abraham Ibn Esra und füllte sich mit Erregung und Verlangen an. Sie führte uns zum Zimmer, machte die Tür auf, sagte »viel Spaß« und ging.

Abigail, die immer fröhlicher wurde, fragte mich, ob sie uns *»good night«* gesagt habe.

Ich erklärte ihr, dass man es auch so verstehen könne, aber was meine Großmutter eigentlich gesagt habe, sei so etwas wie *»have a good time«*.

»Das glaub ich dir nicht«, gab sie zurück.

»Genau das hat sie gesagt, und sie meint es wörtlich.«

Das Zimmer hatte sich nicht verändert, seit ich das vorige Mal und auch seit ich das erste Mal darin geschlafen hatte: dasselbe alte Bücherbord mit den Bänden von *Der junge Arbeiter* und *Davar für Kinder,* dieselben angenehmen alten Laken, dieselben hölzernen Klappläden und dasselbe lose Fliegengitter, das neu gespannt werden müsste, dieselben ockerfarbenen, gesprenkelten Bodenfliesen, die vor lauter Wischen und Schrubben glänzten, und das gleiche Rauschen der Zypressen, die mein Großvater gepflanzt hatte und die damals noch die Hofeinfahrt säumten. Und aus einer von ihnen drang das gleiche unheimliche Schnaufen, auch wenn es inzwischen von einer anderen Eule stammte, nicht mehr derjenigen, die mir Angst eingejagt hatte, als ich mit fünf Jahren in genau demselben Zimmer schlief. Vielleicht war es ihre Urenkelin.

Das alte Eisenbett quietschte. Abigail und ich lachten leise. Ich gehe gewöhnlich nicht auf solche Einzelheiten ein, weder in meinen erfundenen Romanen noch in dieser wahren Geschichte. Aber ich möchte doch sagen, dass Abigail damals nur einige Tage mit mir verbrachte und dann in ihre Heimat zurückkehrte. Wir waren füreinander nicht mehr als ein flüchtiges Liebesabenteuer, aber in jener Nacht, dessen unglaublicher Höhepunkt noch vor uns lag, liebte ich sie mit wahrer Liebe, und auch ihre Umarmungen sagten dasselbe.

Wir liebten und lachten und betrachteten einander aus nächster Nähe und spielten »jetzt seh ich nichts, aber du siehst was, und jetzt seh ich was, und du siehst nichts« und andere geheime Spiele der Kurzsichtigen, und nachdem ich ihr Nachum Gutmans Comics auf den letzten Seiten der alten Hefte von *Davar für Kinder* übersetzt hatte, schliefen wir ein, so wie wir waren, nackt, alle viere von uns gestreckt und unbedeckt, und so sah uns auch meine Großmutter, als sie um drei Uhr nachts die Zimmertür aufmachte und eintrat.

Sie hatte nicht angeklopft, und ich hatte sie nicht hereinkommen hören, aber Abigail fuhr hoch, riss das Laken vom Boden, um sich hineinzuwickeln, setzte sich auf und stieß mir den Ellbogen in die Rippen. Es dauerte ein paar Sekunden, bis ich zu mir kam und begriff, dass die verschwommene Gestalt im weißen Gewand kein Traumgebilde war, sondern Großmutter Tonia höchstpersönlich, und dass ich nackt dalag wie am Tag meiner Geburt, während sie ein langes Nachthemd trug – vermutlich selbstgenäht aus einem der alten Laken, die man ebenfalls nicht wegwerfen durfte.

Aber als ich mich im Bett aufrichtete und die Brille aufsetzte, um zu begreifen, was los war, verlor ich jedes Interesse an ihr und ihrer Kleidung, denn im Schatten hinter ihr, das sah ich jetzt, stand ein großes Etwas und funkelte im Dunkeln.

29

Mein Herz setzte einen Schlag aus. Ich begriff sofort – ich hatte den legendären Staubsauger vor Augen, Großmutter Tonias Sweeper, der unserem *Narnia* jenseits der Badezimmertür entstiegen war, dem Land unserer Familiensagen. Er hatte seinen Karton verlassen, seine Totenschleier abgeworfen und vor meinen Augen Gestalt angenommen. Da war er: der leibhaftige Beweis. Weder Traum noch Trugbild. Nicht der kleine Sweeper von Onkel Jeschajahus Besuch nach der Staatsgründung, sondern der große Sweeper – der mit Globus und Bleistift, weitem Ozean, New York, Tel Schamaam, mit Weiß, Gelb und Grün, dem Rot von Kleid, Lippen und Nägeln, den Tupfen, dem Blau. Die Sache war so, bis zum letzten Detail. Meine Mutter hatte recht.

Großmutter Tonia schritt in die Mitte des Zimmers. Der Staubsauger folgte ihr. Keiner von beiden gab einen Ton von sich. Sie war klein und barfuß, er so groß wie eine Kuh, aber lautlos wie eine Katze auf seinen schwarzen Gummirädern. Das Nachthemd schimmerte weiß. Das Chrom funkelte. Das Gehäuse war tatsächlich so groß wie ein Fass. Der Saugschlauch, mindestens so dick wie mein Arm, hing ihr mit einer Lässigkeit in der Hand, die Stärke vermuten ließ.

Obwohl ich splitternackt war, möchte ich dieses Bild einen Moment einfrieren, denn ehe ich fortfahre, muss ich noch etwas erläutern: Zuweilen beschlich mich der Verdacht, es gehe hier nicht um verschiedene Versionen ein und derselben Geschichte, sondern um eine wahre Geschichte, um die sich Mythen rankten wie die wilden Triebe, die an Granatapfel- und Olivenbäumen sprießen. Gut möglich, überlegte ich weiter, dass, wie bei anderen Mythologien auch, einige unserer Familiengeschichten, vielleicht sogar die meisten, nicht stimmten. Großvater Aaron hatte sich gar nicht im Jordan ertränken wollen, sondern im Kischon. Die Zigeuner hatten Onkel Jizchak nicht entführt, sondern er war mit ihnen entfleucht. Unsere Eselin Ah war durchaus intelligent gewesen, aber nicht so klug, wie man mir erzählte, hatte das Türschloss nicht mit einem Drahtende geknackt, sondern den Schlüssel aus Großvaters Hosentasche stibitzt. Und vielleicht war sie auch nicht geflogen, und falls doch, dann höchstens bis Kfar Jehoschua. Und da ich all diese Märchen anzweifelte, hatte ich auch den Staubsauger in meinem Kopf verkleinert. Jetzt wurde mir klar, dass meine Mutter das ebenfalls getan haben musste, denn der echte Staubsauger war um vieles größer und eindrucksvoller als der in ihren Erzählungen.

Wie dem auch sei, als der Sweeper vor meinen Augen samt Schlauch und Gehäuse Gestalt annahm und die Wärme von Abigails Körper mir sagte, dass ich bei vollem Bewusstsein war, geriet ich in Hochstimmung. So muss Heinrich Schliemann sich gefühlt haben, als er die Ruinen Trojas ausgrub und identifizierte und den »Wahrheitsbeweis« für Homers Schriften erbrachte. So wird den Archäologen zumute sein, die eines Tages die Bundeslade und Noahs Arche entdecken werden.

Aber Großmutter Tonia verschwendete keinen Gedanken auf die historiosophische und kognitive Bedeutung des Auftritts ihres Sweepers. »Frag sie«, forderte sie mich auf, ungeachtet der Situation, der Nacktheit, des Betts, als würden wir immer noch in ihrer Küche sitzen, Salzhering essen, Wodka trinken und plaudern, »frag sie, ob ihr Vater mir einen kleinen Dichtungsring für diesen Sweeper besorgen kann.«

Ich traute meinen Ohren nicht. »Großmutter«, fragte ich fassungslos, »deswegen platzt du hier mittendrin rein, ohne anzuklopfen? Wegen eines Ersatzteils für deinen alten Sweeper? Weißt du, wie spät es ist?«

»Es ist ein sehr kleines Teil, und ich bin nicht mittendrin ›reingeplotzt‹«, sagte sie, »ich hab gehört, dass alles vorüber war, und hab euch noch genug Zeit zum Ausruhen und Beruhigen ›gelossen‹.«

Abigail war entgeistert. »Was geht hier vor?«, flüsterte sie. »Ist das der Staubsauger, den sie nicht benutzt? Was will sie?«

»Sie will, dass dein Vater ihr irgendein Ersatzteil für diesen Staubsauger besorgt«, erwiderte ich. »Erklär ihr, dass das unmöglich ist, sonst machen wir bis morgen früh kein Auge mehr zu, und gib mir mal einen Zipfel Laken, ich kann nicht so vor ihr liegen.«

»Sag ihr, es ist eine Kleinigkeit«, beharrte meine Großmutter, »ein kaputter Dichtungsring, der nicht richtig abdichtet, ich brauche einen neuen als Ersatz.«

»Woher weißt du das? Du hast diesen Sweeper doch nur eine Woche benutzt.«

»Zwei Wochen«, sagte sie, »und ich weiß es sehr wohl, denn Jizchak hat es mir ›gesogt‹, und Jizchak ist ein Auch-Ingenieur und versteht was von diesen Dingen. Er hat den Sweeper auseinandergenommen und überprüft und ›gesogt‹, eines Tages, in vielen Jahren, würde dieser Dichtungsring nicht mehr richtig schließen und es würde Staub entweichen.«

»Aber warum ist das gerade jetzt so wichtig?«

»Das ist wichtig, weil Jizchak ›gesogt‹ hat, das würde in vielen Jahren passieren, und das ist schon fast vierzig Jahre her.«

Diese irre Logik überwältigte mich. »Sie muss einen Dichtungsring in diesem Staubsauger ersetzen«, erklärte ich Abigail, »und sie möchte, dass dein Vater ihn ihr besorgt.«

Abigail stand auf, zog das Laken ganz zu sich und schlang es sich enger um den Leib. Sie trat zu dem Sweeper, beugte sich nieder und untersuchte ihn. Ich blieb liegen, das Herz von Freude erfüllt. Nur wenigen Paaren ist eine derart anregende und außergewöhnliche Situation schon in der ersten gemeinsamen Nacht beschieden: in den frühen Morgenstunden, der untergehende Vollmond scheint durch die Ladenritzen, der Geliebte liegt splitternackt im Bett, seine Großmutter steht daneben, und die Geliebte, nichts als ein Laken am Leib, bückt sich und untersucht einen uralten Staubsauger, dessen Existenz gerade bewiesen wurde und der bereits einen neuen Dichtungsring braucht! Was will man mehr?

»Tu mir einen Gefallen«, bat ich Abigail, »sag ihr, das sei

ein altes Gerät, für das es nirgends mehr Ersatzteile gibt. Dann geht sie weg, und du kommst wieder zu mir ins Bett.«

Großmutter Tonia wurde wütend. Sie verstand nicht die Worte, die ich zu Abigail sagte, aber ihren Ton nur allzu deutlich.

»Was hast du ihr da ›gesogt‹?«, wollte sie von mir wissen, aber Abigail hatte bereits das Interesse an mir verloren und sich wieder ganz Großmutter Tonia und ihrem Sweeper zugewandt.

»Sag ihr«, sie richtete sich auf, sprach zu mir, hatte aber nur Augen für sie, »dass mein Vater dieses Gerät sehr gern im Schaufenster seiner Niederlassung in Los Angeles ausstellen würde. In den ganzen Vereinigten Staaten gibt es kein Exemplar dieses Modells in so einem guten Zustand – *mint condition*! Sag ihr, wenn sie ihn mir gibt, schickt mein Vater ihr dafür einen neuen, modernen Sweeper.«

»Abigail«, sagte ich, »das ist kein Sweeper, das ist ein *Swiiiperrr*, du musst an deiner Aussprache arbeiten.«

»Worüber redet ihr da?«, fragte Großmutter Tonia erneut. Sie hatte natürlich gehört, wie ich sie imitierte, und ihr eingefleischtes Misstrauen trat zu ihrer Wut hinzu.

Ich setzte ihr Abigails Vorschlag auseinander, und ihr Misstrauen wuchs. Ihr Sweeper sollte nach Amerika fahren? Man wollte ihr einen neuen Staubsauger schicken? Wann? Wie genau? Und überhaupt sei sie nicht bereit, diesen aus der Hand zu geben, bevor der neue einträfe.

»Großmutter«, sagte ich, »wo lebst du eigentlich? Es gibt Flugzeuge und Paketwagen. Das Paket von Abigails Vater würde von seinem Büro in Amerika geradewegs vor deine Haustür kommen. Du müsstest dem Boten nur noch zurufen: ›Außen rum, die andere Tür!‹ Und warum denkst du eigentlich dauernd, dass man dich übers Ohr hauen will?«

»Sag ihr«, sagte Abigail, um das günstige Verhandlungsklima auszunutzen, das ihrer Meinung nach entstanden war, »sag ihr, mein Vater würde ihr mit dem neuen Sweeper noch ein weiteres Elektrogerät von General Electric schicken. Irgendein kleines Geschenk. Einen Mixer, einen *toaster-oven*, einen Föhn – was sie möchte.«

Diese Stimme, die noch eine Stunde zuvor süße Worte an meinem Hals gewispert hatte, war resolut geworden und sogar etwas hart. Ich übersetzte das Angebot, und der Argwohn meiner Großmutter steigerte sich noch. »Was ist denn ein *toaster-oven*? Ich brauche nichts, was mein Enkel nicht übersetzen kann.«

Schon machte sie kehrt, ging zur Zimmertür, und der Sweeper, gefügig, gehorsam und immer noch hoffnungsvoll, rollte ihr hinterher.

»Halte sie auf«, sagte Abigail.

»Großmutter«, rief ich, »warte einen Moment.«

Sie blieb stehen.

»Abigail möchte dir noch was sagen.«

»Sag ihr«, fuhr Abigail fort, »dass mein Vater ihr auch gern etwas zahlen würde. Abgesehen von dem neuen Staubsauger, den sie bekäme, und von dem kleinen Geschenk, würde er ihr für dieses alte Gerät fünfhundert Dollar bezahlen. Ich bin bereit, ihr den Scheck gleich jetzt auszustellen.«

Nun erwachte auch mein Misstrauen. Das nette, duftende, lustige, humorvolle, leidenschaftliche Pfirsichmädchen, das ich im Postamt von Machane Jehuda kennengelernt hatte, mit der Wirbelsäule, die so attraktiv im Nacken begann und in einem so hübschen Schwänzchen endete, hatte sich mir nichts, dir nichts in eine Hökerin verwandelt, eine gewinnsüchtige Spekulantin.

Auch Unwillen stieg in mir auf. »Du hast hier ein Scheckheft über solche Summen, und wir fahren mit Überlandbussen und duschen bei den Kühen?«

»Siebenhundertfünfzig Dollar«, sagte sie.

»Großmutter«, sagte ich, »zusätzlich zu allerlei Geschenken und einem nagelneuen Sweeper bietet Abigail dir siebenhundertfünfzig Dollar für deinen alten und kaputten Sweeper, und ich denke, ich könnte den Preis noch weiter hochhandeln. Falls du darauf eingehst, würde mir, meine ich, eine kleine Provision zustehen.«

»Deine Übersetzung war viel länger als mein Angebot«, sagte Abigail. »Was genau hast du hinzugefügt?«

»Wir haben über den Preis gesprochen, den du bietest.«

»Sag ihr eintausend, und darin sind zehn Prozent Provision für dich enthalten.«

»Wir sind schon bei tausend Dollar«, informierte ich Großmutter Tonia. »Abgesehen von der Provision verlange ich die Erlaubnis, ein Bad in deinem verschlossenen Badezimmer zu nehmen.«

»Auf gar keinen Fall«, schnauzte sie und fragte: »Ist das in alten Dollars oder in neuen Dollars?«

»Was sagt sie?«, fragte Abigail. »Von was für Dollars redet sie?«

»Ich denke, sie versteht den Unterschied zwischen Rubel und Dollar nicht recht«, erwiderte ich. Ich erklärte meiner Großmutter, dass die Ermordung von Zar Nikolai II. durch die Bolschewiken den Dollar nicht im Geringsten beeinflusst hatte, und wiederholte ihr das Angebot.

»Wie viel ist das in Pfund?«, wollte sie wissen.

Ich rechnete es in israelische Pfund um. Ich weiß die Summe nicht mehr, aber es war ein sehr hoher Betrag, sowohl für eine alte Bäuerin wie sie als auch für einen jungen Ambulanzfahrer wie mich, der für seinen Lebensunterhalt auch noch weiße Mäuse pflegen musste. Aber kaum hatte ich ihn genannt, sagte meine Großmutter: »Wenn sie bereit ist, so viel Geld für diesen alten Sweeper zu zahlen, dann ist er eindeutig noch viel mehr wert.«

Abigail, die nicht verstand, was wir redeten, und meine Großmutter nicht gut genug kannte, beging einen Fehler. »Bitte sie, ihn jetzt anzuschalten, denn ich möchte sichergehen, dass er funktioniert«, forderte sie.

»Du machst einen Fehler«, sagte ich.

»Business ist Business«, erwiderte sie. »Ich bestehe darauf.«

»Großmutter«, sagte ich, »sie möchte, dass du ihn anstellst, denn sie will sicher sein, dass er funktioniert. Dann schließen wir das Geschäft für tausend Dollar ab, und über mein Bad reden wir unter vier Augen, wenn sie abgefahren ist.«

»Kommt nicht in Frage«, sagte meine Großmutter, »das Bad wird schmutzig, und ich muss es putzen. Und auch der Sweeper wird schmutzig werden. Ich weiß nicht, wie man ihn auseinandernimmt, und kann dann nicht einschlafen, bis Jizchak kommt. Ich bin schon eine alte Frau, Jizchak ist auch nicht mehr der Jüngste, und dieser Sweeper ist auch kein Baby mehr.«

Ich musste lachen. Die beiden Frauen hefteten vier verwunderte Augen auf mich. Es ging ums Geschäft, um eine ernste Angelegenheit, was gab es da zu lachen?

»Sag ihr, dass ich sehen und hören möchte, dass er anspringt«, wiederholte Abigail, »und ich möchte ihn auch saugen sehen.«

Ich übersetzte auch das meiner Großmutter und fügte hinzu: »Wir brauchen Jizchak gar nicht. Zeig Abigail, dass der Sweeper funktioniert, dann nimmt sie ihn mit, samt all dem Staub darin. Tausend Dollar für dieses Stück Schrott – das ist viel Geld. Komm, wir schütten ein bisschen Dreck auf den Boden und zeigen ihr, dass er einwandfrei arbeitet.«

Worte können eine Wirkung erzielen, die stärker ist als die Wirklichkeit, die sie beschreiben, und hier hatte ich eindeutig einen noch größeren Fehler begangen als Abigail. Die Wörter »Dreck« und »schütten« und »Boden« hatten eine derart mächtige Wirkung auf Großmutter Tonia, dass sie nicht mehr auf die Stimme der Vernunft hören konnte. Ihr Dreck auf den Boden schütten? Ihr? Dreck auf ihren Boden? Nein und noch mal nein! Für kein Geld der Welt! Und schon machte sie wütend auf dem Absatz kehrt und verließ das Zimmer, den Sweeper im Schlepptau, der sich verzweifelt umschaute und nicht verstand, was geschehen war.

»Was ist passiert?«, flüsterte Abigail. »Ruf sie zurück!«

»Jetzt hab ich einen Fehler begangen«, gestand ich ihr. »Wir beide haben es vermasselt, einer nach dem andern, du ahnst gar nicht, wie sehr.«

»Stop, please, stop!«, rief Abigail.

Großmutter Tonia drehte sich um und warf ihr einen eisigen Blick zu. Ich wusste, was sie gleich sagen würde, und erstarrte im Bett.

»Redst du mit mir?«, presste sie hervor, kehrte uns den Rücken und rauschte ab.

»Was hat sie gesagt?«, fragte Abigail eingeschüchtert. »Was sagt sie?«

Ich gab keine Antwort. Ich wusste, die Sache war gelaufen. Ich hörte den Schlüssel die Badezimmertür öffnen. Es vergingen zwei, drei Minuten, in denen meine Großmutter, wie ich wusste, den armen Staubsauger in den Kerker seines Kartons zurückbeförderte und ihm wieder die alte Sträflingskleidung überzog, in die sie ihn vor vierzig Jahren gesteckt hatte.

»Was hat sie gesagt?«, fragte Abigail erneut.

»Sie hat gesagt: ›Redst du mit mir?‹«, antwortete ich.

»Was heißt das? Sprich bitte englisch.«

»Das heißt soviel wie: *You talkin' to me?*«, sagte ich.

Abigail stürzte sich auf mich, drückte mich aufs Bett nieder und flüsterte wütend: »*You talkin' to me?* Das hat sie gesagt? Du hast alles kaputtgemacht. Ich wollte meinem Vater ein Geschenk mitbringen.«

Draußen hörte man den Schlüssel die Badezimmertür abschließen. Ich nahm Abigail fest in die Arme. Bald würde Großmutter ihr Tagewerk beginnen und uns die Matratze unterm Hintern wegzerren. Steht auf, aufstehen, genug im Bett herumgestänkert. Man muss anfangen zu putzen. Es gibt viel Arbeit.

Erste Sonnenstrahlen drangen durch die Ladenritzen. »Schau«, sagte ich und zeigte Abigail den Staubreigen in ihrem Licht. Wir standen auf und machten einen Morgenspaziergang durch die Felder. Danach verabschiedeten wir uns von Großmutter Tonia und bedankten uns für die Gastfreundschaft. Abigail erklärte ihr auf Englisch, falls sie je ihre Meinung ändere, solle sie es mir mitteilen und ich würde es ihr ausrichten, und Großmutter lächelte höflich und bat mich nicht mal zu übersetzen. Wir gingen bei Zilla und Jair frühstücken und von dort zur Landstraße, um den Bus für die Weiterreise zu erwischen.

Wir verbrachten ein paar frohe und unbeschwerte Tage zusammen, danach begleitete ich Abigail zum Flughafen. Sie flog nach Hause, zu ihrem Vater und ihrem Freund, mich erwarteten der Ambulanzwagen, die Mäuse und das Studium. Wir haben uns nie wiedergesehen. Manchmal frage ich mich: Wo steckt sie heute wohl? Und was ist aus ihr geworden? Hat sie den Freund geheiratet, dem sie das Paket schickte, dank dessen wir uns getroffen haben? Arbeitet sie in ihrem erlernten Beruf, in der Sonderschulpädagogik? Vielleicht wohnt sie mit einer Lebensgefährtin in Berkeley? Oder sie hat eine Putenfarm in Illinois und sieben Kinder von ihren ersten drei Ehemännern? Aber eins weiß ich – sie ist ohne den Staubsauger meiner Großmutter nach Los Angeles zurückgekehrt, aber mit einem ihrer besten Ausdrücke.

30

Etwa zwei Jahre später schloss ich mein Studium an der Universität ab. Eine Weile arbeitete ich noch für den Roten Davidstern, danach als Rechercheur für Dokumentarsendungen beim israelischen Fernsehen.

Nach ein paar Jahren trat ich auch selbst im Fernsehen auf. Seinerzeit gab es in Israel nur einen Sender, und jeder Quatsch, der ausgestrahlt wurde, hatte hundert Prozent Einschaltquote. Bald entdeckte Großmutter Tonia, dass ihr ältester Enkel ein bekanntes Gesicht geworden war, und zögerte nicht, es allen mitzuteilen, die es ihrer Ansicht nach wissen sollten. Wenn sie mit dem Bus fuhr, sagte sie es dem Fahrer. Suchte sie eine Behörde auf, sagte sie es dem Beamten. Ging sie zu einer ärztlichen Untersuchung, sagte sie es dem Arzt, der Schwester, dem Röntgentechniker, der Laborantin und den übrigen Patienten im Wartezimmer. Als ich einmal eine Bemerkung darüber machte, gab sie ärgerlich zurück: Das sei ihr Recht. Ich sei ihr Enkel.

Ich war nicht das einzige Familienmitglied, über das sie sich ärgerte. Damals ging auch die Sache mit dem »Album« los und raubte ihr den Schlaf. Es handelte sich um das *Album der Zweiten Alija,* das in jenen Jahren zusammengestellt wurde. Die Herausgeber wollten die Fotografien aller Pioniere der Zweiten Alija in einem Band versammeln, mit ein paar biografischen Angaben darunter. Großmutter Tonia begriff sofort, dass ihre Schwester Schoschana, und nicht sie, neben Großvater Aaron verewigt werden sollte, und geriet in helle Wut.

Nicht umsonst habe ich hier das feierliche Wort »verewigen« verwendet, denn sie benutzte es auch selbst. »Ich will Verewigung«, verkündete sie immer wieder, doch während es anderen um ihre Verewigung im Kreis der Pioniere der Nation und der Staatgründer ging, lag ihr etwas weit Wichtigeres am Herzen: ihr Ehrenplatz neben Großvater Aaron und in der Familienchronik.

Sie wandte sich sogleich an ihren Bruder, Onkel Mosche, und verlangte, er solle all seine Beziehungen spielen lassen, damit sie im *Album der Zweiten Alija* neben ihrem Mann zu stehen kam. Onkel Mosche schrieb ja bekanntlich Briefe an die Spitzen der Arbeiterbewegung, verwies auf Risse, die sich in der festgefügten Mauer unserer Ideologie auftaten, und aus ihrer Sicht genügte ein einziger Brief an Ben Gurion, und schon würde dieser mit seiner berühmten Entschlossenheit energisch eingreifen. So, wie er den Beschuss der »Altalena« vor der Küste Tel Avivs angeordnet hatte, würde er ihre Aufnahme ins *Album der Zweiten Alija* veranlassen.

Onkel Mosche lachte und sagte: Erstens, Tonitschka, geben sich Persönlichkeiten von Ben Gurions Kaliber nicht mit solchen Bagatellen ab, und zweitens gibt es da noch ein kleines Problem: Du kannst aus demselben Grund nicht im *Album der Zweiten Alija* erscheinen, aus dem Jizchak und ich nicht drin stehen werden – weil wir mit der Dritten Alija ins Land gekommen sind. Sei mir nicht böse. Auch ins Album der Ersten Alija wird man uns nicht aufnehmen, ebenso wenig wie ins Album der französischen Konstituante, und zwar aus haargenau demselben Grund.

Derlei dürftige Ausreden hatten Großmutter Tonia noch nie interessiert. Das Wort »Bagatellen« kränkte sie, und dass ihr Bruder sie mit »Tonitschka« anredete, missfiel ihr ebenfalls. Wer dem Hilfegesuch seiner Schwester nicht bereitwillig und umgehend Folge leistete, war nicht berechtigt, sie mit Kosenamen anzureden.

Sie erwog bereits, ihn mit »er ist nicht mehr mein Bruder« zu bezeichnen, beschloss aber, ihm noch eine Chance zu geben: »Schreib Ben Gurion einfach von diesem Album, und er soll selber entscheiden, ob das eine Bagatelle ist oder nicht.«

Zu Onkel Mosches – und mehr noch zu seinem eigenen – Glück starb Ben Gurion wenige Tage nach diesem Gespräch. Einige Zeit später fand man einen Kompromiss: Schoschana würde im Album erscheinen, aber nicht an Großvaters Seite. Großvater selbst war schon zu alt und müde, um eine Meinung zu äußern, und schließlich wurde ein Abstand von sieben Seiten zwischen ihm und ihr festgelegt, eine durchaus akzeptable Distanz zwischen einem wiederverheirateten Mann und seiner ersten Frau. Großmutter Tonia musste die Entscheidung akzeptieren, war aber nicht ganz zufrieden. Immer wieder sagte sie, sie brauche eine richtige »Verewigung« – das heißt, nur sie und Großvater Aaron –, und letzten Endes war ich es, der dafür sorgte.

Die Gelegenheit bot sich, als das israelische Fernsehen eine Serie mit dem Titel *Die Feuersäule* über die Geschichte des Zionismus vorbereitete. Als die Rechercheure sich der Zweiten und der Dritten Alija und der Besiedlung der Jesreelebene zuwandten, fragte mich die Produzentin Nomi Kaplansky, die damals die Interviews für die Serie sammelte und zusammenschnitt, ob ich in Nahalal jemanden von den Alteingesessenen wüsste, der gut über diese Ära erzählen könne.

Ohne zu zögern oder mit der Wimper zu zucken, sagte ich sofort: »Meine Großmutter!«

»Deine Großmutter? Wer ist sie? Was hat sie getan?«

»Gearbeitet, gemolken, geputzt, gekocht. Sie hat mir Geschichten erzählt und sich um Hof und Familie gekümmert.«

»Und sie kann von der Siedlungsgeschichte im Emek erzählen? Von der Ideologie jener Zeit?«

»Über die Geschichte gibt es schon genug Versionen«, sagte ich, »dann kommt ihre Version halt noch dazu. Und was die Ideologie angeht, wird sie dir neue Seiten zeigen, die du dir nie hättest träumen lassen.«

Nomi Kaplansky erwiderte, bei allem Respekt für meine wenig objektiven Empfehlungen – sie habe noch nie von meiner Großmutter gehört.

»Sie heißt Großmutter Tonia«, sagte ich, »Tonia Ben-Barak. So, jetzt hast du von ihr gehört.«

Sie lachte und erklärte dann, dass sie in der kommenden Woche ins Emek fahren werde, um Meir Jaari und Jaakov Chasan zu treffen, und wenn ihr Zeit bliebe, würde sie auch meine Großmutter aufsuchen und sie unter die Lupe nehmen.

Ich informierte meine Großmutter umgehend, dass die

Verewigung nahe. Eine Frau Kaplansky vom Fernsehen werde zu ihr kommen, und sie müsse sich an folgende Anweisungen halten:

Keinem im Dorf etwas von dem bevorstehenden Besuch von Frau Kaplansky sagen.

Frau Kaplansky nichts vom Album der Zweiten Alija erzählen.

Frau Kaplansky durchaus Geschichten erzählen, die mit den Worten »als ich ein junges Mädchen war« begannen.

Sich bei Frau Kaplansky weder über Großvaters Fluchten beschweren noch darüber, dass Menachem und Jair ihr keine Sahne abgegeben und ihr nicht erzählt hatten, dass sie nach Haifa fuhren.

Frau Kaplansky nicht die Sitzbank auf der Veranda anbieten, sondern das Treffen im Haus abhalten.

Außerdem, und das ist sehr wichtig, Großmutter: Wenn Frau Kaplansky kommt, hat sie eine lange Reise hinter sich. Falls nötig, musst du sie auf die Toilette lassen. Du darfst sie auf keinen Fall rausschicken, um Großvaters speziellen Zitrusbaum zu begießen.

Wie Abigail kehrte auch Nomi Kaplansky total fasziniert von der Begegnung zurück. »Sie ist wirklich ein Unikum, deine Großmutter«, sagte sie, »ein bisschen meschugge, aber so originell, und was für interessante Beobachtungen, und ihr Salzhering erst...«

So kam es denn, dass Großmutter Tonia in der vielgelobten Serie *Die Feuersäule,* in der ergreifenden Episode »Das Emek ist ein Traum«, die einzige Interviewpartnerin aus Nahalal war. Nicht die üblichen Repräsentanten, nicht die Menschen der Vision, der Werte und der Tat. Nicht die Funktionäre, die Hüter der Prinzipien, der Sicherheit, der Satzung und der Verwirklichung des zionistischen Gedankens. Sondern ausgerechnet sie, deren Erbgut mich bewogen hatte, bei der Einweihung des Waffenlagers der Hagana vor ebendiesen Menschen mit rotlackierten Zehennägeln aufzutreten.

Nomi Kaplansky fragte sie, unter anderem, nach den Unterschieden zwischen Moschaw und Kibbuz. Und statt nun über das »Kollektiv« und das »Individuum«, den Sozialismus und die Religion der Arbeit zu referieren, analysierte sie die ganze Angelegenheit aus einem natürlichen und logischen Blickwinkel – aus der Sicht der Familie. »Wir sind in einen Moschaw ›gegongen‹, weil wir unsere Freiheit und Privatsphäre wollten«, erklärte diese unverbesserliche Individualistin und fügte eine scharfsinnige statistische Beobachtung hinzu: »Viele Leute haben den Kibbuz ›verlossen‹ und sind in einen Moschaw ›gegongen‹. Keiner hat den Moschaw ›verlossen‹ und ist in einen Kibbuz ›gegongen‹.«

Und zu dem historischen ideologischen Streit zwischen den beiden Siedlungsformen, den so viele vor ihr durchgekaut hatten, sagte sie etwas ganz Einfaches: Im Moschaw weiß man, mit wem man beim Essen sitzt – mit der Familie, wohl oder übel. Aber im Kibbuz-Speisesaal kann man sich in Gesellschaft von Menschen wiederfinden, mit denen man nicht zusammensitzen und gewiss nicht essen möchte.

Aber all das ist unwichtig. Wirklich wichtig ist, dass in *Die Feuersäule,* sowohl in der Fernsehserie als auch dem später erschienenen Begleitband, ein wunderbares Bild von ihr und Großvater Aaron erschien: ein hübsches junges

Paar, das Liebe und Leidenschaft ausstrahlt. Sie sitzt auf dem Boden, ihr Haar zu Zöpfen geflochten, lächelnd, und er, viel größer und schöner als sie, beugt sich über sie, hält ihren Arm, schmiegt sich geradezu an ihren Rücken, und beide sehen aus, als warteten sie nur darauf, dass der Fotograf endlich fertig sein und gehen möge, damit sie ihr Liebesspiel auf der Tenne oder im Weinberg oder im Bett wieder aufnehmen können.

Das Emek war in heller Aufregung. Das Dorf glich einem Bienenstock. Ausgerechnet Tonia Ben-Barak sollte den ersten Arbeiter-Moschaw in der wichtigsten Fernsehserie über den Zionismus vertreten? Und auch Großmutter Tonia geriet in Rage, doch wie immer nach ihrer eigenwilligen Logik: »Sie hat mir nicht die Veranda gefilmt«, beschwerte sie sich nach der Sendung bei mir über Nomi Kaplansky, »und ich hatte sie doch eigens für sie geschrubbt.«

Aber mir war sie dankbar, und ich wurde wieder ihr Lieblingsenkel. »Jetzt wird sie auch dich in ihrem verschlossenen Badezimmer baden lassen«, sagte meine Tante Batscheva, die stolze Mutter von Nadav, lachend, aber ich war über solche Bagatellen längst erhaben – oder gab es zumindest vor.

31

Großvater Aaron starb 1978. Zahlreich und trübe waren die Tage seines Lebens. Neunundachtzig Jahre zählte er bei seinem Tod, und als er starb, hatte er nicht genug Glück gekannt und nicht genug Freude erlebt und schuldete seinen sämtlichen Enkeln noch Geschenke für all die Afikomans, die er Jahr für Jahr an Pessach versteckt hatte. Meinen Anteil forderte ich von seinen Erben, Menachem und Jair, aber sie sagten, sie warteten selbst immer noch auf die Afikoman-Geschenke, die er ihnen schuldig geblieben war. Ich wandte mich an Großmutter Tonia, und sie wiederholte ihr Motto: »Ihr werdet mich nicht zu meinen Lebzeiten beerben.«

Übrigens kam Jahre nach seinem Tod der Afikoman zum Vorschein, den er bei Batscheva so unauffindbar versteckt hatte. Batscheva wollte ein Bild umhängen, und als sie es von der Wand nahm, fiel das vergeblich gesuchte Stück Mazze herunter: Der Afikoman von 1963 war gefunden! Wie bei uns üblich, ließ das eine Fülle von Geschichten, Klagen und Witzen sprießen, aber es gab niemanden mehr, bei dem man die Belohnung hätte eintreiben können.

Großmutter Tonia starb neun Jahre nach ihm, mit vierundachtzig. Ihre letzten Tage waren hart. Auch vorher waren sie nicht leicht gewesen, was konnte also am Lebensende noch schlimmer werden? Sie überschüttete uns mit noch mehr Klagen und Vorwürfen als sonst, wühlte in Erinnerungen, an die nur sie sich erinnerte, stocherte in Wunden, die besser in Ruhe verheilt wären.

Ihre Gesundheit verschlechterte sich rapide. Jahre der harten Arbeit, der Spannungen und Ärgernisse taten das Ihre. Sie verbrachte eine kurze Zeit in einem Altenpflegeheim in Tivon, und ich besuchte sie dort einige Male. Sie bat mich, sie nach Hause zu bringen, in ihr Haus. Sie flehte und weinte, aber ich konnte ihr diesen Wunsch nicht erfüllen. Ein paar Wochen später starb sie, und die ganze Familie kam zu ihrer Beerdigung zusammen.

Auf Beerdigungen in unserer Familie, ausgenommen die schrecklichen Militärbegräbnisse, geschieht immer etwas Sonderbares oder Lustiges, und die Leute lächeln oder lachen sogar unter Tränen. Bei der Beerdigung von Onkel Menachem zum Beispiel, der ein Mann mit Humor gewesen war, weinten wir alle, erzählten jedoch seine Witze, gaben seine Imitationen wieder und lachten, wie wir mit ihm gelacht hatten. Und bei Großvater Aarons Beerdigung erschien die Frau von Nachum Sne, seinem Freund vom Makarower Dreigespann, auf dem Friedhof und zog eine spektakuläre Show ab, mit Beschimpfungen, Vorwürfen und Schmähungen, sie beleidigte unsere gesamte Familie bis zurück ins zehnte Glied – bis Großmutter Tonia sie mit der Bemerkung zum Schweigen brachte: »Aber warum vor aller Ohren? Komm hinterher zu mir, dann trinken wir Tee und reden.« Und alles kicherte.

Bei der Beerdigung meiner Mutter waren alle niedergeschlagen und verstört. Sie starb mit vierundsechzig Jahren, als erstes von sieben Geschwistern. In vieler Hinsicht war sie ihnen allen eine Stütze gewesen, und ihr Tod erschütterte die Mauer, deren Steine sie waren. Die Beerdigung war groß und tieftraurig. Die ganze Familie, all ihre Freunde aus Jerusalem und aus der Jesreelebene, ihre jetzigen und ehemaligen Schüler, waren auf den Nahalaler Friedhof gekommen, gingen schweigsam und gebeugt, versammelten sich um das offene Grab, und vor lauter Schmerz brachte keiner ein Wort heraus.

Es schien, als würde bei dieser Beerdigung keiner schmunzeln, doch unvermutet löste sich aus der Trauergemeinde ein mysteriöser alter Mann, den die Mehrzahl der Anwesenden nicht kannte, fuchtelte theatralisch mit der Hand und stieß einen lauten Schrei aus: »Batja!«

Alle standen stumm. Der Mann legte eine Kunstpause ein, die ihn als erfahrenen Trauerredner und Schauspieler auswies, und erhob dann erneut seine Stimme: »Ich bin Onkel Jascha!«

Wir atmeten auf. Es gibt eine Show! Man erteilte Onkel Jascha das Wort, und er hielt eine hervorragende, tief bewegende Trauerrede, die sogar einer Frau namens Batja gewidmet war. Im Publikum tuschelte und mutmaßte man – wer war dieser Jascha? Hatte Großvater Aaron einen Bruder verheimlicht? Manche behaupteten sogar, ihn zu kennen, sein Name sei tatsächlich Jascha, und letztlich kamen wir überein, dass auch der Titel »Onkel« gerechtfertigt war, nur seine Batja war nicht die richtige.

Mein Bruder, meine Schwester und ich unterbrachen ihn nicht. Wir spürten, dass er einen positiven Einfluss auf uns und die übrigen Anwesenden hatte. Er sprach mit einem feierlichen Pathos, das ebenfalls wohltat. Nach wenigen Sätzen wurden schon Blicke gewechselt, man zwinkerte sich zu und stellte Vermutungen über ihn an, hier und da war ein Glucksen oder sogar ein Lachen zu vernehmen, und auch meine Mutter erhielt eine Beerdigung mit lächelnden Gesichtern, wie es sich gehört.

Und bei all unseren Beerdigungen wiederholen wir, was Großmutter Tonia zu sagen pflegte: »Sie ist nicht mehr« und »es war ein schrecklicher Tod«. Und das sagten wir auch von ihr selbst, auf ihrer Beerdigung. Weitere Ausdrücke von ihr wurden zum Besten gegeben, einige der Anwesenden imitierten sie sogar aus alter Gewohnheit. An der frisch ausgehobenen Grube neben Großvater Aarons Grab, die auf ihren Leichnam wartete – klein und schmal war sie schon zu Lebzeiten und noch winziger jetzt, im Tod –, standen ihre Söhne, Micha, Menachem und Jair, mit ihren Frauen und Kindern. Auch ihre Brüder waren gekommen. Mosche war vor ihr gestorben, aber Jizchak und Jaakov waren da. Alt und traurig waren sie, konnten sich kaum auf den Beinen halten. Jaakov weinte bitterlich. Jizchak schwieg, aber seine blauen Augen waren gerötet.

Etwas abseits, am Zaun, standen Großvaters Söhne, Binja und Itamar, mit ihren Familien, und dicht am Rand des Grabes Batja und Batscheva. Sie hatten längst das Haus und das Dorf verlassen, zogen eine lange und schmerzhafte Nabelschnur von Geschichten nach sich, und waren jetzt doch wieder ihre kleinen Töchter.

Sie weinten. Batscheva sagte: »Jetzt wirst du immer an Vaters Seite sein«, und meine Mutter verlas einige Worte.

Ich gebe sie hier in voller Länge wieder, unverändert und unredigiert. Ihr Nachruf lautete so, genau so, und da er in schriftlicher Form erhalten ist, kann keiner ihm eine andere Version entgegenstellen:

»Unsere Mutter ist nicht mit der Zweiten Alija ins Land gekommen und gehörte auch nicht zu den Gründern von Nahalal«, las sie vor. »Sie kam nach der russischen Revolution, mit ihrer Mutter, einem jüngeren Bruder und einem Vetter ins Land Israel, um zu dem Rest ihrer Familie zu stoßen. Nahalal kannte sie nur vom Hörensagen – sie hatte zwei ältere Brüder dort und einen Schwager, Aaron Ben-Barak, den sie mit sechs oder sieben Jahren zum letzten Mal gesehen hatte, als er die Familie in ihrem russischen Schtetl besuchte und ihr eine Puppe mitbrachte.

Bei ihrer Ankunft standen in Nahalal schon Baracken und Kuhställe, etwas Zucker und Öl bekam man auf Pump im sogenannten ›Lagerhaus‹. Im Sommer brannte die Sonne nieder, Schutz davor gab es nirgends, im Winter versank man bis zu den Knien im Schlamm. Sie war ein junges Mädchen, wie sie gern sagte – ›als ich ein junges Mädchen war‹ –, das noch den braunen Gymnasiastinnenkittel trug, noch die schwarze Schleife im Haar –, und sie gelangte in eine neue Welt, eine andere Welt, eine unbekannte, harte, fast brutale Welt.

Sie hat weder in Hulda noch in Beer Jaakov gearbeitet, hat nicht Deganja mitgegründet und keine Felder in Sedschera oder Javniel gepflügt. Sie kam einfach zu ihrer Familie nach Nahalal und hat ein neues Leben begonnen: Tagtäglich rang sie mit familiären Schwierigkeiten, die sie nicht meistern konnte, und mit der Kritik der Gesellschaft – an ihrem Wunsch, ihre Umgebung ein wenig zu verschönern, sich zu schmücken, anders zu sein.

Sie war hart und anspruchsvoll gegen sich selbst, hart und anspruchsvoll gegen andere, sie war fanatisch, unnachgiebig und unversöhnlich, aber immer tätig, von morgens bis abends im Einsatz: Ernte und Lese, Gurken und Oliven einlegen, wenn Saison war, Marmelade kochen unter dem Granatapfelbaum im Hof. Und wenn das Geld knapp wurde, übernahm sie auch noch zusätzliche Aufgaben: Sie beherbergte und verköstigte die Arbeiter der Elektrizitätsgesellschaft, die Nahalal ans Stromnetz anschlossen, und in einem alten Notizbuch fand ich den Eintrag ›Rechnung Waldarbeiter‹: anderthalb Grusch und noch ein halber Grusch und noch zwanzig Mil – der Preis für die Mahlzeiten, die sie an ihrem Tisch einnahmen. Der Bauernhof wurde ein Teil von ihr und ihrem Wesen, ihr Reich, in dem sie nach Belieben schalten und walten konnte. Seit meiner Kindheit wusste ich: Wenn meine Mutter nicht gewesen wäre, wären wir vielleicht nicht in Nahalal geblieben.

Sie hatte jedoch auch ein Stückchen heile Welt: Wie liebten wir alle die Geschichten über ihre Familie und Freunde in Russland, über den Großvater, den Gutsherrn, den Aufständische enteignet hatten, und über ihre tüchtige Mutter, vor deren Ladentür das Mehl per Bahn angeliefert wurde. Wir sangen russische Lieder auf Russisch, noch ehe wir in den Jugendbund eintraten. Wir waren fasziniert von ihrer ehemals reichen Familie, von ihren feierlichen Ausdrücken, ihren Geschichten, ihrer Sehnsucht.

Dort, auf der Plattform vor der Küche, dieser warmen Betonfläche, die wir schrubbten und aufwischten, schrubbten und aufwischten, saß sie mit uns und erzählte und sang und nahm uns alle mit in ihre geheime Zauberwelt, von der nur wenige etwas wussten.

Vater, Mutter, jetzt liegt ihr in ewigem Frieden nebeneinander, frei von Wut und Ärger, versöhnt in der wahren Liebe, die hier unter den Lebenden erschüttert wurde und zu Bruch ging, und die nun ihre wahre und letzte Ruhe findet.«

Bei Beerdigungen alter Menschen, vor allem von solchen, die zu Lebzeiten sehr schwierig waren oder ihre Verwandten zu lange auf ihren Tod warten ließen, spürt man zuweilen ein erleichtertes Aufatmen. Aber das wollte sich bei Großmutter Tonias Beerdigung nicht einstellen. Alle wussten, dass sie eine schwierige, sture, nachtragende, fanatische und herrische Frau gewesen war. Doch in mancher Hinsicht verkörperte sie die reine Essenz all dessen, was wir – wohl oder übel – selber sind, unverwässert durch Nachgiebigkeit oder Kompromissbereitschaft.

Sie war unsere Kraftquelle, hatte gekämpft und gerungen, war nicht entfleucht und nicht weggezogen, hatte mit ihren zehn Fingern den Hof eisern festgehalten. »Ah, nu, fass mal an«, hatte sie mir bei einer unserer letzten Begegnungen gesagt und mir ihre Finger hingestreckt oder, richtiger gesagt, sie zu strecken versucht. Sie waren erbärmlich verkrümmt, vor allem der kleine Finger, den sie nicht mehr vom Teeglas abspreizen konnte. »Ah, nu, fass an, fass hin, fühl mal, wie abgearbeitet sie sind.«

Die Beerdigung endete. Wir alle gingen vom Friedhof zum Dorf hinunter und setzten uns auf ihre Eingangsveranda. Noch jetzt, wo sie tot war, wagte es keiner, das Haus zu betreten, nicht durch die Vordertür und auch nicht durch die andere, aus Angst, sie könnte auferstehen und Stücke von einem abreißen. Jeder wartete, dass ein mutiger Wegbereiter sich erhob, die Tür aufmachte und hineinging.

Wir waren sehr traurig. Spürten nichts von der Erleichterung, die wir erwartet hatten, empfanden auch keine schmerzliche Reue oder schmähliche Schicksalsergebenheit. Deshalb taten wir, was unsere Familie immer tut, in guten wie in schlechten Zeiten – wir erzählten Geschichten. Wir erzählten von ihr und von Großvater, vom Dorf und von der Familie, stritten darüber, ob die Sache so gewesen war oder nicht so, in dem Wissen, dass auch dieser Augenblick zu einer Geschichte mit mindestens sechs Versionen mutieren würde.

Und plötzlich erhoben sich meine Mutter und meine Tante, Tonias beide Töchter, machten die Tür auf und betraten ihr Haus. Alle verstummten, wechselten Blicke, dann standen wir auf wie ein Mann und folgten ihnen ins Innere. Das Haus füllte sich mit Menschen. Auf einmal merkten wir, wie klein und dürftig es war. Viele Jahre waren wir nicht drinnen gewesen. Das Verbot hatte es, nach Art der Verbote, schöner gemacht. Die Sehnsucht hatte es, nach Art der Sehnsucht, prächtiger erscheinen lassen. Die Erinnerung hatte es, nach Art der Erinnerung, um vieles vergrößert. Meine Tante und meine Mutter durchquerten das Esszimmer, in dem nicht gegessen wurde, kamen zur Haustür, durch die man nicht eintrat, bogen nach links ab und blieben vor den verschlossenen Zimmern stehen, Großmutter Tonias Tempel.

Die Tür war zu, was denn sonst. Fragen wurden laut: Wo ist der Schlüssel? Ein kleiner Tumult entstand. Alle fingen an, die Schubladen und Schränke in der Küche zu durchsuchen – doch vergebens. Meine Mutter und meine Tante eilten zum Geräteschuppen, jener Baracke, in der sie einst aufgewachsen waren und sich mit ihren Brüdern eine enge Kammer geteilt hatten, ehe es der bevorzugte Treffpunkt der lustigen »Bande«, von Onkel Micha und seinen Freunden wurde und noch später Onkel Menachems Zimmer und schließlich der baufällige Schuppen für Werkzeuge und für all die Dinge, die Moschawniks niemals wegwerfen, weil man eben nichts wegwirft, denn wenn man etwas wegwirft, entdeckt man am nächsten Tag, dass man genau das jetzt gebrauchen könnte.

Der Schlüssel fand sich auch dort nicht. Manche meinten, Großmutter Tonia habe es fertiggebracht, ihn mit ins Grab zu schmuggeln. Andere rieten, mit Gewalt einzubrechen. Aber meine Mutter ging zurück zur Tür, nahm den Lappen von der Klinke und drückte sie. Alle staunten. Die Tür war zu, aber nicht abgeschlossen. Sie öffnete sich weit.

Nasen schnupperten. Augen starrten. Ohren wurden gespitzt. Die Details aus den Geschichten erwiesen sich als wahr: die kühle Stille, die würzige Luft, das transparente Halbdämmern, die makellose Sauberkeit. Die Geschichten stimmten. Die Sache war so. Da lagen die verschlissenen Leintücher auf Großmutters Möbeln.

Batscheva und Batja gingen ihr in die verbotenen Räume und öffneten ihr die Fenster, die sie zugemacht hatte. Licht und Luft drangen ihr in die Zimmer – und damit noch mehr Blicke von noch mehr Familienmitgliedern, die sich teils an der Tür drängten, teils schon hinausgeeilt waren und sich auf dem Gehweg versammelten, um durch die geöffneten Fenster zu linsen. Und sofort, gleich nach den Blicken, schwirrten ihr auch Staubkörnchen hinein, gefolgt vom geballten Ansturm der Kasuarinennadeln, Dreckstaubenfedern, Blütenstäubchen, Flugsamen und Strohhälmchen, die all die Jahre jenseits der Wand auf ebendiesen Augenblick gelauert hatten.

Und dann geschah etwas Unglaubliches, aber die Sache war so: Meine Mutter und meine Tante zogen die alten Leintücher weg, die das Sofa und die Sessel und die Schränke ihrer Mutter bedeckten, und – als hätten sie es schon Jahre im Voraus geplant und durchdacht, womöglich sogar in Geist oder Tat geprobt und eben während der Beerdigung endgültig untereinander abgesprochen – hoben beide die Rocksäume ein wenig, kletterten gemeinsam auf Großmutter Tonias Sofa und begannen, darauf herumzuhopsen.

Auch die, die dabei waren, können kaum glauben, dass es tatsächlich geschah, von allen anderen ganz zu schweigen, aber die Sache war so. Sie hopsten ihr auf dem Sofa herum, und sie hüpften ihr auf den Sesseln auf und ab, und sie sprangen ihr auf die Anrichte und mit einem Satz zurück aufs Sofa, hörten nicht auf, lachend und kreischend auf den Möbeln herumzutoben, bis sie auf das große Doppelbett mit dem in dunklem Holzbraun gestrichenen Kopfende aus Metall plumpsten und weinend und engumschlungen dort liegenblieben.

32

Während alle noch meiner Mutter und ihrer Schwester zusahen, die auf den Möbeln ihrer Mutter herumsprangen, sich auf ihr Bett fallen ließen und es mit Tränen befleckten, wandte ich mich lautlos dem Allerheiligsten zu, dem Badezimmer.

Auch hier war die Tür geschlossen, aber nicht abgesperrt. Ich schaltete das Licht an und war schier geblendet von den schlohweißen Wänden, der blitzsauberen Badewanne, den glänzenden Kacheln. Nach allen Zeugenaussagen war Nadav der letzte Besucher hier gewesen, und nach seinem Bad hatte Großmutter gründlich saubergemacht. Kein einziger Fleck, keine Spur, kein Staubkörnchen war zu sehen, aber auch nicht ihr Sweeper. Der Staubsauger war weg. Doch dann erblickte ich das Bierglas, das deutsche Bierglas, das sie mir zu Lebzeiten nicht hatte geben wollen und das nun dort stand und auf mich wartete, mir rührend zulächelte: »Du kannst mich beerben. Ich bin nicht mehr.«

Ich bückte mich, hob es auf – und bemerkte plötzlich die Stille im Haus. Eine so tiefe Stille, dass ich sie am ganzen Leib, nicht nur in den Ohren, spürte. Ich drehte mich um, das Bierglas in der Hand – und da stand die ganze Familie mucksmäuschenstill, in Erwartung einer Antwort.

»Er ist nicht da«, sagte ich betreten.

Bei uns in der Familie erzählen und verbreiten sich die Geschichten von selbst. Einige schweben durch die Luft, andere heften sich an die Kleider, wieder andere durchlaufen unser spezielles Verdauungssystem: werden durch die Poren der Haut aufgesogen und durch den Mund ausgestoßen. Es gibt nicht viele Geheimnisse, erst recht nicht, wenn die Badezimmertür sperrangelweit offen steht. Die Geschichte von Abigail, all ihre Einzelheiten, ihr Verlauf und die Geldsummen, um die es ging – die besonders – waren längst allen bekannt. Und nicht nur bekannt, sondern auch schon mit Ausschmückungen, Versionen und Zusätzen versehen.

Alle warfen mir vorwurfsvolle Blicke zu. Einige meiner Verwandten haben mich bis zum heutigen Tag in Verdacht, behaupten, ich hätte Großmutter Tonia am Ende doch überredet, Abigail den Sweeper zu verkaufen, und eine saftige Provision eingestrichen. Andere argwöhnen, ich hätte ihn selbst verkauft und die gesamte Summe einkassiert. Ich hoffe, dem Leser ist klar, dass es sich dabei um üble Nachrede und falsche Anschuldigungen handelt, wie sie nur Nichtblutsverwandte zusammenbrauen können. Aber diese Verwandten werde ich nicht mehr überzeugen können.

Anfangs versuchte ich es mit Leugnen – doch vergebens. Danach versuchte ich die Anklage auf meinen Vetter Nadav umzulenken. Ich sagte, er sei als Letzter im Badezimmer gewesen, und überhaupt: Wer es fertiggebracht hatte, Großmutter Tonia ein Bad in ihrem verschlossenen Badezimmer abzuschwatzen, dem war alles zuzutrauen und rein gar nichts heilig. Ich sagte, er habe auch ein klares Motiv gehabt. Nadav liebt alte Geräte, hat, ich erwähnte es schon, geschickte Hände wie sein Vater, Onkel Arik, und unser

Onkel Jizchak und hat von ihnen das Faible dafür geerbt, Dinge auseinanderzunehmen und wieder zusammenzusetzen. Er habe den Sweeper mitgenommen, um seinen Geheimnissen auf den Grund zu gehen, behauptete ich, aber auch das vergeblich.

Doch Jahre sind vergangen, und ich versuche nicht mehr, irgendetwas zu rechtfertigen, zu erklären, zu leugnen, andere zu beschuldigen oder zu verleumden. Auch diejenigen, die mich verdächtigen, sind heute nicht mehr wütend, sondern wollen nur, dass ich gestehe, nicht der Gerechtigkeit oder des Geldes wegen, sondern weil sie hungrig sind nach noch einer Geschichte und noch einer Version und noch einer Anekdote.

33

Ein paar Monate später, auf einer Amerikareise, ging ich in einem Vorort von Los Angeles eine Straße entlang. Plötzlich bockten meine Füße wie Whitys Hufe vor dem Wadi. Ich hielt inne. Machte kehrt. Ich hatte mich nicht geirrt. Im riesigen Schaufenster eines eleganten Geschäfts für Elektrogeräte, inmitten eines Ensembles moderner Waschmaschinen, Wäschetrockner, Küchenmaschinen, Kühlschränke und Staubsauger, stand – auf Hochglanz poliert und gut erhalten, erhöht auf einem eigenen, samtbezogenen Holzpodest – Großmutter Tonias Sweeper.

Ich trat näher und starrte ihn an. Kein Zweifel. Die großen Gummiräder, das funkelnde, fassgroße Chromgehäuse, der dicke, schwarze Schlauch. Und nicht nur sah ich den Sweeper – er sah mich auch. Still und anmutig rollte er auf mich zu, immer näher, bis er an die Scheibe stieß.

Ich betrat den Laden, erwartete, Abigail an der Kasse stehen zu sehen, aber Abigail war nicht da, und auch keiner, der ihr Mann oder ihr Vater hätte sein können. Es gab dort einen Verkäufer, eine Kassiererin und einen Direktor, oder vielleicht war das der Inhaber: ein höflicher junger Mann mit Krawatte.

Er fragte mich nach meinen Wünschen, und ich fragte ihn, woher der alte Staubsauger im Schaufenster komme.

»Er steht nicht zum Verkauf.«

»Ich möchte ihn nicht kaufen, nur wissen, woher Sie ihn haben.«

Er sagte, er habe ihn jemandem abgekauft, der ihn bei einem *garage sale* erstanden hatte, und dann wurde seine Miene weicher, und er nahm mich mit in das Schaufenster.

Wir traten an den Sweeper heran. »Er ist wie neu«, verkündete der Mann stolz, *»mint condition!«* Es gäbe Sammler, erklärte er, die für ein Gerät »in diesem Alter und Zustand« mindestens fünftausend Dollar zahlen würden – oh, Abigail, du durchtriebenes Luder –, doch er habe ihn für nur fünfzig Dollar einem Burschen abgekauft, der ihn selbst für zwanzig Dollar erworben hatte: »Der war noch seliger als ich. War sicher, ein Bombengeschäft gemacht zu haben. Und funktionieren tut er auch«, fuhr er fort. »Nur ein defekter Dichtungsring musste ausgewechselt werden.«

Mein Spiegelbild auf dem polierten Chromgehäuse wirkte verzerrt. Ich sah ›miserrrobel‹ aus, aus wie einer, der dringend einen Löffel Sahne braucht, und mehr noch – eine Großmutter, die sie ihm einflößt.

»Das ist ein häufiger Defekt bei diesem Modell«, bemerkte er.

Ich war erleichtert. Sah gleich viel besser aus, sogar in diesem Zerrspiegel.

»Übrigens«, fuhr der Mann fort, »wenn Sie sich für Staubsauger interessieren – es gibt in den Vereinigten Staaten ein paar sehr schöne Museen. Auch hier in Kalifornien.«

»Nicht nötig. So sehr interessiere ich mich nicht«, sagte ich. »Ich bin bloß hereingekommen, weil meine Großmutter genau so ein Gerät gehabt hat.«

»Interessant, warum gerade Staubsauger uns so sentimental machen«, sagte er, »viel mehr als Kühlschränke oder Waschmaschinen.«

Darauf wusste ich keine Antwort, zumal ich persönlich Spülmaschinen vorziehe.

Einige Zeit später beendete ich meinen ersten Roman – über einen fiktiven Moschaw, in dem es, unter anderem, ein fiktives Waffenversteck gab. Ich beschrieb dort auch eine fiktive Frau, die einen Putzfimmel hatte. In dieser Hinsicht erinnerte sie mich ein wenig an Großmutter Tonia, aber trotz all meiner Bemühungen konnte sie ihr nie das Wasser reichen.

Ich wollte diese Figur als moderne Hexe darstellen, schrieb sogar eine nächtliche Szene, in der sie durch die Lüfte flog, aber nicht auf einem Besen, sondern auf einem Staubsauger, und wusste bloß noch nicht, in welche der Städte, die auf der gläsernen Radioskala standen, sie fliegen sollte – in den Buckingham Palast nach London oder zum türkischen Sultan nach Istanbul. Am Ende warf ich diese Abschnitte allerdings in den Papierkorb und beschloss, bei der Wahrheit zu bleiben: Nicht die Frau war dort hingeflogen, sondern der Esel. Wenn Onkel Jizchak auch recht behalten hat und kein echter Moschawnik aus mir geworden ist, so bin ich doch ein Bauernsohn aus Nahalal, wie meine Mutter es mir eintrichterte und immer wieder ins Gedächtnis rief. Das heißt, ich bin mit der Landwirtschaft ausreichend vertraut, um zu wissen: Auf dem Boden der Wirklichkeit wachsen die besten Phantasiegeschichten.

Und was geschah am Ende? Nun, der Sweeper war weg

und verschwunden, Abigail desgleichen. Das deutsche Bierglas, das mir Großmutter Tonia vererbt hat, ist zu Bruch gegangen. Die Baracke, die Waschküche, die Brüterei, die vorzügliche Dusche im Kuhstall und der Kuhstall selbst sind abgerissen. Die Prototypen landwirtschaftlicher Geräte, die Onkel Jizchak konstruiert hatte, wurden einem Museum übergeben und sind dort bei einem Brand zerstört worden. Großmutters Haus ist vermietet, und seither habe ich es nicht mehr betreten. Das braune Metallkopfende des Doppelbetts dient mittlerweile als Trennwand im Pferch der jungen Kälber. So ist das bei uns. Man wirft nichts weg.

Viele der Helden dieser Geschichte sind gestorben. Großmutter Tonia ist nicht mehr, Großvater Aaron ebenfalls, und sein spezieller Zitrusbaum ist gefällt. Whity und Ah haben das Zeitliche gesegnet, ebenso wie meine Mutter und mein Vater und die Onkel Mosche, Jizchak, Jaakov, Binja, Itamar und als Letzter – Menachem. Als ich dieses Buch zu schreiben begann, fand gerade die Gedenkfeier zu seinem ersten Todestag statt. In mancher Hinsicht fiel sie noch trauriger aus als die Beerdigung und entlockte uns mehr Tränen und Schluchzer. Strömender Regen prasselte auf den Friedhof nieder und trug seinen Teil zu der trübseligen Stimmung bei. Aber dann erzählte sein großer Bruder, Onkel Micha, von einem Wiegenlied, das Großvater Aaron einst dem kleinen Menachem vorgesungen hatte. Tante Batscheva korrigierte ihn sofort: »So war es nicht!«, erklärte sie entschieden, und wir alle lächelten erleichtert unter den Regenschirmen. Trotz aller Todesfälle lebt die Familie und ist sogar fruchtbar: Bei uns werden immer noch neue Versionen geboren.

Hier endet meine Geschichte. Die Sache war so, jede Version ist richtig. Denn so ist das bei uns: Wir benutzen die Sprache und die Ausdrücke der Familie, bewahren ihre Erinnerungen und gehen nirgends mit leeren Händen hin, essen *Seljodka* und die Peniblen auch *Cholodez.* Denn das ist wichtig: Der Wahrheit treu bleiben, auch wenn sie einem nicht die Treue hält, sie mit Verstand auswringen, nicht wie ein Mann, sondern wie eine Frau, und sie in Geschichten erzählen und diese gegen das Licht halten und gründlich prüfen, immer wieder, bis sie richtig sind – wirklich klar und sauber.

Bitte beachten Sie
auch die folgenden Seiten

Meir Shalev im Diogenes Verlag

Ein Russischer Roman

Aus dem Hebräischen von Ruth Achlama

Der Waisenjunge Baruch, der bei seinem Großvater aufwuchs, erinnert sich an seine Kindheit im Israel der Gründerjahre und an die ihm überlieferte Familiengeschichte. Die russischen Einwanderer der Zeit zwischen 1904 und 1914, der sogenannten zweiten Alija, versuchten ihre utopisch-sozialistischen Ideale in den Kibbuzim Wirklichkeit werden zu lassen. Selbstironisch und phantasievoll beschreibt Shalev das Zusammenleben und die Geschichte dreier Generationen in einem kleinen Dorf in der Jesreel-Ebene.

»Eine wunderbare, witzige und sehnsüchtige Commedia dell'arte der Gründerjahre von Erez Israel.«
Peter Mosler / Die Zeit, Hamburg

Esaus Kuß

Eine Familiensaga
Deutsch von Ruth Achlama

Shalevs zweite packende Familiensaga ist die Geschichte einer sephardischen Bäckersfamilie, die in einem kleinen Dorf östlich von Jerusalem eine Bäckerei gründet. Hier, rund um den Ofen, der das legendäre Brot herstellt, leben drei Generationen, die sich streiten und versöhnen – und am Ende doch auseinanderbrechen.

»Shalev breitet nicht nur sein lokalgeschichtliches Wissen in farbenprächtigen Mosaiksteinchen aus, sondern präsentiert auch seinen hintergründigen Witz. Ein furios erzähltes Riesenmärchen, eine brillante Familiengeschichte, ein bewegender wie gleichermaßen wunderbar unterhaltender Roman.«
Ilse Leitenberger / Die Presse, Wien

Der Sündenfall – ein Glücksfall?

Alte Geschichten aus der Bibel neu erzählt
Deutsch von Ruth Melcer

Meir Shalevs Art, die Bibel nachzuerzählen und neu zu deuten, ist hochinteressant und vor allem: ein Lesevergnügen! Seine humorvolle Art, mit dem Stoff umzugehen, bringt an den Tag, dass sich die Bibel ebenso gut liest wie Shakespeares Werke, es gilt sie nur zu entdecken – und dieser Autor ist ein brillanter Expeditionsleiter.

»Ob der Sündenfall ein Glücksfall war – wer weiß. Ein Glücksfall allerdings sind Shalevs neue Deutungen der Bibelgeschichte. Sie sind amüsant und heiter und immer mit einem kleinen Augenzwinkern geschrieben.«
Walter Flemmer / Bayerisches Fernsehen, München

Judiths Liebe

Roman. Deutsch von Ruth Achlama

Manche Kinder haben eine Mutter und keinen Vater. Der zwölfjährige Sejde, der mit seiner Mutter in einem kleinen Dorf in der Jesreel-Ebene lebt, aber hat drei Väter. *Judiths Liebe* ist Shalevs dritte Familiensaga, in der es um die wahre Liebe geht und um eine wunderbare, eigenwillige Frau.

»*Judiths Liebe* ist eine Liebesgeschichte voll von jüdischem Humor, jiddischen Legenden, Anekdoten und Weisheiten und deftigem Witz.«
Vrij Nederland, Amsterdam

»Dieses Buch ist voller Rätsel, voller Liebe und Trauer, voller Melancholie und Witz, federleicht und gedankenschwer.« *Elmar Krekeler / Die Welt, Berlin*

»Ein Liebesroman voller hinreißender, sinnlicher Anekdoten und Geschichten, reine Poesie.«
Eva-Elisabeth Fischer / Süddeutsche Zeitung, München

»Aus vielen wunderbar erzählten Geschichten entsteht eine große Liebeserklärung: humorvoll, witzig, weise und stets mit einem Augenzwinkern.«
Christiane Schwalbe / Radio Bremen

Auch als Diogenes Hörbuch erschienen,
gelesen von Edgar M. Böhlke

Im Haus der Großen Frau

Roman. Deutsch von Ruth Achlama

Ich bin ohne Vater aufgewachsen, ohne Onkel oder Großvater, in einem Haus mit fünf Frauen – meiner Mutter, meiner Großmutter, meinen beiden Tanten und meiner kleinen Schwester –, fünf weiblichen Wesen, die mich erzogen, liebkosten, päppelten, mir Erinnerungen erzählten.
Wenn einen fünfzig Finger, zehn Augen und fünf scharfzüngige Münder mit ihrer Liebe verfolgen, hat Mann wirklich Grund, in die Wüste zu fliehen. Und sei's nur, um mit dem Pick-up die staubigen Pisten entlangzufahren, Wasserrohre zu kontrollieren und verstopfte Ventile zu erneuern oder mit dem einzigen Freund und Kollegen, dem Zauberer Vaknin, mal ein paar Worte zu wechseln.

»Glauben Sie mir mal einfach, dass es sich hier um Weltliteratur handelt.«
Hannes Stein / Die Welt, Berlin

»Meir Shalev beweist mit *Im Haus der Großen Frau* einmal mehr, dass er ein begnadeter Fabulierer ist.«
Annabelle, Zürich

Fontanelle

Roman. Deutsch von Ruth Achlama

Die bizarre Familiengeschichte des Joffe-Clans, erzählt aus der Sicht eines Mannes, dessen Fontanelle auch im Erwachsenenalter noch nicht geschlossen ist und der dadurch mehr wahrnimmt, als ihm manchmal lieb ist.

»Eine Saga, mit Zärtlichkeit und Trauer, mit Mut, Zuversicht und nie versiegendem Humor erzählt. Man verliebt sich in all die verrückten Details und die skurrilen Charaktere.«
Annemarie Stoltenberg / Hamburger Abendblatt

»Meir Shalev hat schon etliche wunderbare Romane geschrieben. *Fontanelle* ist noch ein bisschen wunderbarer.« *Barbara Dobrick / Radio Bremen*

Der Junge und die Taube

Roman. Deutsch von Ruth Achlama

Die Geschichte eines Jungen, der mitten im Krieg auf ungewöhnliche Weise gezeugt wurde, der seinen Vater nie kennenlernte und später alles über Vogelkunde und Taubenzucht wissen wollte.

»Ein Vogel fliegt in Kriegszeiten zwischen zwei Liebenden hin und her ... Meir Shalevs Roman berührt tief. Ein wunderschöner Roman, 496 Seiten Glück.«
Peter Pisa / Kurier, Wien

»Meir Shalev ist ein großartiger Erzähler. Kein einziger Misston findet sich in diesem Roman, der schwere Lasten auf leichten Schwingen transportiert. Er nimmt den Leser mit durch Glück und Unglück. Grandios erzählt.« *Julia Bähr / Abendzeitung, München*

Aller Anfang

Die erste Liebe, das erste Lachen, der erste Traum
und andere erste Male in der Bibel
Deutsch von Ruth Achlama

Im Anfang war das Wort. Aber wer gab wem den ersten Kuss? Worüber wurde zum ersten Mal gelacht, zum ersten Mal geweint? Wer empfand den ersten Hass? Wovon handelte der erste Traum?
Meir Shalev spürt in der Bibel den »ersten Malen« nach – mit überraschenden Ergebnissen.

»Immer wieder demonstriert Shalev auf kluge wie originelle Weise die Aktualität dieser ›ewigen‹ Geschichten.« *SonntagsZeitung, Zürich*

»Meir Shalev ist ein großer Verführer, einer, der archaische Geschichten liebt und seine Leser mit wunderschönen Sätzen umwirbt, mit Klugheit und lustvollem Fabulieren.« *Barbara Dobrick / Radio Bremen*

Meine russische Großmutter und ihr amerikanischer Staubsauger

Deutsch von Ruth Achlama

Gibt es von einer Geschichte mehrere Versionen, wählt man bei uns in der Familie die schönste.
Die wahre und unglaubliche, aberwitzige und traurige Geschichte von Meir Shalevs Großmutter Tonia und dem Staubsauger, den ihr Schwager ihr aus Amerika geschickt hat. Aufgezeichnet von ihrem schelmischen, liebenden, staunenden Enkel.

»Ein bezauberndes Erinnerungsbuch. Eine Geschichte von Liebe ohne Finsternis.«
Saguy Green / Ha'aretz, Tel Aviv

Zwei Bärinnen

Roman. Deutsch von Ruth Achlama

Auge um Auge, Zahn um Zahn – ein Roman über Leidenschaft und Untreue, über Verlust, Rache und deren Sühne. Die Familie Tavori betreibt im Norden Israels in der dritten Generation eine Gärtnerei. Es sind Menschen, die ihren Instinkten und Emotionen folgen: ihrer Liebe ebenso wie ihrem Hass.
Eine erschütternde Familiensaga und ein unkonventioneller literarischer Thriller von archaischer Wucht.

»Shalevs Stil bleibt unverwechselbar, aber in diesem Buch nimmt er besonders machtvolle Emotionen ins Visier – Wahnsinn und Gewalt –, die man so schnell nicht vergessen wird.« *Maya Sela / Ha'aretz, Tel Aviv*